Confesiones

Agustín de Hipona

Confesiones

Editorial Claretiana

Agustín, Santo
Confesiones.– 1° ed. 4a reimp.– Buenos Aires :
Claretiana, 2007.
464 p. ; 15x11 cm.

ISBN 978-950-512-506-7

1. Literatura Piadosa I. Título

CDD 242

1° edición, julio de 2004

Diseño de Tapa: *Equipo Editorial*
Introducción y revisión de textos: *Equipo Editorial*

Queda hecho el depósito que ordena la ley 11.723
Impreso en la Argentina.
Printed in Argentina.

ISBN 978-950-512-506-7

EDITORIAL CLARETIANA
Lima 1360 - C1138ACD Buenos Aires
República Argentina
Tel: 4305-9510/9597 - Fax: 4305-6552
email: editorial@editorialclaretiana.com.ar
www.editorialclaretiana.com.ar

Introducción

¿Quién fue San Agustín?

El norte del continente africano, con el contrastante paisaje dibujado por la violencia del sol y la exhuberancia del mar, es el escenario del nacimiento de Aurelio Agustín, el 13 de noviembre del año 354. La pequeña ciudad de Tagaste (hoy conocida como Souk-Ahras, en la actual Argelia) fue el lugar donde pasó sus primeros años, en el seno de la familia formada por Patricio y Mónica, sus padres, y sus hermanos Navigio y Perpetua.

Su padre, hombre de cierta posición económica, era pagano, y dueño de un carácter impulsivo y temperamental. Su madre, según la costumbre de la época, vivía en cierta sumisión a la voluntad de su marido, pero esto no le impedía practicar la fe cristiana, que recién estaba comenzando a estrenar su autorización oficial a partir del Edicto de Milán, promulgado por el emperador Constantino en el año 313. Estos dos polos harán sentir su influencia en la educación y el crecimiento de Agustín. Conoció tempranamente el cristianismo, e incluso, a instancias de Mónica, aprendió algunas oraciones; pero el ejemplo paterno y sus características personales lo llevaron por otros rumbos.

Si bien desde pequeño, Agustín, dio muestras de una inteligencia excepcional, sus primeros estudios, realizados en su ciudad natal, no fueron muy alentadores. Al respecto, comenta sobre sus maestros: "Nos gustaba jugar y por esto nos castigaban quienes jugaban lo mismo que nosotros. Porque los juegos con que se divierten los adultos se llaman solemnemente «negocios». Verdad es que este juego me impedía aprender con rapidez las letras; pero las letras me permitieron más tarde juegos mucho más inadmisibles". Y añade: "Nadie obra tan bien cuando sólo forzado hace las cosas".

Juventud en búsqueda

Fue enviado a Madaura para completar la segunda etapa de su formación, y a su regreso, luego de una breve temporada, a fines del año 370 partió a Cartago, donde pronto se distinguió en la escuela de Retórica. Allí se enamoró de una mujer, con la que tuvo un hijo en el 372, a quien llamó Adeodato.

La lectura del *Hortensio*, obra perdida de Cicerón, lo desvió de la retórica a la filosofía. Por entonces se unió a la secta de los Maniqueos, cuya doctrina sostenía un dualismo metafísico y religioso, afirmando a *Dios* como principio de todo bien y a la *materia* como principio de todo mal. La adhesión a este movimiento fue la consecuencia de su espíritu inquieto que, aún equivocado, se manifestaba como un insobornable buscador de la Verdad.

Durante nueve años dirigió escuelas de Retórica y de Gramática en Tagaste y en Cartago. En el año 383 se marchó a Roma con su pequeña familia, y abrió una escuela propia. Pero al año siguiente se trasladó a Milán, donde ganó por concurso, y con alguna influencia de los Maniqueos, la cátedra de Retórica de esta ciudad.

Un corazón abierto al Amor

En Milán, el *profesor africano* comenzó a visitar asiduamente la Catedral atraído por la fama del obispo Ambrosio, quien le produjo una honda impresión por la profundidad de su predicación y el ejemplo de su vida. Fueron las palabras de Ambrosio las que, día tras día, prepararon su encuentro con la Palabra y la persona de Cristo.

Cierto día, un cristiano africano llamado Ponticiano, visitó a Agustín y a su amigo Alipius. Aprovechó la ocasión para hablar de la vida de San Antonio y quedó asombrado al comprobar que los jóvenes ni siquiera conocían ese nombre. Escucharon ávidos el relato de aquella santa vida. La visita afectó mucho a Agustín, ya que, a partir de ella, tomó conciencia de sus debilidades y vacilaciones. Cuando Ponticiano se marchó, Agustín dijo a Alipius: "¿Cómo dejamos que los que nada saben se encaminen y consigan el Cielo por la fuerza, mientras nosotros, con toda nuestra ciencia, languidecemos atrás, cobardes e insensibles, empantanados en nuestros pecados?".

Tenía 32 años. Su deseo, a partir de ese momento, sería conocer a Dios para amarlo. Continuó dando clases pero, apenas finalizado el curso, se retiró con sus amigos a una finca que les prestaron en Casiciaco. Y en ese lugar de descanso, en un clima de reflexión y oración, compartió con ellos la preparación para el bautismo. Al llegar la Pascua del año 387, Agustín fue bautizado por San Ambrosio.

Muy pronto decidió volver a su patria, por lo que se dirigió al puerto de Ostia, cerca de Roma. Pero allí, sorpresivamente, murió su madre. Lleno de dolor volvió a Roma y se dedicó a visitar monasterios, con la idea de fundar uno él mismo.

Una vida nueva

Al final, cuando llegó a Tagaste repartió su herencia entre los necesitados, siguiendo el consejo evangélico. Luego, se instaló en su casa natal, donde fundó un monasterio con sus amigos, con la intención de dedicarse de modo exclusivo a la oración y a la vida comunitaria. Sin embargo pronto pasó a ser el consejero de todo el pueblo. Incluso, la fama de su sabiduría comenzó a extenderse fuera de los límites de la ciudad. Lamentablemente, una nueva tristeza lo asaltó en este período: la muerte de su hijo Adeodato.

En el año 391 se encontraba en Hipona, donde conoció al obispo Valerio, quien pronto le sugirió el camino del sacerdocio. Aunque la propuesta lo tomó por sorpresa, Agustín accedió. Se trasladó a esa ciudad y estableció una especie de monasterio en una casa próxima a la iglesia, como lo había hecho en Tagaste. En el oriente era muy común que los obispos designasen un predicador, a cuyos sermones asistían; fue así que Valerio, que era griego, nombró predicador a Agustín. Más todavía, le concedió permiso para predicar en su ausencia, lo cual era muy novedoso. Desde entonces, el santo no dejó de predicar hasta el fin de su vida. Se conservan casi cuatrocientos sermones suyos, la mayoría de los cuales son apuntes tomados por sus oyentes.

En el año 395, Agustín fue consagrado obispo y coadjutor de Valerio y, poco después de la muerte de éste, asumió en su lugar. Es en esta época de su vida cuando escribe sus Confesiones (397 d.C.).

"Para ustedes soy Obispo, con ustedes soy cristiano"

Estas palabras fueron pronunciadas por Agustín en uno de sus sermones, y muestran con claridad el espíritu con el que llevó adelante su actividad pastoral durante sus 35 años como obispo de Hipona. San Posidio, su biógrafo, cuenta que era austero en su forma de vestir, y los muebles de su casa eran modestos pero decentes y limpios. El santo obispo empleaba las rentas de su diócesis, como lo había hecho antes con su patrimonio personal, en el socorro de los pobres. Posidio refiere que, en varias ocasiones, mandó fundir los vasos sagrados para rescatar cautivos. Sabemos por varias de sus cartas y sermones que difundió entre sus fieles la costumbre de vestir una vez al año a los pobres de cada parroquia y, algunas veces, llegó a contraer deudas para ayudar a los necesitados. Su caridad y celo por el bien de su pueblo lo llevaba a decir con frecuencia: "No quiero salvarme sin ustedes".

Gran parte de su preocupación pastoral estuvo dirigida a combatir los errores doctrinales que viciaban la esencia del mensaje evangélico y ponían en peligro la fe de su gente. Así nos lo dice Posidio: "Lleno de confianza impugnó las herejías, sobre todo a los donatistas, maniqueos y pelagianos. La Iglesia de África que desde mucho tiempo yacía seducida, humillada y oprimida por la violencia de los herejes, comenzó a levantar cabeza. Los libros y tratados se multiplicaban, y su preclara doctrina y el suave olor de Cristo se extendió y se manifestó por toda el África, gozándose también la Iglesia de ultramar".

Los últimos años de San Agustín fueron testigos de la conmoción que ocasionó la invasión bárbara del norte de África, a partir del año 428. Todos los relatos de la época hablan del terror y la desolación que cundieron con su avance. Ciudades florecientes quedaron en ruinas, los campos fueron saqueados y los habitantes asesinados o bien capturados como esclavos. En las iglesias cesó el culto, ya que la mayoría de ellas fue incendiada. La mayor parte del clero que escapó de la muerte fue despojado y reducido a vivir de caridad.

A fines del mes de mayo de 430 los vándalos se presentaron delante de Hipona, la ciudad más fortificada de la región, y establecieron un sitio que duró 14 meses. Aquel verano Agustín cayó enfermo con fiebre y supo que aquella enfermedad sería fatal. Su mente fue lúcida hasta el final y el 28 de agosto del año 430, a la edad de 75 años, entregó su vida, después de 40 años en servicio del Pueblo de Dios.

¿Cuál era el contexto cultural y espiritual en que vivió?

Como ya se dijo, el Edicto de Milán (313 d.C.) significó el cese de las persecuciones y la libertad para la Iglesia. Sin embargo, no son pocos los que consideran que este suceso, lejos de resultar favorable, fue el comienzo de la nociva influencia del poder temporal sobre la vida eclesial. Los sentimientos personales del emperador Constantino, mezclados con razones de índole política, terminaron haciendo del cristianismo la religión de moda, y contribuyeron a una difusión rápida -aunque no siempre sincera- del mismo. Dueño absoluto del Imperio, no fue raro para Constantino el apropiarse de la Iglesia o, por lo menos, disponer de la misma como una aliada incondicional.

El emperador colmó de privilegios a los cristianos y elevó a muchos obispos a puestos importantes, confiándoles, en ocasiones, tareas más propias de funcionarios civiles que de pastores de la Iglesia de Cristo. A cambio, él no cesó de entrometerse en las cuestiones eclesiales, considerándose a sí mismo como *el obispo de los de afuera* de la Iglesia. Desgraciadamente, no se tuvo la lucidez suficiente para sospechar las consecuencias de esta situación.

Los favores recibidos del poder nunca son inocentes. Así fue que muchos hombres de la jerarquía de la Iglesia perdieron la libertad moral necesaria para cumplir su misión evangelizadora, preocupados por no morder la mano que les daba de comer. La reacción a esta secularización fue el surgimiento del *ascetismo* y la *vida monástica*, como movimientos de búsqueda y retorno a las fuentes de la fe.

Luces y sombras

La mentalidad romana fue penetrando cada vez más el carácter de la cristiandad. Se exigió la más completa uniformidad hasta en cuestiones secundarias. En este sentido, la religión constituyó para los emperadores un medio sumamente útil para consolidar la unificación del Imperio. Al respecto, el Cardenal Newman, un estudioso de estas cuestiones, escribió: "Sabemos por Eusebio, que Constantino, para atraer a los paganos a la nueva religión, traspuso a ésta los ornamentos externos a los cuales estaban acostumbrados. El uso de templos dedicados a santos particulares, ornamentados en ocasiones con ramas de árboles; incienso, lámparas y velas; ofrendas votivas para recobrar la salud; agua bendita; fiestas y estaciones; procesiones; bendiciones a los campos; vestidos sacerdotales; la tonsura; el anillo de bodas; las imágenes en fecha más tardía; todo esto tiene un origen pagano y fue santificado mediante su adaptación en la Iglesia.".

Sin embargo, es necesario aclarar que no todo fue negativo en este período. Cuatro siglos de predicación del Evangelio habían dejado una huella cuyas influencias se notaban cada vez más en la vida social. La doctrina del hombre creado a imagen y semejanza de Dios, por ejemplo, impuso restricciones a la costumbre de marcar a los esclavos en la cara e incluso inició la serie de medidas que, finalmente, culminarían en la abolición de la esclavitud misma. En ésta como en otras cuestiones se advierte que, pese a la infiltración del espíritu y las formas paganas en la Iglesia, y pese a la propia decadencia espiritual de ésta, el poder del Evangelio hizo su impacto en el Imperio y aun más allá de sus fronteras.

Por último, un componente importante para la compresión del contexto cultural vivido por San Agustín es la amenaza de los bárbaros. Sin duda, la inminencia de la invasión fomentó en el Imperio un clima de incertidumbre y una creciente sensación de inseguridad y desintegración.

Tiempos de definiciones

Los siglos III y IV significaron para la Iglesia un momento de profunda reflexión teológica, ya que la aparición de distintas herejías obligaba a explicitar de un modo racional los fundamentos de la fe.

En este sentido el protagonismo de Agustín es evidente. Su esclarecedora voz se alzó, por ejemplo, contra los errores de los Maniqueos y los Donatistas (espiritualidad puritana que consideraba que la validez de los sacramentos dependía de la dignidad personal del ministro).

Pero fue contra la doctrina de Pelagio, un monje originario de Britania, a donde se dirigieron sus mayores esfuerzos de discernimiento teológico. Como consecuencia de su concepción sobre el pecado original, Pelagio afirmaba que la gracia no era necesaria para salvarse, y sostenía que el bautismo era un mero título de admisión en el cielo. En el año 411, el sínodo de Cartago condenó por primera vez su doctrina.

San Agustín no asistió al concilio, pero desde ese momento empezó a combatir al pelagianismo en sus cartas y sermones. A fines del mismo año, escribió su primer tratado contra los pelagianos. Sin embargo, el santo no nombró en él a los autores de la herejía, con la intención de no cerrar la puerta a un retorno a la ortodoxia. Incluso tributó ciertas alabanzas a Pelagio: "Según he oído decir, es un hombre santo, muy ejercitado en la virtud cristiana, un hombre bueno y digno de alabanza". Desgraciadamente, el monje se obstinó en sus errores.

¿Cuál es el mensaje espiritual de San Agustín?

Como es de suponer en unas *memorias*, el libro de las Confesiones está escrito en primera persona, en forma de un monólogo hecho por el autor en presencia de Dios. Pero no es éste su único escrito de espiritualidad. En realidad, la primera característica que podemos considerar acerca de la totalidad de la obra agustiniana es que toda ella se desarrolla desde una perspectiva espiritual. La *espiritualidad* no era para Agustín una parte de la vida sino una forma de vivir.

Agustín considera que su conversión y su bautismo no constituyeron un punto de llegada para su vida, sino el comienzo de otra manera de encarar la misma. Es curioso que su arribo definitivo al cristianismo se produce en el centro cronológico de su existencia. (Esta observación nos recuerda los versos con los que Dante, diez siglos más tarde, inicia su Divina Comedia: "En medio del camino de nuestra vida / me encontré por una selva oscura, / porque la recta vía era perdida"). En todo caso, resulta iluminadora la forma en la que el santo interpreta los acontecimientos de su existencia, aun los más negativos, como parte de su búsqueda del Amor de Dios, a quien se lamenta de haber tardado en encontrar. Una frase suya sintetiza este concepto: "¿Buscas a Dios? ¡Es que Lo tienes!".

Gratuidad del Amor de Dios

Según lo dicho más arriba, las discusiones teológicas no eran para Agustín una cuestión académica sino que adquirían un hondo significado vital. Entre ellas se destaca la polémica mantenida con Pelagio. La concepción agustiniana (y católica) acerca de la Gracia tiene su razón de ser: el santo es consciente de que la presencia de Dios en su vida no se debe ni a su capacidad de reflexión filosófica ni a la magnitud de su esfuerzo moral.

El Amor de Dios no es consecuencia de los méritos humanos sino que es puro don. En otras palabras, Dios no nos quiere porque seamos buenos sino porque somos su creación. Su Amor es previo a cualquiera de nuestras obras, y éste es el fundamento de la Salvación. Agustín ha descubierto que, pase lo que pase, Dios no puede no amarnos. Este sentimiento de asombro, de admiración, y de reconocimiento por el misterio de la Gracia de Dios atraviesa toda su espiritualidad.

Claves para comprender hoy el mensaje de Agustín

Vista en su conjunto, la obra de Agustín significa el primer esfuerzo importante por armonizar la fe y la razón, poniendo las bases de una *filosofía cristiana*, que se continuaría durante la Edad Media.

Para Agustín la fe no requiere una justificación exterior a ella misma. Por eso, proclama el lema "Creo para entender". *Creer* no es un consuelo, ni un comercio con Dios, ni un acto supersticioso, sino una decisión fundamental en el proceso de búsqueda del sentido de la propia vida.

En esta línea es notable en el estilo de sus escritos su tono intimista y subjetivo. Influido, sin duda, por su experiencia personal, considera que el acceso a la Verdad se realiza por un camino interior, semejante al de la conversión, que no puede prescindir de una iluminación divina.

Una espiritualidad actual

No es difícil establecer un cierto paralelo entre los tiempos que le tocaron vivir a Agustín y los nuestros. Encontramos que ambos constituyen situaciones de *bisagra*, en cuanto que significan el borroso límite entre el ocaso de los valores imperantes en una cultura y el advenimiento de paradigmas nuevos. Son momentos fascinantes en el desarrollo de la Historia del Hombre, en los que la tentación muestra dos caras: o bien aferrarse a los viejos principios, cerrando neciamente los ojos ante los cambios; o bien disolver la propia identidad en la corriente de nuevas costumbres, renunciando a cualquier capacidad de juicio crítico.

Agustín nos anima a mantener los ojos bien abiertos: tanto hacia el propio corazón, atendiendo a nuestra sed interior, como hacia la Realidad, leyendo con sinceridad los signos que nos presenta. Nos propone una espiritualidad encarnada en el Tiempo, todo lo contrario a una fuga del mundo, que sepa descubrir en todos los acontecimientos el llamado amoroso de Dios.

Libro I

Libro I

Capítulo 1

1. Grande eres, Señor, e inmensamente digno de alabanza; grande es tu poder y tu inteligencia no tiene límites.

Y ahora hay aquí un hombre que te quiere alabar. Un hombre que es parte de tu creación y que, como todos, lleva siempre consigo por todas partes su mortalidad y el testimonio de su pecado, el testimonio de que tú siempre te resistes a la soberbia humana. Así pues, no obstante su miseria, ese hombre te quiere alabar. Y tú lo estimulas para que encuentre deleite en tu alabanza; nos creaste para ti y nuestro corazón andará siempre inquieto mientras no descanse en ti.

Y ahora, Señor, concédeme saber qué es primero: si invocarte o alabarte; o si antes de invocarte es todavía preciso conocerte.

2. Pues, ¿quién te podría invocar cuando no te conoce? Si no te conoce bien podría invocar a alguien que no eres tú.

¿O será, acaso, que nadie te puede conocer si no te invoca primero? Mas por otra parte: ¿Cómo te podría invocar quien todavía no cree en ti; y cómo podría creer en ti si nadie te predica?

Alabarán al Señor quienes lo buscan; pues si lo buscan lo habrán de encontrar; y si lo encuentran lo habrán de alabar.

Haz pues, Señor, que yo te busque y te invoque; y que te invoque creyendo en ti, pues ya he escuchado tu predicación.

Te invoca mi fe. Esa fe que tú me has dado, que infundiste en mi alma por la humanidad de tu Hijo, por el ministerio de aquel que tú nos enviaste para que nos hablara de ti.

Capítulo 2

1. ¿Y cómo habré de invocar a mi Dios y Señor? Porque si lo invoco será ciertamente para que venga a mí. Pero, ¿qué lugar hay en mí para que a mí venga Dios, ese Dios que hizo el cielo y la tierra? ¡Señor santo! ¿Cómo es posible que haya en mí algo capaz de ti?

Porque a ti no pueden contenerte ni el cielo ni la tierra que tú creaste, y yo en ella me encuentro, porque en ella me creaste.

2. Acaso porque sin ti no existiría nada de cuanto existe, resulta posible que lo que existe te contenga. ¡Y yo existo! Por eso deseo que vengas a mí, pues sin ti yo no existiría. Yo no estoy en los abismos, pero tú estás también allí. Y yo no sería, absolutamente no podría ser, si tú no estuvieras en mí.

O, para decirlo mejor, yo no existiría si no existiera en ti, de quien todo procede, por el cual y en el cual existe todo. Así es, Señor, así es. ¿Y cómo, entonces, invocarte, si estoy en ti? ¿Y cómo podrías tú venir si ya estás en mí? ¿Cómo podría yo salirme del cielo y de la tierra para que viniera a mí mi Señor pues Él dijo: "yo lleno los cielos y la tierra"?

Capítulo 3

1. Entonces, Señor: ¿Te contienen el cielo y la tierra porque tú los llenas; o los llenas pero queda algo de ti que no cabe en ellos? ¿Y en dónde pones lo que, llenados el cielo y la tierra, sobra de ti? ¿O, más bien, tú no necesitas que nada te contenga porque tú lo contienes todo; porque lo que tú llenas lo llenas conteniéndolo?

Porque los vasos que están llenos de ti no te dan tu estabilidad; aunque ellos se rompieran tú no te derramarías. Y cuando te derramas en nosotros no te rebajas, sino que nos levantas; no te desparramas, sino que nos recoges.

Pero tú, que todo lo llenas, ¿lo llenas con la totalidad de ti?

2. Las cosas no te pueden contener todo entero. ¿Diremos que sólo captan una parte de ti y que todas toman esa misma parte? ¿O que una cosa toma una parte de ti y otra, otra; unas una parte mayor y otras una menor? Habría que decir, entonces, que tú tienes partes, y unas mayores que otras. Pero esto no puede ser. Tú estás en todas las cosas, estás en ellas de una manera total; y la creación entera no te puede abarcar.

Capítulo 4

1. ¿Quién eres pues tú, Dios mío, y a quién dirijo mis ruegos sino a mi Dios y Señor? ¡Y qué otro Dios fuera del Señor nuestro Dios!

Tú eres Sumo y Óptimo y tu poder no tiene límites. Infinitamente misericordioso y justo, al mismo tiempo inaccesiblemente secreto y vivamente presente, de inmensa fuerza y hermosura, estable e incomprensible, un inmutable que todo lo mueve.

Nunca nuevo, nunca viejo; todo lo renuevas, pero haces envejecer a los soberbios sin que ellos se den cuenta. Siempre activo, pero siempre quieto; todo lo recoges, pero nada te hace falta. Todo lo creas, lo sustentas y lo llevas a perfección. Eres un Dios que busca, pero nada necesita.

2. Ardes de amor, pero no te quemas; eres celoso, pero también seguro; cuando de algo te arrepientes, no te duele, te enojas, pero siempre estás tranquilo; cambias lo que haces fuera de ti, pero no cambias consejo. Nunca eres pobre, pero te alegra lo que de nosotros ganas.

No eres avaro, pero buscas ganancias; nos haces darte más de lo que nos mandas para convertirte en deudor nuestro. Pero, ¿quién tiene algo que no sea tuyo? Y nos pagas tus deudas cuando nada nos debes; y nos perdonas lo que te debemos sin perder lo que nos perdonas.

¿Qué diremos pues de ti, Dios mío, vida mía y santa dulzura? Aunque bien poco es en realidad lo que dice quien de ti habla. Pero, ¡ay de aquellos que callan de ti! Porque teniendo el don de la palabra se han vuelto mudos.

Capítulo 5

1. ¿Quién me dará reposar en ti, que vengas a mi corazón y lo embriagues hasta hacerme olvidar mis males y abrazarme a ti, mi único bien?

¿Qué eres tú para mí? Hazme la misericordia de que pueda decirlo. ¿Y quién soy yo para ti, pues me mandas que te ame; y si ni lo hago te irritas contra mí y me amenazas con grandes miserias? ¡Pero, qué! ¿No es ya muchísima miseria simplemente el no amarte?

Dime pues, Señor, por tu misericordia, quién eres tú para mí. Dile a mi alma: "Yo soy tu salud" (Sal 34,3). Y dímelo de forma que te oiga; ábreme los oídos del corazón, y dime: "Yo soy tu salud". Y corra yo detrás de esa voz, hasta alcanzarte. No escondas de mí tu rostro, y muera yo, si es preciso, para no morir y contemplarlo.

2. Angosta morada es mi alma; ensánchamela, para que puedas venir a ella. Está en ruinas: repárala. Sé bien y lo confieso, que tiene cosas que ofenden a tus ojos. ¿A quién más que a ti puedo clamar para que me la limpie? "Límpiame, Señor, de mis pecados ocultos y líbrame de las culpas ajenas. Creo, y por eso hablo". Tú, Señor, lo sabes bien. Ya te he confesado mis culpas, Señor, y tú me las perdonaste (Sal 18,13-14). No voy a entrar en pleito contigo, que eres la Verdad; no quiero engañarme, para que "mi iniquidad no se mienta a sí misma" (Sal 26,12). No entraré, pues, en contienda contigo, pues "si te pones a observar nuestros pecados, ¿quién podrá resistir?" (Sal 129,3).

Capítulo 6

1. Permíteme, sin embargo, hablar ante tu misericordia a mí, que soy polvo y ceniza. Déjame hablar, pues hablo a tu misericordia, y no a un hombre burlón que pueda mofarse de mí.

Quizás aparezco risible ante tus ojos, pero tú te volverás hacia mí lleno de misericordia.

¿Qué es lo que pretendo decir, Dios y Señor mío, sino que ignoro cómo vine a dar a ésta que no sé si llamar vida mortal o muerte vital? Y me recibieron los consuelos de tu misericordia según lo oí de los que me engendraron en la carne, esta carne en la cual tú me formaste en el tiempo; cosa de la cual no puedo guardar recuerdo alguno.

Me recibieron, pues, las consolaciones de la leche humana. Ni mi madre ni sus nodrizas llenaban sus pechos, eras tú quien por ellas me dabas el alimento de la infancia, según el orden y las riquezas que pusiste en el fondo de las cosas. Don tuyo era también el que yo no deseara más de lo que me dabas; y que las que me nutrían quisieran darme lo que les dabas a ellas. Porque lo que me daban, me lo daban llevadas del afecto natural en que tú las hacías abundar; el bien que me daban lo consideraban su propio bien. Bien que me venía no de ellas, sino por ellas, ya que todo bien procede de ti, mi Dios y toda mi salud. Todo esto lo entendí más tarde por la voz con que me hablabas, por dentro y por fuera de mí, a través de las cosas buenas que me concedías. Porque en ese entonces yo no sabía otra cosa que alimentarme, dejarme ir en los deleites y llorar las molestias de mi carne. No sabía otra cosa. Más tarde comencé a reír, primero mientras dormía, y luego estando despierto. Así me lo han contado, y lo creo por lo que vemos de ordinario en los niños; pues de lo mío nada recuerdo.

2. Poco a poco comencé a sentir en dónde estaba, y a querer manifestar mis deseos a quienes me los podían cumplir, pero no me era posible, pues mis deseos los tenía yo dentro, y ellos estaban afuera y no podían penetrar en mí.

Entonces agitaba mis miembros y daba voces para significar mis deseos, los pocos que podía expresar, y que no resultaban fáciles de comprender. Y cuando no me daban lo que yo quería, o por no haberme entendido o para que no me hiciera daño, me indignaba de que mis mayores no se me sometieran y de que los libres no me sirvieran; y llorando me vengaba de ellos. Más tarde llegué a saber que así son los niños; y mejor me lo enseñaron ellos, que no lo sabían, que no mis mayores, que sí lo sabían. Y así, esta infancia mía, hace tiempo ya que murió, y yo sigo viviendo.

Pero tú, Señor, siempre vives, y no hay en ti nada que muera. Porque tú existes desde antes del comienzo de los tiempos, antes de que se pudiera decir antes, y eres Dios y Señor de todo cuanto creaste. En ti está la razón de todas las cosas inestables; en ti el origen inmutable de todas las cosas mudables, y el por qué de las cosas temporales e irracionales.

Dime, Señor misericordioso, a mí, tu siervo que te lo suplica, si mi infancia sucedió a otra edad más anterior. ¿Sería el tiempo que pasé en el seno de mi madre? Pues de ella se me han dicho muchas cosas, y he visto también mujeres embarazadas.

3. ¿Qué fue de mí, Dios y dulzura mía, antes de eso? ¿Fui alguien y estuve en alguna parte? Porque esto no me lo pueden decir ni mi padre ni mi madre, ni la experiencia de otros, ni mi propio recuerdo. Acaso te sonríes de que te pregunte tales cosas, tú que me mandas reconocer lo que sé y alabarte por ello. Te lo confieso pues, Señor del cielo y de la tierra, y te rindo tributo de alabanza por los tiempos de mi infancia,

que yo no recuerdo, y porque has concedido a los hombres que puedan deducir de lo que ven y hasta creer muchas cosas de sí mismos por lo que dicen personas ignorantes. Existía yo pues, y vivía en ese tiempo, y hacia el fin de mi infancia buscaba el modo de hacer comprender a otros lo que sentía. ¿Y de quién sino de ti podía proceder un viviente así? No puede venirnos de afuera una sola vena por la que corre en nosotros la vida, y nadie puede ser artífice de su propio cuerpo. Todo nos viene de ti, Señor, en quien ser y vivir son la misma cosa, pues el supremo existir es supremo vivir.

Sumo eres, y no admites mutación. Por ti no pasan los días, y sin embargo pasan en ti, porque tú contienes todas las cosas con todos sus cambios. Y porque tus años no pasan (Sal 101,28), vives en un eterno Día, en un eterno Hoy. ¡Cuántos días de los nuestros y de nuestros padres han pasado ya por este Hoy tuyo, del que recibieron su ser y su modo! ¿Y cuántos habrán de pasar todavía y recibir de él la existencia? "Tú eres siempre el mismo" (Sal 101,28); y todo lo que está por venir en el más hondo futuro y lo que ya pasó, hasta en la más remota distancia, Hoy lo harás, Hoy lo hiciste.

¿Y qué más da si alguno no lo entiende? Alégrese cuando pregunta: ¿Qué es esto? Porque más le vale encontrarte sin haber resuelto tus enigmas, que resolverlos y no encontrarte.

Capítulo 7

1. Señor: ¡Ay del hombre y de sus pecados! Cuando alguno admite esto tú te apiadas de él; porque tú lo hiciste a él, pero no a sus pecados.

¿Quién me recordará los pecados de mi infancia? Porque nadie está libre de pecado ante tus ojos, ni siquiera el niño que ha vivido un solo día. ¿Quién, pues, me los recordará? Posiblemente un pequeñuelo en el que veo lo que de mí no recuerdo. Pero, ¿cuáles podían ser mis pecados? Acaso, que buscaba con ansia y con llanto el pecho de mi madre. Porque si ahora buscase con el mismo deseo no ya la leche materna sino los alimentos que convienen a mi edad, sería ciertamente reprendido, y con justicia. Yo hacía, pues, entonces cosas dignas de reprensión; pero como no podía entender a quien me reprendiera, no me reprendía nadie, ni lo hubiera consentido la razón. Defectos son estos que desaparecen con el paso del tiempo. Ni he visto a nadie tampoco, cuando está limpiando algo, desechar advertidamente lo que está bueno. Es posible que en aquella temprana edad no estuviera tan mal el que yo pidiese llorando cosas que me dañarían si me las dieran; ni que me indignara contra aquellas personas maduras y prudentes, y contra mis propios padres porque no se doblegaban al imperio de mi voluntad; y esto, hasta el punto de quererlas yo golpear y dañar según mis débiles fuerzas, por no rendirme una obediencia que me habría perjudicado.

Por lo cual puede pensarse que un niño es siempre inocente si se considera la debilidad de sus fuerzas, pero no necesariamente si se mira la condición de su ánimo. Tengo la experiencia de un niño que conocí: no podía aún hablar, pero se ponía pálido y miraba con torvos ojos a un hermano de leche.

2. Todos tenemos alguna experiencia de éstas. A veces madres y nodrizas pretenden que esto se puede corregir con

no sé que remedios; pero, miradas las cosas en sí, no hay inocencia en excluir de la fuente abundante y generosa a otro niño mucho más necesitado y que no cuenta para sobrevivir sino con ese alimento de vida. Y con todo esto, cosas como ésas se les pasan fácilmente a los niños; no porque se piense que son pequeñeces sin importancia, sino más bien porque estiman que son defectos que pasan con el tiempo. Esto no parece fuera de razón, pero lo cierto es que cosas así no se le permiten a un niño más crecido.

Así pues, tú, Señor, que al darle a un niño la vida, lo provees con el cuerpo que le vemos, dotado de sentidos y de agradable figura, y con miembros organizados en disposición y con fuerza conveniente, me mandas ahora que te alabe por esto; que te confiese y cante en honor de tu nombre (Sal 91,2). Porque eres un Dios omnipotente y bueno. Y también lo serías aun cuando no hubieras hecho otras cosas fuera de éstas, pues tales cosas no las puede hacer nadie sino tú, el único de quien procede el mundo todo; el hermosísimo que da forma a todos los seres y con sus leyes los ordena.

3. Pero me cuesta trabajo, Señor, considerar como parte de la vida que ahora vivo, ni siquiera como principio de ella, a esa infancia mía de la que no tengo recuerdos y de la que algo sé por lo que otros me han dicho y por lo que veo en otros niños. Porque el olvido de mi primera infancia es tan tenebroso como el tiempo que viví en el seno de mi madre. Y si "fui concebido en la iniquidad y en el pecado me nutrió mi madre" (Sal 50,7), ¿cuándo y dónde, Señor, te lo suplico, cuándo y dónde fui yo inocente?

Pasaré pues por alto ese tiempo. ¿Qué tengo que ver con él, pues no me queda de él vestigio alguno?

Capítulo 8

1. De la infancia pasé, pues, a la niñez; o por mejor decir, la niñez vino a mí sucediendo a la infancia. Y sin embargo la infancia no desapareció: ¿A dónde se habría ido? Pero yo no era ya un infante incapaz de hablar, sino un niño que hablaba. Esto lo recuerdo bien, así como advertí más tarde el modo como había aprendido a hablar. Mis mayores no me enseñaban proponiéndome ordenadamente las cosas, como después aprendí las letras; sino que con la mente que me diste, Señor, y mediante voces y gemidos y con movimientos varios trataba yo de expresar mi voluntad. No podía yo expresar todo lo que quería, ni a todos aquellos a quienes lo quería expresar. Cuando ellos mentaban alguna cosa y con algún movimiento la señalaban, yo imprimía con fuerza las voces en mi memoria, seguro de que correspondían a lo que ellos con sus movimientos habían señalado.

2. Lo que ellos querían me lo daban a entender sus movimientos. La expresión de su rostro, las mociones de los ojos y de otros miembros del cuerpo, el sonido de la voz al pedir o rechazar o hacer algo son como un lenguaje natural en todos los pueblos, indicativo de los estados de ánimo. Así, las palabras, ocupando su lugar en las frases y frecuentemente repetidas en relación con las cosas me hacían deducir poco a poco el significado de cada una; y por medio de ellas, una vez acostumbrada mi boca a pronunciarlas, me hacía com-

prender. De este modo aprendí a comunicarme por signos con los que me rodeaban, y entré a la tormentosa sociedad de la vida humana sometido a la autoridad de mis padres y al querer de las gentes mayores.

Capítulo 9

1. ¡Cuántas miserias y humillaciones pasé, Dios mío, en aquella edad en la que se me proponía como única manera de ser bueno sujetarme a mis preceptores! Se pretendía con ello que yo floreciera en este mundo por la excelencia de las artes del decir con que se alcanza la estimación de los hombres y se está al servicio de falsas riquezas. Fui enviado a la escuela para aprender las letras, cuya utilidad, pobre de mí, ignoraba yo entonces; y sin embargo, me golpeaban cuando me veían perezoso. Porque muchos que vivieron antes que nosotros nos prepararon estos duros caminos por los que nos forzaban a caminar, pobres hijos de Adán, con mucho trabajo y dolor.

2. Entonces conocí a algunas personas que te invocaban. De ellas aprendía a sentir en la medida de mi pequeñez que tú eras Alguien, que eres muy grande y que nos puedes escuchar y socorrer sin que te percibamos con los sentidos. Siendo pues niño comencé a invocarte como a mi auxilio y mi refugio; y en este rogar iba yo rompiendo las ataduras de mi lengua. Pequeño era yo; pero con ahínco nada pequeño te pedía que no me azotaran en la escuela. Y cuando no me escuchabas, aún cuando nadie podía tener por necia mi petición, las gentes mayores se reían, y aun mis padres mismos, que nada malo querían para mí. En eso consistieron mis mayores sufrimientos de aquellos días.

¿Existe acaso, Señor, un alma tan grande y tan unida a ti por el amor, que en la fuerza de esta afectuosa unión contigo haga lo que en ocasiones se hace por pura demencia: despreciar los tormentos del potro, de los ganchos de hierro y otros varios? Porque de tormentos tales quiere la gente verse libre, y por todo el mundo te lo suplican llenos de temor. ¿Habrá pues quienes por puro amor a ti los desprecien y tengan en poco a quienes sienten terror ante el tormento a la manera como nuestros padres se reían de lo que nuestros maestros nos hacían sufrir?

Y sin embargo, pecábamos leyendo y escribiendo y estudiando menos de lo que se nos exigía.

3. Lo que nos faltaba no era ni la memoria ni el ingenio, pues nos los diste suficiente para aquella edad; pero nos gustaba jugar y por esto nos castigaban quienes jugaban lo mismo que nosotros. Porque los juegos con que se divierten los adultos se llaman solemnemente *negocios*; y lo que para los niños son verdaderos negocios, ellos lo castigan como juegos y nadie compadece a los niños ni a los otros.

A menos que algún buen árbitro de las cosas tenga por bueno el que yo recibiera castigos por jugar a la pelota. Verdad es que este juego me impedía aprender con rapidez las letras; pero las letras me permitieron más tarde juegos mucho más inadmisibles.

Porque en el fondo no hacía otra cosa aquel que por jugar me pegaba. Cuando en alguna discusión era vencido por alguno de sus colegas profesores, la envidia y la bilis lo atormentaban más de lo que a mí me afectaba perder un juego de pelota.

Capítulo 10

Y sin embargo pecaba yo, oh Dios, que eres el creador y ordenador de todas las cosas naturales con la excepción del pecado, del cual no eres creador, sino nada más ordenador.

Pecaba obrando contra el querer de mis padres y de aquellos maestros. Pero pude más tarde hacer buen uso de aquellas letras que ellos, no sé con qué intención, querían que yo aprendiese.

Si yo desobedecía no era por haber elegido algo mejor, sino simplemente por la atracción del juego. Me encantaba la posibilidad de espléndidas victorias, y me gustaba el cosquilleo ardiente que en los oídos dejan las fábulas. Cada vez más me brillaba una peligrosa curiosidad en los ojos cuando veía los espectáculos circenses de los adultos. Quienes tales juegos organizan ganan con ello tal dignidad y excelencia, que todos luego la desean para sus hijos. Y sin embargo no toman a mal el que se los maltrate por el tiempo que pierden viendo esos juegos, ya que el estudio les permitiría montarlos ellos mismos más tarde. Considera, Señor, con misericordia estas cosas y líbranos a nosotros, los que ya te invocamos. Y libra también a los que no te invocan todavía, para que lleguen a invocarte y los salves.

Capítulo 11

Todavía siendo niño había yo oído hablar de la Vida Eterna que nos tienes prometida por tu Hijo nuestro Señor, cuya humildad descendió hasta nuestra soberbia. Ya me signaba con el signo de su cruz y me sazonaba con su sal ya desde el vientre de mi madre, que tan grande esperanza tenía puesta en ti. Y tú sabes que ciertos días me atacaron violentos dolores de vientre con mucha fiebre, y que me vi en peligro. Y viste también, porque ya entonces eras mi guardián, con cuánta fe y ardor pedí el bautismo de tu Cristo, Dios y Señor mío, a mi madre y a la Madre de todos que es tu Iglesia. Y mi madre del cuerpo, que consternada en su corazón casto y lleno de fe quería engendrarme para la vida eterna, se agitaba para que yo fuera iniciado en los sacramentos de la salvación y, confiándote a ti, Señor mío, recibiera la remisión de mi pecado. Y así hubiera sido sin la pronta recuperación que tuve. Se difirió pues mi purificación, como si fuera necesario seguir viviendo una vida manchada, ya que una recaída en el mal comportamiento después del baño bautismal habría sido peor y mucho más peligrosa.

Yo era ya pues un creyente. Y lo eran también mi madre y todos los de la casa, con la excepción de mi padre, quien a pesar de que no creía tampoco estorbaba los esfuerzos de mi piadosa madre para afirmarme en la fe en Cristo. Porque ella quería que no él sino tú fueras mi Padre; y tú la ayudabas a sobreponerse a quien bien servía siendo ella mejor, pues al servirlo a él por tu mandato, a ti te servía.

Me gustaría saber, Señor, por qué razón se difirió mi bautismo; si fue bueno para mí que se aflojaran las riendas para seguir pecando, o si hubiera sido mejor que no se me aflojaran. ¿Por qué oímos todos los días decir: "Deja a éste que haga su voluntad, al cabo no está bautizado todavía", cuando de la salud del cuerpo nunca decimos: "Déjalo que se trastorne más, al cabo no está aún curado"? ¡Cuánto mejor hubiera sido que yo sanara más pronto y que de tal manera obrara yo y obraran conmigo, que quedara asegurada bajo tu protección la salud del alma que de ti me viene! Pero bien sabía mi madre cuántas y cuán grandes oleadas de tentación habrían de seguir a mi infancia. Pensó que tales batallas contribuirían a formarme, y no quiso exponer a ellas la efigie tuya que se nos da en el bautismo.

Capítulo 12

1. Durante mi niñez (que era menos de temer que mi adolescencia) no me gustaba estudiar, ni soportaba que me urgieran a ello. Pero me urgían, y eso era bueno para mí; y yo me portaba mal, pues no aprendía nada como no fuera obligado. Y digo que me conducía mal porque nadie obra tan bien cuando sólo forzado hace las cosas, aun cuando lo que hace sea bueno en sí. Tampoco hacían bien los que en tal forma me obligaban; pero de ti, Dios mío, me venía todo bien. Los que me forzaban a estudiar no veían otra finalidad que la de ponerme en condiciones de saciar insaciables apetitos en una miserable abundancia e ignominiosa gloria.

2. Pero tú, que tienes contados todos nuestros cabellos, aprovechabas para mi bien el error de quienes me forzaban a estudiar y el error mío de no querer aprender lo usabas como un castigo que yo, niño de corta edad pero ya gran pecador, ciertamente merecía. De este modo sacabas tú provecho para mí de gentes que no obraban bien, y a mí me dabas retribución por mi pecado. Es así como tienes ordenadas y

dispuestas las cosas: que todo desorden en los afectos lleve en sí mismo su pena.

Capítulo 13

1. Nunca he llegado a saber a qué obedecía mi aborrecimiento por la lengua griega que me forzaban a aprender, pero en cambio me gustaba mucho la lengua latina. No por cierto la de la primera enseñanza en la que se aprende a leer, escribir y contar, ya que ésta me era tan odiosa como el aprendizaje del griego; pero sí la enseñanza de los llamados "gramáticos". ¿Pero de dónde venía esto, sino del pecado y la vanidad de la vida? Porque yo era carne y espíritu que camina sin volver atrás (Sal 77,39). Ciertamente eran mejores, por más ciertas, aquellas primeras letras a las que debo el poder leer algo y escribir lo que quiero, que no aquellas otras que me hacían considerar con emoción las andanzas de Eneas con olvido de mis propias malas andanzas; llorar a Dido muerta y su muerte de amor, mientras veía yo pasar sin lágrimas mi propia muerte; una muerte que moría yo lejos de ti, que eres mi Dios y mi vida. Pues no hay nada más lamentable que la condición de un miserable que no tiene compasión de su miseria. ¿Quién tan desdichado como uno que lloraba la muerte de Dido por el amor de Eneas pero no esa otra muerte propia, muerte terrible, que consiste en no amarte a ti?

2. ¡Oh, Dios, luz de mi corazón y pan de mi alma, fuerza que fecunda mi ser y los senos de mi pensamiento! Yo no te amaba entonces, y me entregaba lejos de ti a malos amores;

pues no otra cosa que fornicación es la amistad del mundo lejos de ti. Pero por todos lados oía yo continuas alabanzas de mi fornicación: "¡Bien, muy bien!", gritaban los que me veían fornicar. También es cierto que decimos: "¡Bien, muy bien!", cuando el elogio es evidentemente inmerecido y queremos con él humillar a la gente.

Pero nada de esto me hacía llorar, sino que lloraba yo por la muerte violenta de Dido, tierra que vuelve a la tierra; y me iba a la zaga de lo peor que hay en tu creación. Y cuando se me impedía seguir con esas lecturas me llenaba de dolor porque no me dejaban leer lo que me dolía. Esta demencia era tenida por más honorable disciplina que las letras con que aprendí a leer y escribir.

3. Pero clama tú ahora dentro de mi alma, Dios mío, y que tu verdad me diga que no es así; que no es así, sino que mejor cosa es aquella primera enseñanza; pues ahora estoy más que preparado para olvidar las andanzas de Eneas y otras cosas parecidas, y no lo estoy para olvidarme de leer y escribir.

Es cierto que a las puertas de las escuelas de gramática se cuelgan cortinas; pero no es tanto para significar el prestigio de una ciencia secreta, cuanto para disimular el error. Y que no clamen contra mí esas gentes a quienes ya no temo ahora que confieso delante de ti lo que desea mi alma y consiento en que se me reprenda de mis malos caminos para que pueda yo amar los buenos tuyos. Que nada me reclamen los vendedores y compradores de gramática; pues si les pregunto si fue verdad que Eneas haya estado alguna vez en Cartago, los más indoctos me dirán que no lo saben, y los más prudentes lo negarán en absoluto.

4. Pero si les pregunto con qué letras se escribe el nombre de Eneas todos responderán bien, pues conocen lo que según el convenio de los hombres significan esas letras. Más aún: si les pregunto qué causaría mayor daño en esta vida: si olvidarnos de leer y escribir u olvidar todas esas poéticas ficciones, ¿quién dudará de la respuesta, si es que no ha perdido la razón?

Pecaba yo, pues, cuando siendo niño prefería las ficciones a las letras útiles que tenía en aborrecimiento, ya que el que uno más uno sean dos y dos más dos sumen cuatro, era para mí fastidiosa canción; y mucho mejor quería contemplar los dulces espectáculos de vanidad, como aquel caballo de madera lleno de hombres armados, como el incendio de Troya y la sombra de Creusa.

Capítulo 14

1. ¿Por qué pues aborrecía yo la literatura griega que tan bellas cosas cantaba? Porque Homero, tan perito en urdir preciosas fábulas, es dulce, pero vano; y esta vana dulzura era amarga para mí cuando era niño; de seguro también lo es Virgilio para los niños griegos si los obligan al estudio como a mí me obligaban: es muy duro estudiar obligados. Y así, la dificultad de batallar con una lengua extraña amargaba como hiel la suavidad de aquellas fabulosas narraciones griegas. La lengua yo no la conocía, y sin embargo se me amenazaba con penas y rigores como si bien la conociera. Tampoco

conocía yo en mi infancia la lengua latina; pero con la sola atención la fui conociendo, sin miedo ni fatiga, y hasta con halagos de parte de mis nodrizas, y con afectuosas burlas y juegos alegres que inspiraban mi ignorancia.

2. La aprendí pues sin presiones, movido solamente por la urgencia que yo mismo sentía de hacerme comprender. Iba poco a poco aprendiendo las palabras, no de quien me las enseñara, sino de quienes hablaban delante de mí; y yo por mi parte ardía por hacerles conocer mis pensamientos. Por donde se ve que, para aprender, mayor eficacia tiene la natural curiosidad que no una temerosa coacción. Pero tú, Señor, tienes establecida una ley: la de que semejantes coacciones pongan un freno beneficioso al libre flujo de la espontaneidad. Desde la vara de los maestros hasta las pruebas terribles del martirio, es tu ley que todo se vea mezclado de saludables amarguras, con las que nos llamas hacia ti en expiación de las malas alegrías que de ti nos alejan.

Capítulo 15

1. Escucha, Señor, mi súplica para que mi alma no se quiebre bajo tu disciplina, ni desmaye en confesar las misericordias con las que me sacaste de mis pésimos caminos. Seas tú siempre para mí una dulzura más fuerte que todas las mundanas seducciones que antes me arrastraban. Haz que te ame con hondura y apriete tu mano con todas las fuerzas de mi corazón, y así me vea libre hasta el fin de todas las tentaciones.

2. Que te sirva pues, Dios y Señor mío, todo lo útil que aprendí siendo niño; y también cuanto hablo, escribo, leo o

pongo en números. Porque cuando aprendía yo vanidades, tú me dabas disciplina y me perdonabas el pecaminoso placer que en ellas tenía. Es cierto que en ellas aprendí muchas cosas que me han sido de utilidad; pero eran cosas que también pueden aprenderse sin vanidad alguna. Este camino es el mejor, y ojalá todos los niños caminaran por esta senda segura.

Capítulo 16

1. ¡Maldito seas, oh río de las costumbres humanas, pues nadie te puede resistir! ¿Cuándo te secarás? ¿Hasta cuándo seguirás arrastrando a los pobres hijos de Eva hacia mares inmensos y tormentosos en los que apenas pueden navegar los que se suben a un leño? ¿No he leído yo acaso en ti que Júpiter truena en el cielo pero es adúltero sobre la tierra? Ambas cosas son incompatibles, pero él las hizo; y con la alcahuetería de truenos falsos dio autoridad a quienes lo imitaran en un adulterio verdadero. ¿Y cuál de aquellos maestros más insignes soportaría sin impaciencia que un hombre de su misma condición dijese que Homero en sus ficciones transfería a los dioses los vicios humanos en vez de traspasar a los hombres cualidades divinas?

Aunque mayor verdad habría de decir que él en sus ficciones atribuía cualidades divinas a hombres viciosos; con lo cual los vicios quedaban justificados, y quien los tuviera podía pensar que imitaba no a hombres depravados, sino a celestes deidades.

2. Y sin embargo, ¡oh río infernal! En tus ondas se revuelven los hijos de los hombres en pos de la ganancia; y en

mucho se tiene el que las leyendas homéricas se representen en el Foro, bajo el amparo de leyes que les conceden crecidos estipendios. Y haces, oh río, sonar tus piedras, diciendo: "Aquí se aprende el arte de la palabra, aquí se adquiere la elocuencia tan necesaria para explicar las cosas y persuadir los ánimos".

En efecto: no conoceríamos palabras tales como *lluvia de oro, regazo, engaño y templos del cielo*, si no fuera porque Terencio las usa cuando nos presenta a un joven disoluto que quiere cometer un estupro siguiendo el ejemplo de Júpiter. Porque vio en una pared una pintura sobre el tema de cómo cierta vez Júpiter embarazó a la doncella Dánae penetrando en su seno bajo la forma de una lluvia de oro. Y, ¡hay que ver cómo se excita la concupiscencia de ese joven con semejante ejemplo, que le viene de un dios! ¿Y qué dios?, se pregunta. Pues, nada menos que aquel que hace retemblar con sus truenos los templos del cielo. Y se dice: "¿No voy a hacer yo, que soy un simple hombre, lo que veo en un dios? ¡Claro que sí! Y ya lo he hecho, y con toda mi voluntad".

3. Y no es que con estas selectas palabras se expresen mejor semejantes torpezas; sino más bien, que bajo el amparo de esas palabras las torpezas se cometen con más desahogo. No tengo objeciones contra las palabras mismas, que son como vasos escogidos y preciosos; pero sí las tengo contra el vino de error que en ellos nos daban a beber maestros ebrios, que todavía nos amenazaban si nos negábamos a beber. Y no teníamos un juez a quien apelar. Y sin embargo, Dios mío, en quien reposa ya segura mi memoria, yo aprendía tales vanidades con gusto; y, mísero de mí, encontraba en

ellas placer. Por eso decían de mí que era un niño que mucho prometía para el futuro.

Capítulo 17

1. Permíteme, Señor, decir algo sobre mi ingenio, regalo tuyo, y de los pasatiempos con que lo desperdiciaba.

Me proponían algo que mucho me inquietaba el alma. Querían que por amor a la alabanza y miedo a ser enfrentado y golpeado repitiera las palabras de Juno, iracunda y dolida al no poder alejar de Italia al rey de los teucros (Virgilio, Eneida 1, 38).

Pues nunca había oído yo que Juno hubiese dicho tales cosas. Pero nos forzaban a seguir como vagabundos los vestigios de aquellas ficciones poéticas y a decir en prosa suelta lo que los poetas decían en verso. Y el que lo hacía mejor entre nosotros y era más alabado, era el que según la dignidad del personaje que fingía con mayor vehemencia y propiedad de lenguaje expresaba el dolor o la cólera de su personaje.

2. Pero, ¿de qué me servía todo aquello, Dios mío y vida mía? ¿Y por qué era yo, cuando recitaba, más alabado que otros compañeros de estudios? ¿No era todo ello viento y humo? ¿No había por ventura otros temas en que se pudieran ejercitar mi lengua y mi ingenio? Los había. Tus alabanzas, Señor, tus alabanzas como están en la Santa Escritura, habrían sostenido el gajo débil de mi corazón; y no habría yo quedado como presa innoble de los pájaros de rapiña en medio de aquellas vanidades.

Capítulo 18

1. No es pues maravilla si, llevado por tanta vanidad, me descarriaba yo lejos de ti, Dios mío. Para mi norma y gobierno se me proponían hombres que eran reprendidos por decir con algún barbarismo o incorrección algún hecho suyo edificante, pero eran alabados y glorificados cuando ponían en palabras adecuadas y con buena ornamentación sus peores concupiscencias. Y tú, Señor, ¡ves todo esto y te callas! ¡Tú, que eres veraz, generoso y muy misericordioso! (Sal 102,8). Pero no vas a seguir por siempre callado. Ahora mismo has sacado del terrible abismo a un alma que te busca y tiene sed de deleitarse en ti; un alma que te dice: "He buscado, Señor, tu rostro y lo habré de buscar siempre" (Sal 26,8). Porque yo anduve lejos de tu rostro, llevado por una tenebrosa pasión.

2. Porque nadie se aleja de ti o retorna a ti con pasos corporales por los caminos del mundo. ¿Acaso aquel hijo menor que huyó de ti, para disipar en una región lejana cuanto le habías dado, tuvo en el momento de partir necesidad de caballos, o carros o naves? ¿Necesitó acaso alas para volar, o presurosas rodillas? Tú fuiste para él un dulce padre cuando le diste lo que te pidió para poder marcharse; pero mucho más dulce todavía cuando a su regreso lo recibiste pobre y derrumbado. El que vive en un afecto deshonesto vive en las tinieblas lejos de tu rostro.

Mira pues, Señor, con paciencia lo que tienes ante los ojos. ¡Con cuánto cuidado observan los hijos de los hombres las reglas que sobre el sonido de letras y sílabas recibieron de sus maestros, al paso que descuidan las leyes que tú les pones para su eterna salvación! Así sucede que quien es conocedor de las leyes de la gramática no soportará que alguien diga *ombre* por *hombre*, suprimiendo la aspiración de la primera sílaba; pero en cambio tendrá por cosa ligera, de nada, si siendo hombre él mismo, odia a los demás hombres contra tu mandamiento. Como si le fuera posible a alguien causarle a otro un daño mayor que el que se causa a sí mismo con el odio que le tiene; como si pudiera causarle a otro una devastación mayor que la que a sí mismo se causa siendo su enemigo.

3. Y por cierto no hay cultura literaria que nos sea más íntima que la conciencia misma, en la cual llevamos escrito que no se debe hacer a otro lo que nosotros mismos no queremos padecer (Tob 4,16 y Mt 7,12). ¡Cuán distinto eres Tú, oh Dios inmenso y único, que habitas en el silencio de las alturas, y con inmutables decretos impones cegueras para castigar ilícitos deseos!

Cuando alguien busca la fama de la elocuencia atacando con odio a un enemigo en presencia de un juez y de un auditorio, pone sumo cuidado para no desprestigiarse con un error de lenguaje. No dirá, por ejemplo, "entre *las* hombres". Pero en cambio, nada se le da, en la violencia de su odio, si intenta arrancar a otro hombre de la sociedad de sus semejantes.

Capítulo 19

1. Al umbral de semejantes costumbres yacía yo infeliz mientras fui niño. Y tal era la lucha en esa palestra, que más temía yo cometer un barbarismo que envidiar a los que lo cometían. Ahora admito y confieso en tu presencia aquellas

pequeñeces por las cuales recibía yo alabanza de parte de personas para mí tan importantes que agradarles me parecía la suma del buen vivir. No caía yo en la cuenta de la vorágine de torpezas que me arrastraba ante tus ojos.

¿Podían ellos ver entonces algo más detestable que yo? Pues los ofendía engañando con incontables mentiras a mi pedagogo, a mis maestros y a mis padres; y todo por la pasión de jugar y por el deseo de contemplar espectáculos vanos para luego divertirme en imitarlos.

2. Cometí muchos hurtos de la mesa y la despensa de mis padres, en parte movido por la gula, y en parte también para tener algo que dar a otros muchachos que me vendían su juego; trueque en el cual ellos y yo encontrábamos gusto. Pero también en esos juegos me vencía con frecuencia la vanidad de sobresalir, y me las arreglaba para conseguir victorias fraudulentas. Y no había cosa que mayor fastidio me diera que el sorprenderlos en alguna de aquellas trampas que yo mismo les hacía a ellos. Y cuando en alguna me pillaban prefería pelear a conceder.

3. ¿Qué clase de inocencia infantil era esta? No lo era, Señor, no lo era, permíteme que te lo diga. Porque esta misma pasión, que en la edad escolar tiene por objeto nueces, pelotas y pajaritos, en las edades posteriores, para prefectos y reyes, es ambición de oro, de tierras y de esclavos. Con el paso del tiempo se pasa de lo chico a lo grande, así como de la vara de los maestros se pasa más tarde a suplicios mayores.

Fue, pues, la humildad lo que tú, Rey y Señor nuestro, aprobaste en la pequeñez de los niños cuando dijiste que de los que son como ellos es el Reino de los Cielos (Mt 19,14).

Capítulo 20

1. Y sin embargo, Señor excelentísimo y óptimo Creador de cuanto existe, gracias te daría si hubieses dispuesto que yo no pasara de la niñez. Porque yo existía y vivía; veía y sentía y cuidaba de mi conservación, vestigio secreto de aquella Unidad de la que procedo. Un instinto muy interior me movía a cuidar la integridad de mis sentidos, y aun en las cosas más pequeñas me deleitaba en la verdad de mis pensamientos. No me gustaba equivocarme. Mi memoria era excelente, mi habla ya estaba formada. Me gozaba en la amistad, huía del dolor, del desprecio y de la ignorancia. ¿Qué hay en un ser así que no sea admirable y digno de loor?

2. Pero todo esto me venía de mi Dios, pues yo no me di a mí mismo semejantes dones. Cosas buenas eran, y todas ellas eran mi yo. Bueno es, entonces, el que me hizo. Él es mi bien, y en su presencia me lleno de exultación por todos esos bienes que había en mi ser de niño.

3. Pero pecaba yo, por cuanto buscaba la verdad, la deleitación y la sublimidad no en Él, sino en mí mismo y en las demás criaturas; y por esto me precipitaba en el dolor, la confusión y el error.

Pero gracias, dulzura mía, mi honor y mi confianza, mi Dios, por tus dones; y te ruego que me los conserves. Así me guardarás a mí; y todo cuanto me diste se verá en mí aumentado y llevado a perfección.

Y yo estaré contigo, que me diste la existencia.

Libro II

Libro II

Capítulo 1

1. Quiero ahora recordar las fealdades de mi vida pasada, las corrupciones carnales de mi alma; no porque en ellas me complazca, sino porque te amo a ti, mi Dios. Lo hago por amor de tu Amor, recordando en la amargura de una revivida memoria mis perversos caminos y malas andanzas. Para que me seas dulce tú, dulzura no falaz, dulzura cierta y feliz; para que me recojas de la dispersión en la que anduve como despedazado mientras lejos de ti vivía en la vanidad.

2. Durante algún tiempo de mi adolescencia ardía en el deseo de saciar los más bajos apetitos y me hice como una selva de sombríos amores. Se marchitó mi hermosura y aparecí ante tus ojos como un ser podrido y sólo atento a complacerse a sí mismo y agradar a los demás.

Capítulo 2

1. Nada me deleitaba entonces fuera de amar y ser amado. Pero no guardábamos compostura, y pasábamos más allá de los límites luminosos de la verdadera amistad que va de un alma a la otra. De mí se exhalaban nubes de fangosa concupiscencia carnal en el hervidero de mi pubertad, y de tal manera obnubilaban y ofuscaban mi corazón que no era

yo capaz de distinguir entre la serenidad del amor y el fuego de la sensualidad. Ambos ardían en confusa efervescencia y arrastraban mi debilidad por los despeñaderos de la concupiscencia en un torbellino de pecados. Tu cólera se abatía sobre mí, pero yo lo ignoraba; me había vuelto sordo a tu voz y como encadenado, por la estridencia de mi carne mortal. Esta era la pena con que castigabas la soberbia de mi alma. Cada vez me iba más lejos de ti, y tú lo permitías; era yo empujado de aquí para allá, me derramaba y desperdiciaba en la ebullición de las pasiones y tú guardabas silencio. ¡Oh, mis pasos tardíos! Tú callabas entonces, y yo me alejaba de ti más y más, desparramado en dolores estériles, pero soberbio en mi deshonra y sin sosiego en mi cansancio.

2. ¡Ojalá hubiera yo tenido entonces quien pusiera medida a mi agitación, quien me hubiera enseñado a usar con provecho la belleza fugitiva de las cosas nuevas marcándoles una meta! Si esto hubiera sucedido, el hervoroso ímpetu de mi juventud se habría ido moderando rumbo al matrimonio y, a falta de poder conseguir la plena serenidad, me habría contentado con procrear hijos como lo mandas tú, que eres poderoso para sacar renuevos de nuestra carne mortal, y sabes tratarnos con mano suave para templar la dureza de las espinas excluidas de tu paraíso.

Porque tu Providencia está siempre cerca, aun cuando nosotros andemos lejos. No tuve quien me ayudara a poner atención a tu Palabra que del cielo nos baja por la boca de tu Apóstol, cuando dijo: "Sufrirán tribulaciones en su carne que yo quisiera evitarles"(1 Cor 7,28). Y también: "Bueno es para el hombre no tocar a la mujer"; y luego: "El que no tiene mujer se preocupa de las cosas de Dios y de cómo agradarle; pero el que está unido en matrimonio se preocupa de las cosas del mundo y de cómo agradar a su mujer" (1 Cor 7,28.32.33). Si hubiera yo escuchado con más atención estas voces habría castigado mi carne por amor del Reino de los Cielos y con más felicidad habría esperado tu abrazo.

3. Pero, mísero de mí, te abandoné por dejarme llevar de mis impetuosos ardores; me excedí en todo más allá de lo que tú me permitías y no me escapé de tus castigos. Pues, ¿quién lo podría entre todos los mortales? Tú me estabas siempre presente con cruel misericordia y amargabas mis ilegítimas alegrías para que así aprendiera a buscar goces que no te ofendan.

¿Y dónde podía yo conseguir esto sino en ti, Señor, que finges poner dolor en tus preceptos, nos hieres para sanarnos y nos matas para que no nos muramos lejos de ti?

¿Por dónde andaba yo, lejos de las delicias de tu casa, en ese año decimosexto de mi edad carnal, cuando le concedí el cetro a la lujuria y con todas mis fuerzas me entregué a ella en una licencia que era indecorosa ante los hombres y prohibida por tu ley? Los míos para nada pensaron en frenar mi caída con el remedio del matrimonio. Lo que les importaba era solamente que yo aprendiera lo mejor posible el arte de hablar y de convencer con la palabra.

Capítulo 3

1. Aquel año se vieron interrumpidos mis estudios. Me llamaron de la vecina ciudad de Madaura a donde había ido

yo para estudiar la literatura y la elocuencia, con el propósito de enviarme a la más distante ciudad de Cartago. Mi padre, ciudadano de escasos recursos en Tagaste, con más ánimo que dinero, preparaba los gastos de mi viaje.

Pero, ¿a quién le cuento yo todas estas cosas? No a ti, ciertamente, Señor; sino en presencia tuya a todos mis hermanos del mundo; a aquellos, por lo menos, en cuyas manos puedan caer estas letras mías. ¿Y con qué objeto? Pues, para que yo y quienes puedan leer estas páginas meditemos en la posibilidad y la necesidad de clamar a ti desde los más hondos abismos. Porque nada puede haber que más vecino sea de tu oído que un corazón que te confiesa y una vida de fe. A mi padre no había quien no lo alabara por ir más allá de sus fuerzas para dar a su hijo todo lo necesario para ese viaje en busca de buenos estudios, cuando ciudadanos opulentos no hacían por sus hijos nada semejante. Pero este mismo padre que tanto por mí se preocupaba, no pensaba para nada en cómo podía yo crecer para ti, ni hasta dónde podía yo mantenerme casto; le bastaba con que aprendiera a disertar, aunque desertara de ti y de tus cuidados, Dios mío, tú que eres uno, verdadero y bueno y dueño de este campo tuyo que es mi corazón.

2. En ese año decimosexto de mi vida, forzado por las necesidades familiares a abandonar la escuela, viví con mis padres, y se formó en mi cabeza un matorral de concupiscencias que nadie podía arrancar. Sucedió pues que aquel hombre que fue mi padre me vio un día en los baños, ya púber y en inquieta adolescencia. Muy orondo fue a contárselo a mi madre, feliz como si ya tuviera nietos de mí;

embriagado con un vino invisible, el de su propia voluntad perversa e inclinada a lo más bajo; la embriaguez presuntuosa de un mundo olvidado de su Creador y todo vuelto hacia las criaturas.

Pero tú ya habías empezado a echar en el pecho de mi madre los cimientos del templo santo en que ibas a habitar. Mi padre era todavía catecúmeno, y de poco tiempo; entonces, al oírlo ella se estremeció de piadoso temor; aunque yo no me contaba aún entre los fieles, ella temió que me fuera por los desviados caminos por donde van los que no te dan la cara, sino que te vuelven la espalda.

3. ¡Ay! ¿Me atreveré a decir que tú permanecías callado mientras yo más y más me alejaba de ti? ¿Podré decir que no me hablabas? Pero, ¿de quién sino tuyas eran aquellas palabras que con voz de mi madre, fiel sierva tuya, me cantabas al oído? Ninguna de ellas, sin embargo, me llegó al corazón para ponerlas en práctica. Ella no quería que yo cometiera fornicación y recuerdo cómo me amonestó en secreto con gran vehemencia, insistiendo sobre todo en que no debía yo tocar la mujer ajena. Pero sus consejos me parecían debilidades de mujer que no podía yo tomar en cuenta sin avergonzarme.

Mas sus consejos no eran suyos, sino tuyos y yo no lo sabía. Pensaba yo que tú callabas, cuando por su voz me hablabas; y al despreciarla a ella, sierva tuya, te despreciaba a ti, siendo yo también tu siervo. Pero yo nada sabía. Iba desbocado, con una ceguera tal, que no podía soportar que me superaran en malas acciones aquellos compañeros que se jactaban de sus fechorías tanto más cuanto peores eran.

Con ello pecaba yo no sólo con la lujuria de los actos, sino también con la lujuria de las alabanzas.

4. ¿Hay algo que sea realmente digno de desprecio fuera del vicio? Pero yo, para evitar las burlas me fingía más vicioso y, cuando no tenía un pecado real con el cual pudiera competir con aquellos perdidos inventaba uno que no había hecho, no queriendo parecer menos abyecto que ellos ni ser tenido por tonto cuando era más casto.

Con tales compañeros corría yo las calles y plazas de Babilonia y me revolcaba en su cieno como en perfumes y ungüentos preciosos; y un enemigo invisible me hacía presión para tenerme bien fijo en el barro; yo era seducible y él me seducía.

Ni siquiera mi madre, aquella mujer que había huido ya de Babilonia pero andaba aún con lentos pasos por sus arrabales tomó providencias para hacerme conseguir aquella pureza que ella misma me aconsejaba. Lo que de mí había oído decir a su marido lo sentía peligroso y pestilente; yo necesitaba del freno de la vida conyugal si no era posible cortarme en lo vivo la concupiscencia. Y, sin embargo, ella no cuidó de esto: temía que los lazos de una mujer dieran fin a mis esperanzas. No ciertamente la esperanza de la vida futura, que mi madre ya poseía; pero sí las buenas esperanzas de aprendizaje de las letras que tanto ella como mi padre deseaban vivamente; él, porque pensaba poco en ti y formaba a mi propósito castillos en el aire; y ella, porque no veía en las letras un estorbo, sino más bien una ayuda para llegar a ti. Todo esto lo conjeturo recordando lo mejor que puedo cómo eran mis padres. Por este motivo y sin un necesario temperamento de severidad, me soltaban las riendas y yo me divertía, andaba distraído y me desintegraba en una variedad de afectos y en una ardiente obcecación que me ocultaba, Señor, las serenidades de tu verdad. "Y la malicia se les sale por los poros" (Sal 72,7).

Capítulo 4

1. El hurto es condenado por la ley, Señor; una ley que está escrita en los corazones humanos y que ni la maldad misma puede destruir. Pues, ¿qué ladrón hay que soporte a otro ladrón? Ni siquiera un ladrón rico soporta al que roba movido por la indigencia. Pues bien, yo quise robar y robé; no por necesidad o por penuria, sino por mero fastidio de lo bueno y por sobra de maldad. Porque robé cosas que tenía ya en abundancia y otras que no eran mejores que las que poseía. Y ni siquiera disfrutaba de las cosas robadas; lo que me interesaba era el hurto en sí, el pecado.

Había en la vecindad de nuestra viña un peral cargado de frutas que no eran apetecibles ni por su forma ni por su color. Fuimos, pues, rapaces perversos, a sacudir el peral a eso de la medianoche, pues hasta esa hora habíamos alargado, según nuestra mala costumbre, los juegos. Nos llevamos varias cargas grandes no para comer las peras nosotros, aunque algunas probamos, sino para echárselas a los cerdos. Lo importante era hacer lo que nos estaba prohibido.

2. Este es, pues, Dios mío, mi corazón; ese corazón al que tuviste misericordia cuando se hallaba en lo profundo del abismo. Que él te diga qué era lo que andaba yo buscan-

do cuando era gratuitamente malo; pues para mi malicia no había otro motivo que la malicia misma. Detestable era, pero la amé; amé la perdición, amé mi defecto. Lo que amé no era lo defectuoso, sino el defecto mismo. Alma llena de torpezas, que se soltaba de tu firme apoyo rumbo al exterminio, sin otra finalidad en la degradación que la degradación misma.

Capítulo 5

1. Porque se da ciertamente un atractivo en todo lo que es hermoso: en el oro, en la plata, en todo. En el tacto de la carne mucho tiene que ver el halago, así como los demás sentidos encuentran en las cosas corporales una peculiaridad que les responde. Belleza hay también en el honor temporal, en el poder de vencer y dominar, de donde proceden luego los deseos de la venganza. Y sin embargo, Señor, para conseguir estas cosas no es indispensable separarse de ti ni violar tus leyes. Y la vida que aquí vivimos tiene su encanto en cierto modo particular de armonía y de conveniencia con todas estas bellezas inferiores. Así como también es dulce para los hombres la amistad, que con sabroso nudo hace de muchas almas una sola.

2. Por conseguir estas cosas y otras semejantes se admite el pecado; porque una inmoderada inclinación hace que se abandonen otros bienes de mayor valía, que son realmente supremos: tú mismo, Señor, tu verdad y tu ley. Es indudable que también estas cosas ínfimas tienen su deleite; pero no es tan grande como mi Dios, creador de todas las cosas, que es deleite del justo y delicia de los corazones rectos. Por

lo tanto, cuando se pregunta sobre las posibles causas del pecado, se suele pensar que no está sino en el vivo deseo de alcanzar o de no perder esos bienes que he llamado ínfimos. Son, a no dudarlo, hermosos y agradables en sí mismos, aun cuando resultan a ras de tierra y despreciables cuando se los compara con los bienes superiores, los únicos que dan verdadera felicidad.

3. Alguno, por ejemplo, comete un homicidio. ¿Por qué lo hizo? Lo hizo, o porque quería quedarse con la mujer o el campo de otro, o porque tal depredación lo ayudaría a vivir, o porque temía que su víctima le quitara algo, o porque había recibido de ella algún agravio que encendió en su pecho el ardor de la venganza. De Catilina, hombre en exceso malo y cruel, se ha dicho que era malo gratuitamente, que hacía horrores sólo porque no se le entumecieran por la falta de ejercicio ni la mano ni el ánimo. No deja de ser una explicación. Pero esto no lo es todo. Lo cierto es que de haberse apoderado del gobierno de la ciudad mediante tal acumulación de crímenes tendría honores, poder y riquezas; se libraba, además, de temor de las leyes inducido por la conciencia de sus delitos y del mal pasar debido a la pobreza de su familia. Ni el mismo Catilina amaba sus crímenes por ellos mismos, sino por otra cosa que mediante ellos pretendía conseguir.

Capítulo 6

1. ¿Qué fue pues, miserable de mí, lo que en ti amé, hurto mío, delito mío nocturno, en aquel decimosexto año de mi

vida? No eras hermoso, pues eras un hurto. Pero, ¿eres acaso algo real, para que yo ahora hable contigo?

Bonitas eran aquellas frutas que robamos, pues eran criaturas tuyas, ¡oh, tú, Creador de todas ellas, sumo Bien y verdadero Bien! Hermosas eran, pero no fueron ellas lo que deseó mi alma miserable, ya que yo las tenía mejores. Si las corté fue sólo para robarlas y, prueba de ello es que apenas cortadas, las arrojé; mi banquete consistió meramente en mi fechoría, pues me gozaba en la maldad. Porque si algo de aquellas peras entró en mi boca, su condimento no fue otro que el sabor del delito.

Ahora me pregunto, Dios mío, por qué motivo pude deleitarme en aquel hurto. Las peras en sí no eran muy atractivas. No había en ellas el brillo de la equidad y de la prudencia; pero ni siquiera algo que pudiera ser pasto de la memoria, de los sentidos, de la vida vegetativa. No eran hermosas como lo son las estrellas en el esplendor de sus giros; ni como lo son la tierra y el mar, llenos como están de seres vivientes que vienen a reemplazar a los que van feneciendo y, ni siquiera tenían la hermosura aparente y oscura con que nos engañan los vicios.

2. La soberbia remeda a la excelencia, siendo así que sólo tú eres excelso; y la ambición busca los honores y la gloria, cuando sólo tú eres glorioso y merecedor de eternas alabanzas.

Los poderosos de la tierra gustan de hacerse temer por el rigor; pero, ¿quién sino tú, Dios único, merece ser temido? ¿Quién, qué, cuándo y dónde pudo jamás substraerse a tu potestad?

Los amantes se complacen en las delicias de la voluptuosidad; pero, ¿qué hay más deleitable que tu amor?, ¿qué puede ser más amado que tu salvífica verdad, incomparable en su hermosura y esplendor?

La curiosidad gusta interesarse por la ciencia, cuando tú eres el único que todo lo sabe. La ignorancia misma y la estupidez se cubren con el manto de la simplicidad y de la inocencia porque nada hay más simple ni más inocente que tú, cuyas obras son siempre enemigas del mal.

La pereza pretende apetecer la quietud; pero, ¿qué quietud cierta se puede encontrar fuera de ti? La lujuria quiere pasar por abundancia y saciedad; pero eres tú la indeficiente abundancia de suavidades incorruptibles. El derroche pretende hacerse pasar por desprendimiento; pero tú eres el generoso dador de todos los bienes.

La avaricia ambiciona poseer muchas cosas, pero tú todo lo tienes. La envidia compite por la superioridad; pero, ¿qué hay que sea superior a ti? La ira busca vengarse; pero, ¿qué venganza puede ser tan justa como las tuyas? El temor es enemigo de lo nuevo y lo repentino que sobreviene con peligro de perder las cosas que se aman y se quieren conservar; pero, ¿qué cosa hay más insólita y repentina que tú; o quién podrá nunca separar de ti lo que tú amas? ¿Y dónde hay fuera de ti seguridad verdadera? La tristeza se consume en el dolor por las cosas perdidas en que se gozaba la codicia y no quería que le fueran quitadas; pero a ti nada se te puede quitar.

3. Entonces, fornica el alma cuando se aparta de ti y busca allá afuera lo que no puede encontrar con pureza y sin

mezcla sino cuando vuelve a ti. Y burdamente remedan tu soberanía los que de ti se apartan y se rebelan contra ti; pero aún en eso proclaman que tú eres el creador de la naturaleza toda y que no hay realmente manera de cortar los lazos que nos ligan a ti.

¿Qué fue pues lo que yo amé en aquel hurto en que de manera viciosa y perversa quise imitar a mi Señor? ¿Soñé que con el uso de una falaz libertad me colocaba imaginariamente por encima de una ley que en la realidad me domina, haciendo impunemente, en un remedo ridículo de tu omnipotencia lo que no me era permitido?

Aquí tienes pues a ese siervo que huyó de su Señor en pos de una sombra. ¡Cuánta podredumbre, qué monstruosidad de vida y qué profundidades de muerte! ¿Cómo pudo complacerse su albedrío en lo que no le era lícito por el solo motivo de que no lo era?

Capítulo 7

1. ¿Con qué pagarle a mi Señor el que mi memoria recuerde todo esto sin que mi alma sienta temor? Te pagaré con paga de amor y de agradecimiento. Confesaré tu Nombre, pues tantas obras malas y abominables me has perdonado.

Fue obra de tu gracia y de tu misericordia el que hayas derretido como hielo la masa de mis pecados y, a tu gracia también soy deudor de no haber cometido muchos otros; pues, ¿de qué obra mala no habría sido capaz uno que pecaba por gusto? Pero todo me lo has perdonado: lo malo que hice con voluntad y lo malo que pude hacer y, por tu providencia, no hice.

2. ¿Quién podría, conociendo su debilidad natural, atribuir su castidad y su inocencia a sus propias fuerzas? Ése te amaría menos, como si le fuera menos necesaria esa misericordia tuya con que condenas los pecados de quienes se convierten a ti. Ahora: si hay alguno que llamado por ti escuchó tu voz y pudo evitar los delitos que ahora recuerdo y confieso y que él puede leer aquí, no se burle de mí, que estando enfermo fui curado por el mismo médico a quien él le debe el no haberse enfermado; o por mejor decir, haberse enfermado menos que yo. Ese debe amarte tanto como yo, o más todavía; viendo que quien me libró a mí de tamañas dolencias de pecado es el mismo que lo ha librado a él de padecerlas.

Capítulo 8

¿Qué clase de afecto era pues aquel? Ciertamente era pésimo y yo muy miserable porque lo tenía. ¿Pero qué era? Pues por algo dice la Escritura: "¿Quién advierte sus propios errores?" (Sal 18,13). Risa nos daba, como un cosquilleo del corazón, el poder engañar así a quienes no nos juzgaban capaces de cosas semejantes, ni querían que las hiciéramos. ¿Pero, por qué razón me gustaba hacer esas fechorías junto con otros? ¿Acaso porque no es fácil reír cuando no se tiene compañeros? Y sin embargo, en ciertas ocasiones la risa vence al hombre más solitario: cuando algo se le presenta, al sentido o a la imaginación como muy ridículo.

Capítulo 9

Lo cierto es que tales cosas yo no las habría hecho de estar completamente solo. Este es, Señor, el vivo recuerdo de mi memoria en tu presencia: de haber andado solo no habría cometido tal hurto, ya que no me interesaba la cosa robada sino el hurto mismo y seguramente no habría hallado gusto en ello sin una compañía. ¡Oh enemiga amistad, seducción incomprensible de la mente! ¡Avidez de dañar por burla y por juego, cuando no hay en ello ganancia alguna ni deseo de venganza de satisfacer! Es, simplemente, el momento en que se dice: "Vamos a hacerlo" y, si alguna vergüenza se tiene, es la de no hacer algo vergonzoso.

Capítulo 10

¿Quién podrá desatar este nudo tan tortuoso e intrincado? Feo es y no quiero verlo, ni siquiera poner en él los ojos.

Pero te quiero a ti, que eres justicia e inocencia, hermosa y decorosa luz, saciedad insaciable para los hombres honestos.

En ti hay descanso y vida imperturbable. El que entra en ti entra en el gozo de su Señor (Mt 25,21), nada temerá y se hallará muy bien en el Sumo Bien. Me derramé y vagué lejos de ti, mi Dios, muy alejado de tu estabilidad, en mi adolescencia. Me convertí para mí mismo en un desierto inculto y lleno de miseria.

Libro III

Libro III

Capítulo 1

1. Vine a Cartago y caí como en una caldera hirviente de amores pecaminosos. Aún no amaba yo, pero quería ser amado y, con una secreta indigencia me odiaba a mí mismo por menos indigente. Ardía en deseos de amar y buscaba un objeto para mi amor. Quería ser amado, pero odiaba la seguridad de un camino sin trampas ni celadas. Tenía hambre intensa de un alimento interior que no era otro sino tú, mi Dios; pero con esa hambre no me sentía hambriento, pues me faltaba el deseo de los bienes incorruptibles. Y no porque los tuviera; simplemente, mientras más miserable era, más hastiado me sentía. Por eso mi alma, enferma y ulcerosa, se proyectaba miserablemente hacia afuera, ávida del halago de las cosas sensibles. Algún alma deben de tener las cosas, pues si no, no serían amadas. Dulce me era, pues, amar y ser amado; especialmente cuando podía disfrutar del cuerpo amado.

2. Así manchaba yo con sórdida concupiscencia la clara fuente de la amistad y nublaba su candor con las tinieblas de la carnalidad. Sabiéndome odioso y deshonesto, trataba en mi vanidad de aparecer educado y elegante. Me despeñé en un tipo de amor en que deseaba ser cautivo. ¡Dios mío, misericordia mía! ¡Con cuántas hieles me amargaste, en tu bondad, aquellas malas suavidades! Porque mi amor fue

correspondido y llegué hasta el enlace secreto y voluptuoso y con alegría me dejaba atar por dolorosos vínculos: fui azotado con los hierros candentes de los celos y las sospechas, los temores, las iras y las riñas.

Capítulo 2

1. Me apasionaban entonces los espectáculos teatrales, tan llenos de las miserias que yo tenía y de los fuegos que me quemaban.

¿Por qué será el hombre tan amigo de ir al teatro para sufrir allí de lutos y tragedias que por ningún motivo querría tener en su propia vida? Lo cierto es que le encantan los espectáculos que lo hacen sufrir y que se goza en este sufrimiento. Pero, ¿no es esto una actitud enferma? Porque la verdad es que tanto más se conmueve la gente cuanto menor sanidad hay en sus sentimientos; y que tiene por miseria lo que ellos mismos padecen, mientras llaman misericordia su compasión cuando eso mismo lo padecen otros. Pero, ¿qué misericordia real puede haber en fingidos dolores de escenario? Pues el que asiste no es invitado a prestar remedio a los males, sino solamente a dolerse con ellos; y mayor es el homenaje que rinde a los actores del drama cuanto mayormente sufre. Y si tales calamidades, o realmente sucedidas antaño o meramente fingidas ahora no lo hacen sufrir lo suficiente, sale del teatro fastidiado y criticando; al paso que si sufre mucho se mantiene atento y goza llorando.

2. ¿Cómo es posible amar así el dolor y las lágrimas? Porque el hombre naturalmente tiende a ser feliz. ¿Será acaso,

que si a nadie le gusta ser él mismo miserable, a todos nos agrada ser compasivos con la miseria? Puede ser; sin el dolor y la miseria es imposible la misericordia y, entonces, por razón de ésta se llegan a amar la miseria y el dolor. ¿Qué otra causa podría haber?

Una simpatía semejante procede, a no dudarlo, del manantial de la amistad. Pero, ¿a dónde va esa corriente, a dónde fluye? ¿Por qué va a dar ese torrente de pez hirviendo con los terribles calores de todas las pasiones de la tierra? ¿Por qué de su propio albedrío se convierte en él la amistad, desviada y rebajada de su serenidad celeste?

Y sin embargo, cierto es que no podemos repudiar la misericordia: es necesario que amemos alguna vez el sufrimiento.

3. Pero guárdate bien, alma mía, de la inmundicia, guárdate de ella, bajo la tutela de tu Dios, del Dios de nuestros padres, excelso y laudable por todos los siglos (Dn 3,52). No es que me falte ahora la misericordia; pero en aquellos días gozaba yo con ver en el teatro a los amantes que criminalmente se amaban, aun cuando todo aquello fuera imaginario y escénico. Cuando el uno al otro se perdían me ponía triste la compasión; pero me deleitaba tanto en lo uno como en lo otro. Muy mayor misericordia siento ahora por el que vive contento con el vicio, que no por el que sufre grandes penas por la pérdida de un pernicioso placer y una mentida felicidad. Este tipo de misericordia es mucho más verdadera, precisamente porque en ella no hay deleite en el dolor. Si es laudable oficio de caridad compadecer al que sufre, un hombre de veras misericordioso preferiría con mucho que no hubiera nada que compadecer. Absurdo sería hablar de una "benevolencia ma-

lévola", pero este absurdo sería necesario para que un hombre pudiera al mismo tiempo ser en verdad misericordioso y desear que haya miserables para poderlos compadecer.

4. Hay pues dolores que se pueden admitir, porque son útiles; pero el dolor en sí no es digno de amor.

Esto es lo que pasa contigo, mi Dios y Señor, que amas las almas de tus hijos con amor más alto y más puro que el nuestro; la tuya es una misericordia incorruptible y, cuando nos compadeces, nuestro dolor no te lastima. ¿Quién en esto es como tú?

Pero yo amaba entonces el dolor de mala manera y me buscaba lo que pudiera hacerme padecer. Representando un padecimiento ajeno, fingido y teatral, tanto más me gustaba el actor cuanto más lágrimas me hacía derramar. ¿Qué maravilla, entonces, si como oveja infeliz e impaciente de tu custodia, me veía cubierto de fealdad y de roña? De ahí me venía esa afición al sufrimiento. Pero no a sufrimientos profundos, que para nada los quería; sino sufrimientos fingidos y de oído que sólo superficialmente me tocaban. Y como a los que se rascan con las uñas, me venía luego ardiente hinchazón, purulencia y horrible sangre podrida. ¡Santo Dios! ¿Esa vida era vivir?

Capítulo 3

1. Pero tu misericordia fidelísima velaba por mí y me rodeaba. ¡En cuántas iniquidades me corrompí, llevado por una sacrílega curiosidad, hasta tocar el fondo de la infidelidad en engañoso obsequio a los demonios, a quienes

ofrecía como sacrificio mis malas obras! Y en todo eso tú me flagelabas. Un día llegó mi atrevimiento hasta el punto de alimentar dentro de tu misma casa, durante la celebración de tus sagrados misterios, pensamientos impuros, maquinando cómo llevarlos a cabo y conseguir sus frutos de muerte. Pero tú me azotaste con pesados sufrimientos que, con ser muy pesados, no eran tan grandes como la gravedad de mi culpa, ¡oh Dios de inmensa misericordia! ¡Tú, mi Dios, que eres mi refugio y me defiendes de esos terribles enemigos míos entre los cuales anduve vagando con la cabeza insolentemente presumida, cada vez más lejos de ti, en mis caminos y no en los tuyos, tras el señuelo de una libertad mentida y fugitiva!

2. Aquellos estudios míos, estimados como muy honorables, me encaminaban a las actividades del foro y sus litigios, en los cuales resulta más excelente y alabado el que es más fraudulento. Tanta así es la ceguera humana, que de la ceguera misma se gloría. Yo era ya mayor en la escuela de Retórica. Era soberbio y petulante y tenía la cabeza llena de humo, pero era más moderado que otros, como tú bien lo sabes; porque me mantenía alejado de los abusos que cometían los eversores, cuyo nombre mismo, siniestro y diabólico era temido como signo de honor. Entre ellos andaba yo con la imprudente vergüenza de no ser como ellos. Entre ellos andaba y me complacía en su amistad, aun cuando su comportamiento me era aborrecible, ya que persistentemente atormentaban la timidez de los recién llegados a la escuela con burlas gratuitas y pesadas en que ellos hallaban su propia alegría. Nada tan semejante a esto como las acciones de los demonios y, por eso, nada tan apropiado como llamarlos

eversores, derribadores. Burlados y pervertidos primero ellos mismos por el engaño y la falsa seducción de los espíritus invisibles, pasaban luego a burlarse y a engañar a los demás.

Capítulo 4

1. Era pues en medio de tales compañías como estudiaba yo la elocuencia en los libros con la finalidad condenable de conseguir los goces de la vanidad humana. Y así sucedió que siguiendo el curso normal de los estudios conocí una obra de un cierto Cicerón cuya lengua admiran todos aunque no así su ánimo. En este libro titulado *Hortensio* encontré una exhortación a la filosofía. El libro cambió mis sentimientos y enderezó a ti mis pensamientos y mudó del todo mis deseos y mis anhelos. De repente todas mis vanas esperanzas se envilecieron ante mis ojos y empecé a encenderme en un increíble ardor del corazón por una sabiduría inmortal. Con esto comencé a levantarme para volver a ti. Con su lectura no buscaba ya lo que a mis diecinueve años y muerto ya mi padre hacía dos, compraba yo con el dinero de mi madre; es decir, no me interesaba ya pulir mi lenguaje y mejorar mi elocuencia; sino que encontraba el libro sumamente persuasivo en lo que decía.

2. ¡Qué incendios los míos, Señor, por volar hacia ti lejos de todo lo terrenal! No sabía yo lo que estabas haciendo conmigo tú, que eres la Sabiduría. *Filosofía* llaman los griegos al amor de la sabiduría y, en ese amor me hacían arder aquellas letras. Cierto es que no faltan quienes engañan con la filosofía, cubriendo y coloreando sus errores con ese nombre

tan digno, tan suave y tan honesto. Pero todos estos seductores, los de ese tiempo y los que antes habían sido, eran en ese libro censurados y mostrados por lo que en verdad son y se manifiesta en él, además, aquella saludable admonición que tú nos haces por medio de tu siervo bueno y pío: "No se dejen esclavizar por nadie con la vacuidad de una engañosa filosofía, inspirada en tradiciones puramente humanas y en los elementos del mundo, y no en Cristo" (Col 2,8).

3. Bien sabes tú, luz de mi corazón, que en esos tiempos no conocía yo aún esas palabras apostólicas, pero me atraía la exhortación del *Hortensio* a no seguir esta secta o la otra, sino la sabiduría misma, cualquiera que ella fuese. Esta sabiduría tenía yo que amar, buscar y conseguir y el libro me exhortaba a abrazarme a ella con todas mis fuerzas. Yo estaba enardecido. Lo único que me faltaba en medio de tanta fragancia era el nombre de Cristo, que en él no aparecía. Pues tu misericordia hizo que el nombre de tu Hijo, mi Salvador, lo bebiera yo con la leche materna y lo tuviera siempre en muy alto lugar; razón por la cual una literatura que lo ignora, por verídica y pulida que pudiera ser, no lograba apoderarse de mí.

Capítulo 5

Por todo esto me decidí a leer las Sagradas Escrituras, para ver cómo eran. Y me encontré con algo desconocido para los soberbios y no comprensible a los niños: era una verdad que caminaba al principio con modestos pasos, pero que avanzaba levantándose siempre más, alcanzando alturas sublimes, toda ella velada de misterios.

Yo no estaba preparado para entrar en ella, ni dispuesto a doblar la cerviz para ajustarme a sus pasos. En ese mi primer contacto con la Escritura no era posible que sintiera y pensara como pienso y siento ahora; como era inevitable, me pareció indigna en su lenguaje, comparada con la dignidad de Cicerón. Mi vanidosa suficiencia no aceptaba aquella simplicidad en la expresión; con el resultado de que mi agudeza no podía penetrar en sus interioridades. Era aquella una verdad que debía crecer con el crecer de los niños, pero yo me negaba resueltamente a ser niño. Hinchado de vanidad me sentía muy grande.

Capítulo 6

1. Entonces fui a dar entre hombres de una soberbia delirante, muy carnales y excesivamente locuaces, en cuya boca se mezclaban en diabólica mezcla las voces de tu nombre, del de tu Hijo Jesucristo y las del Espíritu Santo. Estos nombres no se les caían de la boca, pero no eran sino sonido puro, modulación de la lengua, pues su corazón estaba árido y vacío. "¡Verdad, verdad!", gritaban siempre y a mí me lo dijeron muchas veces, pero no había en ellos verdad ninguna. Decían cosas aberrantes no tan sólo de ti que eres la verdad, sino también de los elementos de este mundo que tú creaste. Debí dejar de lado a filósofos que no todo lo equivocaban y lo hice por amor a ti, Padre mío, Sumo Bien, hermosura ante quien palidece toda hermosura. ¡Oh verdad, verdad purísima! ¡Con cuánta violencia suspiraban por ti mis entrañas cuando ellos me hablaban de ti sólo con

la voz, en muchos y voluminosos libros! Eran bocados en los que se ofrecían a mi hambre y mi sed de ti el sol y la luna, obras tuyas ciertamente hermosas, pero que no son tú y, ni siquiera las primeras entre tus obras, ya que creaste primero los seres espirituales y sólo después los corporales. Hermosos como éstos pueden ser, no son los que primero pusiste en el ser.

2. Pero tampoco de esas nobles criaturas primeras eran mi hambre y mi sed, sino sólo de ti, que eres la verdad; verdad en la que no hay cambio ni sombra de declinación (St 1,17). Pero se me seguían ofreciendo como alimento fantasmas espléndidos. Mejor era el sol, verdad de nuestros ojos, que no aquellos espejismos, verdaderos sólo para el alma que se deja engañar por los sentidos. Yo aceptaba todo eso porque pensaba que eras tú; pero no comía tales platillos con avidez, pues no les encontraba gusto alguno; el sabor no era el tuyo, no te sentía yo como realmente eres. Tú no estabas en aquellos vanos fragmentos que no me alimentaban sino que me agotaban. Como los alimentos que se comen en sueños, que se parecen mucho a los que el hombre come despierto, pero que no alimentan al que dormido sueña. Pero esos sueños en nada se parecían a lo que ahora sé que eres tú; eran fantasmas corpóreos, mucho menos ciertos que los cuerpos reales que vemos en los cielos y en la tierra. Así como los animales terrestres y las aves, que son más ciertos en sí que en nuestra imaginación. Pero aún estas imaginaciones infinitas, que a partir de ellas fantaseamos nosotros y que no tienen realidad alguna. Y éste era el tipo de fantasías de que yo entonces me apacentaba.

3. Pero tú, amor mío, en quien soy débil para ser fuerte, no eres ninguno de esos cuerpos que vemos en la tierra y en el cielo; ni tampoco los que no vemos allí porque tú los creaste; pero en situaciones eximias de tu creación. ¡Qué lejos estabas, pues, de aquellos fantasmas míos, fantasmas corpóreos, totalmente privados de existencia!

Más ciertas que ellos son las imágenes de cuerpos que en realidad existen y más reales que éstas son los cuerpos mismos, pero nada de eso eres tú. Tampoco eres el alma que da vida a los cuerpos y por eso es mejor y más cierta que los cuerpos, la vida. Tú, en cambio, eres la vida de las almas, vida de toda vida; vida tú mismo, indefectible vida.

¿Dónde estabas entonces, Señor, tan lejos de mí? Pues yo vagaba lejos de ti y de nada me servían las bellotas de los cerdos (Lc 15,16) que con bellotas apacentaba yo. ¡Cuánto mejores eran las fábulas de los gramáticos y los poetas, que todos esos engaños! Porque los versos y los poemas, como aquella Medea que volaba en carro tirado por dragones (Ovidio, *Metamorfosis* VII ,219-236), son de cierto más útiles que aquellos cinco elementos de diversa manera coloreados para luchar con los cinco antros de las tinieblas, que ninguna existencia tienen y dan la muerte a quien en ellos cree.

Porque los versos y los poemas alguna relación tienen con lo real y, si yo cantaba a Medea volante, no afirmaba lo que cantaba y cuando otros lo cantaban yo no lo creía. En cambio, sí que creí en aquellas aberraciones.

¡Ay! ¡Por qué escalones fui bajando hasta lo profundo del infierno! Te lo confieso ahora a ti, que me tuviste misericordia cuando aún no te confesaba: acongojado y febril en mi indigencia de verdad, yo te buscaba; pero no con la inteligencia racional que nos hace superiores a las bestias, sino según los sentimientos de la carne. Y tú eras interior a mi más honda interioridad y superior a cuanto había en mí de superior. Entonces tropecé con aquella hembra audaz y falta de seso, enigma de Salomón, que sentada a su puerta decía: "Coman con gusto mis panes ocultos, beban de mi agua furtiva y sabrosa". Tal hembra me pudo seducir porque me encontró fuera de mí mismo, habitando en el ámbito de mis ojos carnales, pues me la pasaba rumiando lo que con los ojos había devorado.

Capítulo 7

1. Desconocía yo entonces la existencia de una realidad absoluta y, estimulado por una especie de aguijón, me fui a situar entre aquellos impostores que me preguntaban en qué consiste el mal, si Dios tiene forma corporal, cabellos y uñas, si pueden tenerse por justos los hombres que tienen muchas mujeres y matan a otros hombres y sacrifican animales. Dada mi ignorancia, estas cuestiones me perturbaban; pues no sabía yo entonces que el mal no es sino una privación de bien y se degrada hasta lo que no tiene ser ninguno. ¿Y cómo podía yo entender esto si mis ojos no veían sino los cuerpos y mi mente estaba llena de fantasmas?

Totalmente ignoraba yo que *Dios es un ser espiritual*; que no tiene masa ni dimensiones ni miembros. La masa de un cuerpo es menor en cualquiera de sus partes que en su totalidad y aun cuando se pensara en una masa infinita, ninguna de sus partes situadas en el espacio igualaría su infinidad y, así, un ser cuanto que no es espiritual como Dios, no puede estar totalmente en todas partes.

Ignoraba también qué es lo que hay en nosotros por lo cual tenemos alguna semejanza con Dios, pues fuimos creados, como dice la Escritura, a *su imagen y semejanza.*

2. Tampoco sabía en que consiste la verdadera justicia interior, que no juzga según las ideas corrientes sino según la ley de Dios todopoderoso, a la cual deben acomodarse las costumbres de los pueblos y el andar de los días conforme a los pueblos y a los tiempos; justicia vigente en todo tiempo y lugar, no una aquí y otra allá, una en un tiempo y diferente en otro. Justicia según la cual fueron justos Abraham e Isaac, Moisés y David y tantos otros que fueron alabados por Dios mismo; aunque ahora no los tienen por justos esos imperitos que con cerrado criterio juzgan de las costumbres del género humano con la medida de sus propias costumbres y de su limitada y precaria experiencia. Los tales son como un hombre que no sabiendo nada de armaduras ni qué pieza es la que conviene para cada parte del cuerpo, pretendiera ponerse la greba en la cabeza y calzarse con el yelmo, y luego se quejara de que la armadura no le queda.

O como si alguien se enojara de que en un día festivo se le prohíba vender por la tarde lo que podía vender por la mañana o le molestara que el que sirve las copas no pueda tocar con la mano lo que otro criado puede tocar; o mal le pareciera que se prohíba hacer en el comedor lo que puede hacer en el establo. Como si no vieran todos los días que en la misma casa y en el mismo tiempo no toda cosa es conveniente para cualquier miembro de la familia; que algo permitido a cierta hora no lo es ya en la hora siguiente y lo que se puede permitir o mandar en un lugar de la casa no se puede ni mandar ni permitir en otro.

Tales son los que se indignan de que en pasados tiempos hayan sido permitidas a los justos cosas que ahora son ilícitas y de que Dios haya mandado a éstos y a aquellos diferentes cosas en razón de los tiempos, siendo así que unos y otros fueron servidores de la misma justicia.

3. ¿Se dirá acaso que la justicia es algo que cambia? No. Pero sí lo son los tiempos sobre los que ella preside, que no por nada se llaman tiempos. Los hombres, cuya vida sobre la tierra es tan breve, no pueden comprender bien las causas que entraban en juego en siglos pasados y en la vida de pueblos diferentes; no están en condiciones, entonces, de comparar lo que no conocieron con lo que sí conocen. En una misma casa y en un mismo tiempo, fácilmente pueden ver que no todo conviene a todos; que hay cosas congruentes o no, según los momentos, los lugares y las personas. Pero este discernimiento no lo tienen para las cosas del pasado. Se ofenden con ellas, mientras todo lo propio lo aprueban. Esto no lo sabía yo entonces, ni lo tomaba en consideración. Las cosas me daban en los ojos, pero no las podía ver. Y sin embargo entendía yo bien que al componer un canto no me era lícito poner cualquier pie en cualquier lugar, sino que conforme al metro que usara, así debía ser la colocación de los pies, éste aquí y éste allá. La prosodia que regía mis composiciones era siempre la misma; no una en una parte del verso y otra en otra, sino un sistema que todo lo regulaba.

Y con esto, no pensaba yo en que tu justicia, a la cual han servido los hombres justos y santos, tenía que ser algo todavía más excelente y sublime, en que todo se encierra: las cosas que Dios mandó para que nunca variaran y otras que distribuía por los tiempos, no todo junto, sino según lo apropiado a cada uno. Y en mi ceguera reprendía a aquellos piadosos patriarcas que no solamente se acomodaron a lo que en su tiempo les mandaba o inspiraba Dios sino que bajo divina revelación preanunciaron lo que iba a venir.

Capítulo 8

1. ¿Hay por ventura un tiempo o un lugar en que sea o haya sido injusto amar a Dios con todo el corazón, con todas las fuerzas y con toda el alma y al prójimo como a uno mismo?

De manera semejante, las torpezas que van contra la naturaleza, como las de los sodomitas, han de ser siempre aborrecidas y castigadas. Y aun cuando todos los pueblos se comportaran como ellos, la universalidad del delito no los justificaría; serían todos ellos reos de la misma culpa ante el juicio de Dios, que no creó a los hombres para que de tal modo se comportaran. Se arruina y se destruye la sociedad, el trato que con Dios debemos tener, cuando por la perversidad de la concupiscencia se mancilla esa naturaleza cuyo autor es él mismo.

Pero cuando se trata de costumbres humanas los delitos han de evitarse conforme a la diversidad de esas costumbres; de manera que ningún ciudadano o extranjero viole según el propio antojo lo que la ciudad ha pactado con otros pueblos o que está en vigor con la firmeza de la ley o de la costumbre. Siempre es algo indecoroso la no adecuación de una parte con el todo a que pertenece.

Pero cuando Dios manda algo que no va con la costumbre o con los pactos establecidos hay que hacerlo, aunque nunca antes se haya hecho; hay que instituirlo aunque la institución sea del todo nueva. Pues si un rey puede en su ciudad mandar algo no antes mandado por los anteriores reyes ni por él mismo, la obediencia al nuevo mandamiento no va contra la estructura de la ciudad; es algo universalmente admitido que los ciudadanos han de obedecer a sus reyes. ¡Con cuánta mayor razón se debe a Dios, rey de todas las criaturas, una obediencia firme y sin vacilaciones! Pues así como en las sociedades humanas la potestad mayor se impone ante las potestades menores, así también toda humana potestad debe subordinarse al mandar de Dios.

2. Pero otros delitos hay que se cometen por la voluntad de dañar, sea con afrentas o injurias, o con ambas cosas a la vez; por deseo de vengarse de algún enemigo o con la intención de adquirir algo que no se tiene, como lo hace el ladrón con el viandante; o por evitar algún mal de parte de alguien que inspira temor; o por envidia como la que tiene el mísero para con el que está en mejor situación y en algo ha prosperado; o como la que tiene éste cuando teme que otro lo iguale, o se duele porque ya lo igualó; o también por el mero placer del mal ajeno, como lo tienen los que van a ver a los gladiadores; o por simple mal ánimo, como el de los que hacen burlas y sarcasmos al prójimo.

Estos son los principios capitales de la iniquidad. Se derivan de la desordenada concupiscencia de dominar, de ver y de sentir: o de una de éstas, o de dos, o de las tres. Y así, ¡oh Dios excelso y dulcísimo!, se vive mal, en contrariedad con los tres y los siete mandamientos de tu decálogo, el salterio de diez cuerdas (Sal 21,2).

3. Pero, ¿qué malicia puede haber en ti, incorruptible como eres? ¿O qué crimen te puede dañar, siendo como eres inaccesible al mal?

Con todo, tú castigas lo que los hombres se hacen entre ellos de malo; porque cuando pecan contra ti se perjudican ellos mismos. La iniquidad se miente a sí misma cuando corrompe y pervierte la naturaleza que tú creaste y ordenaste, o usando sin moderación de las cosas permitidas, o ardiendo en deseos de lo no permitido en un uso contra la naturaleza (Rom 1,26), o se hacen los hombres reos de rebeldía contra ti en su ánimo y en sus palabras, dando patadas contra el aguijón (Hech 9,5); o, finalmente, cuando en su audacia rompen los lazos y traspasan los límites de la sociedad humana y se gozan en privados conciliábulos o en privados despojos, al azar de sus gustos y resentimientos.

4. Todo esto sucede cuando los hombres te abandonan a ti, que eres la fuente de la vida, el verdadero creador y gobernador del universo; cuando la soberbia personal ama una parte del todo haciendo de ella un falso todo.

Es así como por el camino de una piadosa humildad regresamos a ti y tú nos purificas de nuestros malos hábitos y te muestras propicio para los que te confiesan sus pecados, escuchas los gemidos de los que están presos con los pies en los grilletes y nos sueltas de las cadenas que nosotros mismos nos forjamos. Pero esto lo haces sólo cuando ya hemos renunciado a envalentonarnos ante ti con la afirmación de una falsa libertad, con la avaricia de tener más o el temor de perderlo todo, amando así más lo nuestro que a ti, supremo bien de todos.

Capítulo 9

Entre tantas torpezas y crímenes como hay y entre tanta abundancia de maldad, se da también el caso de los pecados en que caen los que van ya avanzando en el camino espiritual. Tales pecados son de reprobar desde el punto de vista de la perfección, pero hay también en ellos algo estimable, como es estimable el trigo verde, en el cual hay esperanzas ciertas de futuros panes.

Pero hay acciones que parecen crimen o torpeza y no lo son, porque ni te ofenden a ti ni rompen el consorcio de la sociedad humana, pues de alguna manera se concilian con lo que es congruente en un tiempo dado. Como cuando se procuran determinados bienes que son útiles para las necesidades de la vida en un momento dado, pero queda incierto si hubo o no hubo en eso una reprensible codicia de poseer; o como cuando la autoridad competente castiga con severidad algo con la idea de corregir los abusos, pero queda incierto si no se mezcló en eso algún secreto deseo de dañar. Hay, pues, cosas que el sentir general de los hombres tiene por reprensible, pero que tú no reprendes; así como hay otras que los hombres alaban pero tú condenas. No siempre coinciden la apariencia exterior de los hechos con el ánimo y la intención no conocida de quien los hace.

Pero como yo ignoraba estas cosas hacía burla de aquellos servidores tuyos y profetas; con lo cual sólo conseguía que tú te burlaras de mí. Poco a poco fui derivando a tonterías tales como la de creer que un higo sufre cuando lo cortan y que la higuera llora lágrimas de leche. Y que si un santo lo comía cortado por manos ajenas y no por las suyas, lo mezclaba con sus propias entrañas y exhalaba luego de ella ángeles y hasta partículas de la sustancia divina, pues según ellos en aquella fruta había habido partículas del verdadero y sumo Dios, que habrían permanecido ligadas de no ser disueltas por los dientes del santo y digeridas por su estómago. En mi miseria llegué hasta creer que mayor misericordia hay que tener para con los frutos de la tierra que para con los hombres mismos para cuyo bien fueron creados los frutos. Si alguno tenía hambre pero no era maniqueo, era crimen digno de la pena capital el darle un bocado.

Capítulo 10

1. Pero tú, Señor, hiciste sentir tu mano desde lo alto y libraste mi alma de aquella negra humareda porque mi madre, tu sierva fiel, lloró por mí más de lo que suelen todas las madres llorar los funerales corpóreos de sus hijos. Ella lloraba por mi muerte espiritual con la fe que tú le habías dado y tú escuchaste su clamor. La oíste cuando ella con sus lágrimas regaba la tierra ante tus ojos; ella oraba por mí en

todas partes y tú oíste su plegaria. Pues, ¿de dónde sino de ti le vino aquel sueño consolador en que me vio vivir con ella, comer con ella a la misma mesa, cosa que ella no había querido por el horror que le causaban mis blasfemos errores? Se vio de pie en una regla de madera y que a ella sumida en la tristeza, se acercaba un joven alegre y espléndido que le sonreía. No para saberlo sino para enseñarle, le preguntó el joven por la causa de su tristeza y ella respondió que lloraba por mi perdición. Le mandó entonces que se tranquilizara, que pusiera atención y que viera cómo en donde ella estaba, también estaba yo. Miró ella entonces y, junto a sí, me vio de pie en la misma regla. ¿De dónde esto, Señor, sino porque tu oído estaba en su corazón?

2. ¡Oh, Señor omnipotente y bueno, que cuidas de cada uno de tus hijos como si fuera el único y que de todos cuidas como si fueran uno sólo! ¿Cómo fue posible que al contarme ella su visión tratara yo de convencerla de que no debía desesperar de llegar a ser un día lo que yo era y que ella al instante y sin ninguna vacilación me contestara: "¡No! Pues lo que se me dijo no es que yo habría de estar donde estás tú, sino que tú estarías en donde estoy yo"?

Con frecuencia he hablado, Señor, de estos recuerdos. Ahora te confieso que más que el sueño mismo con que tú consolabas a una mujer piadosa hundida en el dolor me conmovió el hecho de que ella no se turbara por mi interpretación falsa y caprichosa. Vio de inmediato lo que tenía que ver y que yo no había visto antes de que ella lo dijera. Cuando ella se debatía en la tristeza tú le preanunciaste una gran alegría que no iba a tener sino mucho más tarde.

3. Pues durante nueve largos años seguí revolcándome en aquel hondo lodo de tenebrosa falsedad del que varias veces quise surgir sin conseguirlo. Mientras tanto, ella, viuda casta, sobria y piadosa como a ti te agrada, vivía ya en una alegre esperanza en medio del llanto y los gemidos con que a toda hora te rogaba por mí. Sus plegarias llegaban a tu presencia, pero tú me dejabas todavía volverme y revolverme en la oscuridad.

Capítulo 11

1. Otra respuesta le concediste luego, que yo recuerdo y quiero confesar dejando de lado cosas de menor importancia para llegar pronto a lo que me urge confesarte. La diste por el ministerio de un sacerdote tuyo, de un obispo criado en tu Iglesia y ejercitado en tus libros. Mi madre le rogó que se dignara a recibirme y hablara conmigo para refutar mis errores, desprenderme de ellos y enseñarme la verdad, ya que él solía hacer esto con personas que le parecían bien dispuestas. Pero él no quiso. Dijo que yo era todavía demasiado indócil, hinchado como estaba por el entusiasmo de mi reciente adhesión a la secta. Ella misma le había contado cómo yo, con cuestiones y discusiones, había descarriado ya a no pocas gentes de escasa instrucción. Le aconsejó: "Déjalo en paz, solamente ruega a Dios por él. Él mismo con sus lecturas acabará por descubrir su error y la mucha malicia que hay en él".

2. Entonces le contó cómo él mismo, siendo niño, había sido entregado por su engañada madre a los maniqueos,

había leído todos sus libros y aun escrito alguno él mismo y, cómo, sin que nadie disputase con él ni lo convenciese, había por sí mismo encontrado el error de la secta y la había abandonado. Y como ella no quería aceptar sino que con insistencia y abundantes lágrimas le rogaba que me recibiera y hablara conmigo, el obispo, un tanto fastidiado, le dijo: "Déjame ya y que Dios te asista. No es posible que se pierda el hijo de tantas lágrimas". Estas palabras me las recordó muchas veces, como venidas del cielo.

Libro IV

LIBRO IV

Capítulo 1

1. Durante un lapso de nueve años, desde mis diecinueve hasta mis veintiocho, era yo seducido y seductor; engañado, pero también, bajo el impulso de variados apetitos, engañaba yo abiertamente en la profesión de las llamadas disciplinas liberales que en lo oculto llevaban falsamente el nombre de religión. Soberbio aquí y supersticioso allá y vanidoso en todas partes; ávido de gloria popular, corría yo tras los aplausos del teatro y las bagatelas de los espectáculos, los certámenes poéticos y las luchas por aquellas coronas de hierba perecedera. Mas con todo eso pretendía yo purificarme de mis sórdidas intemperancias llevando a los que eran llamados *justos* y *santos* determinados manjares para que ellos en el laboratorio de su vientre me fabricaran ángeles y dioses que luego me liberaran. Es que entonces creía yo en tales aberraciones y las ponía en práctica con mis amigos a quienes había yo arrastrado en mi propio engaño.

2. Búrlense de mí y sea en hora buena esos arrogantes a quienes tú no has postrado todavía en saludable humillación; pero yo tengo que confesarte mis deshonras en alabanza de tu gloria. Te ruego que me concedas recorrer ahora con el recuerdo todos los mecanismos de mis pasados yerros, ofreciéndote así un jubiloso sacrificio (Sal 26,6). Pues, ¿qué

soy yo sin ti para mí mismo sino un guía ciego que me lleva al precipicio? ¿O qué soy, cuando bien me va, sino un bebé que bebe la leche que tú le das y encuentra en ti un alimento incorruptible? ¿Y qué es y cuánto vale un hombre cualquiera sólo por ser hombre? Ríanse pues de mí los fuertes y los potentes; que yo, débil y pobre, me confieso ante ti.

Capítulo 2

1. Enseñaba yo por aquellos años la retórica y vencido por la avidez de dinero vendía yo victoriosas palabrerías. Pero tú sabes que yo prefería tener discípulos buenos, o que por tales son tenidos, y a esos les enseñaba con toda honradez los secretos del arte no para que los usaran en detrimento de inocentes, sino para castigo de culpables.

Desde lejos me veías tú cómo caía en esos terrenos resbalosos y cómo en medio de mucho humo brillaba la fidelidad que en aquella docencia mostraba yo a quienes amaban la vanidad y buscaban la mentira y con ellos me asociaba.

Por esos años tenía yo una mujer a la que no conocí dentro de lo que se llama matrimonio legítimo, sino que a ella me llevó un vago ardor ausente de prudencia. Pero no tenía otra fuera de ella y le guardaba la fidelidad del lecho. Con ella pude experimentar la distancia que media entre un sano contrato que se cierra con miras a la generación y un mero pacto de amor libidinoso en que la prole se produce sin ser deseada aunque más tarde se haga amar.

2. Recuerdo también que en cierta ocasión decidí tomar parte en un concurso para una obra de teatro. Un cierto

adivino me mandó preguntar qué querría yo darle si él por medio de misteriosos sacrificios me conseguía la manera de vencer. Yo, que abominaba de tales sucias maniobras, le mandé contestar que ni por ganar una corona de oro imperecedero estaría yo dispuesto a que por eso se matara una mosca. Porque su pensamiento era el de matar algunos animales en honor de algunos demonios para hacérmelos propicios. Pero, ¡oh Dios de mi corazón!, este mal no lo repudié por amor a ti, pues aun no te amaba, incapaz como era entonces de apreciar lo que no fueran fulgores corporales. Y un alma que suspira por semejantes vanidades, ¿qué hace sino fornicar lejos de ti y alimentarse de vientos? Así pues, no estuve dispuesto a que por mí se sacrificara a los demonios cuando yo mismo les ofrecía el sacrificio de aquella superstición. ¿Qué otra cosa sino pastorear vientos es eso de honrar con el error a esos espíritus que al recibir el honor que les damos se burlan de nosotros?

Capítulo 3

1. No dejaba yo por aquel entonces de consultar a otros astrólogos planetarios, a esos que llaman "matemáticos", porque no se valían de conjuros ni de sacrificios a los espíritus, pero practicaban otra suerte de adivinación, que también se opone a la piedad cristiana. Bien está, Señor, que te lo confiese y te diga: "Ten piedad de mí, Señor, por tu bondad, por tu gran compasión, borra mis faltas" (Sal 50,3). Así como es bueno no abusar de tu indulgencia para pecar con más libertad, sino recordar lo que en cierta ocasión dijiste: "Mira, ya has sido sanado. No vuelvas a pecar, no sea que te

suceda algo peor" (Jn 5,14). Esta sanidad combaten y quieren matar los astrólogos cuando dicen que en el cielo mismo es donde hay que buscar las inevitables causas del pecado de los hombres; que Venus hizo esto, Saturno hizo aquello y Marte lo de más allá. Con esto pretenden que el hombre no es culpable de ser carne y sangre y ensoberbecida putrefacción, sino que del pecado se ha de culpar al cielo y al creador y ordenador de las estrellas, a ti, Dios nuestro, suavidad eterna y origen de toda justicia; a ti, que eres el que has de retribuir a cada uno según sus obras y que nunca desprecias un corazón contrito y humillado (Mt 16,27 y Sal 50,19).

2. Había entonces un varón muy instruido, especialista en la medicina, en la cual se había merecido una justa reputación. Éste, siendo también procónsul, había puesto su mano sobre mi insana cabeza, no como médico, sino para imponerme la corona ganada en aquel certamen poético. No fue pues él quien me curó de aquella otra enfermedad que sólo tú puedes curar. Tú, que te opones a los orgullosos y das tu ayuda a los humildes (1 Ped 5,5). Pero tampoco entonces me faltaste ni te desentendiste de mi salud con ese anciano médico; pues me había hecho muy amigo suyo y muy apegado a su persona y me embelesaban sus discursos siempre llenos de amena gravedad y de vivacidad en sus sentencias en las cuales no había, sin embargo, pretensiones literarias.

Cuando por mí mismo supo que me entregaba yo a la astrología me amonestó con paternal benignidad a que la abandonara, ya que desperdiciaba en tonterías una actividad necesaria en cosas de mayor provecho. Me dijo que él mismo había en sus mocedades aprendido la astrología, hasta pensado en vivir de ella como de su profesión, pues si había podido entender a Hipócrates también podría entender todos esos libros. Sin embargo había dejado eso por la medicina no por otra razón, sino porque había llegado a comprender la enorme falsedad que en ello había y, siendo un hombre honrado, no había querido vivir a costa del engaño de los demás. "Pero tú -me dijo- cuentas para tu sustento con el arte de la retórica y te dedicas a estas falacias no por necesidades de tu familia sino sólo y libremente por curiosidad. Conviene que me creas cuanto de todo eso te digo yo, que tan a fondo lo estudié y llegué hasta a pensar en ganarme la vida con la astrología.".

3. Y como yo le preguntara cómo a veces salen tan bien algunas predicciones de los astrólogos me respondió como pudo que eso es debido a la obra del azar, fuerza difusa por toda la naturaleza. Sucede en ocasiones que de las páginas de algún poeta que canta y pretende una cosa del todo diferente saque quien las consulta a la ventura algún verso que conviene admirablemente con los motivos que dictaron su consulta; no es, entonces, de admirar si alguna vez el alma humana, por un instinto superior y sin saber ella misma lo que le pasa, no por arte alguna sino por mera suerte, produzca una palabra que concuerda con la situación y las preocupaciones del que consulta.

Esto me dijo y tú me lo procuraste por su medio, delineando muy bien en mi memoria lo que había yo después de buscar por mí mismo. Pero entonces ni él ni mi carísimo Nebridio, joven bueno y casto que se burlaba también de aquel modo de adivinación, pudieron persuadirme a abandonar la astrología, pues más que su autoridad pesaba en mí la autoridad de los astrólogos, y no habría yo encontrado aún una prueba decisiva de que en sus aciertos no tuviera que ver el arte de consultar a las estrellas, sino puramente el azar.

Capítulo 4

1. En aquellos años en que comencé a enseñar en el municipio en que nací me había ganado por la comunidad de los estudios un amigo extraordinariamente querido, de mi misma edad, que florecía conmigo en el verdor de una misma adolescencia. Juntos habíamos crecido, juntos habíamos jugado y asistido a la escuela. Pero todavía no era amigo como lo fue más tarde y ni siquiera entonces lo fue con esa amistad verdadera con que tú aglutinas las almas que viven unidas a ti, por esa caridad difundida en nuestros corazones por el Espíritu Santo que nos ha sido dado (Rom 5,5). Con todo, esa amistad era dulcísima, inspirada como estaba por el fervor de idénticos ideales. Yo lo había desviado de su fe, que no la tenía ni muy honda ni muy firme, hacia aquellas supersticiosas y perniciosas fábulas por las que me lloraba mi madre. Su mente y la mía erraban juntas y yo no podía vivir sin él. Pero tú, el Dios de las venganzas y también de las grandes misericordias, era como si cabalgaras sobre los lomos de dos siervos tuyos que huían de tu lado. ¡De cuán admirables maneras nos conviertes a ti! Entonces, sacaste de este mundo a ese hombre apenas cumplido un año de nuestra amistad, suave para mí como ninguna otra cosa en aquel tiempo de mi vida.

2. ¿Quién puede cantar tus alabanzas sólo por lo que en sí mismo y en sí solo ha experimentado? ¡Lo que hiciste entonces, Dios mío, y cuán insondable es el abismo de tus juicios! Cayó él enfermo con grandes fiebres y quedó por un tiempo inconsciente y bañado en sudores mortales. Como se temió por su vida fue bautizado en ese estado de inconsciencia y yo no me preocupé de ese bautismo, con la idea de que su alma habría de retener más bien lo que de mí había aprendido, que no aquello que se le hacía sin que él se diera cuenta. Pero las cosas fueron de otro modo, pues él se recuperó y quedó de nuevo sano.

En el primer momento en que pude hablar con él (que fue el primero en que él pudo hablar, pues no me separaba yo de él y dependíamos fuertemente el uno del otro) empecé a ridiculizar aquel bautismo que él había recibido en total ausencia de sí mismo, pero que ya sabía haber recibido. Seguro estaba yo de que me acompañaría en mis burlas; pero él me miró con horror, como a un enemigo y, con una libertad tan admirable como repentina me declaró que si quería seguir siendo su amigo debía renunciar a hablarle de semejante modo.

3. Yo, turbado y estupefacto, pensé que era necesario refrenar mis impulsos hasta que él, completamente restablecido y con el vigor de la salud estuviera en condiciones de oírme hablar como yo quería. Pero tú lo arrebataste a mi demencia para conservarlo en ti, de donde pudiera yo más tarde hallar consuelo. Sucedió, pues, que a vuelta de pocos días y estando yo ausente, cayó nuevamente enfermo y falleció. El dolor ensombreció mi corazón y cuanto veían mis ojos tenía el sabor de la muerte. Mi patria era mi suplicio,

la casa paterna era una inmensa desolación y todo cuanto había tenido en comunión con él era para mí un tormento inenarrable. Por todas partes lo buscaban mis ojos, pero no podían verlo; todo me parecía aborrecible porque en nada estaba él. Nadie podía decirme "va a volver", como cuando estaba ausente pero existía. Me convertí en un oscuro enigma para mí mismo. Le preguntaba a mi alma, ¿por qué te deprimes y te inquietas? (Sal 41,6), pero ella nada tenía para responderme. Y si yo le decía: "Alma, espera en Dios", ella se negaba a obedecerme pues tenía por mejor y más verdadero al hombre que había perdido que no el fantasma en que yo le mandaba esperar. Mi única dulzura la hallaba en llorar sin fin. Las lágrimas tomaron el lugar de mi amigo, delicia de mi alma.

Capítulo 5

Pero ahora, Señor, todo eso ya pasó y el tiempo ha cicatrizado mi herida. ¿Será posible que aplicando a tu voz el oído de mi alma entienda yo de ti, que eres la verdad, por qué el llanto es un consuelo para los que sufren? ¿Es acaso, que tú, presente como estás en todas las cosas, haces a un lado nuestra miseria? Porque tú permaneces siempre estable en ti mismo, mientras nosotros nos revolvemos en toda clase de experiencias. Y sin embargo, ni rastro quedaría de nuestra esperanza si no llorásemos delante de ti.

¿De dónde viene pues el que del amargor de la vida podamos sacar frutos tan dulces como el gemir y llorar, suspirar y quejarnos? ¿Nos es dulce todo esto porque esperamos que tú nos escuches? Esto es clara verdad de la plegaria, pues con ella nos proponemos llegar hasta ti; pero, ¿qué había en el fondo de aquel dolor mío por el bien perdido; en aquel luto que pesadamente me oprimía? Porque yo no esperaba hacer con mis lágrimas revivir a mi amigo; simplemente, me dolía y lloraba por una alegría irremisiblemente perdida. El llanto en sí mismo es amargo; pero acaso nos llega a deleitar cuando nos cansamos de las cosas que antes teníamos.

Capítulo 6

1. ¿Por qué hablo de estas cosas, cuando no es tiempo de hacer preguntas sino de confesarme ante ti? Era yo pues bien miserable; que por fuerza lo es el alma que vive presa en la amistad de las cosas mortales y se desgarra cuando las pierde. Es entonces cuando siente la miseria que lo hace miserable desde antes de que las pierda. Así era yo en aquel tiempo: lloraba con inmensa amargura, pero en la amargura misma encontraba descanso. Y tan miserable era, que más aún que a mi dilecto amigo muerto amaba yo mi propia mísera vida; pues aunque hubiera querido cambiar la condición de mi vida, no quería perderla como lo perdí a él. Ni siquiera sé si de veras estaba dispuesto a perderla por él como se cuenta (si no es ficción) de Orestes y Pílades, que querían morir el uno por el otro, pero al mismo tiempo, ya que no vivir juntos era para ellos peor que la muerte. Pero había en mí no sé qué sentimiento del todo contrario a éste. La vida me era insoportable, pero tenía miedo de morir. Creo que mientras más lo amaba a él, más odiaba la muerte que me lo había arrebatado, la odiaba y le temía como a la más atroz enemiga y

pensaba que ella acabaría con todos los hombres como había acabado con él. Así era yo entonces, lo recuerdo bien.

2. Este es, Señor, mi corazón. Mira hacia adentro y ve en él mis recuerdos. Tú, esperanza mía que me limpias de la inmundicia de los malos afectos, atraes hacia ti mis ojos y libras de lazos mis pies. Yo estaba en asombro de que los demás hombres vivieran cuando había muerto aquel a quien yo había amado como si nunca hubiera de morir y, más aún, me asombraba de que muerto él siguiera viviendo yo, que era otro él. Bien dijo alguno cuando llamó a su amigo *la mitad de mi alma*. Vivamente sentía yo que su alma y la mía eran una sola en dos cuerpos; por eso me horrorizaba la vida, pues vivía por mitad y, quizá por eso mismo, me horrorizaba la muerte, pues me negaba a que muriera del todo aquel a quien tanto había querido.

Capítulo 7

1. ¡Oh demencia, incapaz de amar humanamente a los hombres! ¡Insensato de mí, que me dejaba llevar sin moderación de las pasiones humanas! Así era yo en aquel tiempo. Me enardecía, suspiraba, lloraba y me turbaba, sin descanso ni consejo. Así iba cargando mi alma destrozada y sangrante, que no se dejaba cargar y yo no sabía en dónde ponerla. Ni en los bosques más amenos, ni en los juegos y los cantos, ni en los olorosos jardines, ni en los brillantes convites, ni en los placeres del lecho, ni en los libros y poemas hallaba reposo. Todo me era aborrecible, la luz misma y todo cuanto no era él me era tedioso y no llevadero, y mi único consuelo, bien relativo, eran las lágrimas y los gemidos.

2. Y cuando desistía de llorar me aplastaba un enorme peso de miseria que sólo tú podías aliviar. Yo sabía esto, pero ni quería ni podía; cuando pensaba en ti no eras para mí algo firme y sólido, sino un vacío fantasma. Pero eso, fantasma era, no tú; y mi error era mi dios. Y cuando quería poner mi alma en mi dios, como en un lugar de descanso, se me resbalaba en el vacío y de nuevo caía sobre mí. Era yo para mí mismo un lugar de desdicha en el cual no podía estar y del cual no me podía evadir. ¿Cómo podía mi corazón huir de sí mismo y, a dónde iría yo que él no me siguiera? Y sin embargo, huí de mi patria, para que mis ojos lo buscaran menos en lugares en que no estaban acostumbrados a verlo. Salí pues de Tagaste y me fui a Cartago.

Capítulo 8

1. Pero el tiempo no descansa ni pasa de balde sobre nuestros sentidos y puede obrar en nosotros cambios admirables. El tiempo venía y pasaba con el sucederse de los días; y al venir y pasar me iba trayendo otras imágenes y otros recuerdos; me devolvía poco a poco a mis primeros deleites y mi dolor iba cediendo. En lugar suyo venían no otros dolores, pero sí los gérmenes de otros dolores. ¿Por qué había podido aquel dolor penetrar en mí tan hondo y con tanta facilidad, sino porque yo había derramado mi alma en la arena amando a un ser mortal como si nunca hubiera de morir?

Particular consuelo y recreación hallaba yo en la compañía de otros amigos con los cuales amaba yo lo que amaba en lugar tuyo. Ese fantasma era una enorme fábula y una larga mentira cuyo contacto adulterino corrompía nuestras mentes y nos cosquilleaba en las orejas. Pero esta fábula no se moría en mí porque un amigo se muriera.

2. Otras cosas eran las que cautivaban mi ánimo: como conversar y reír juntos, obsequiarnos con mutuas benevolencias; bromearnos unos a otros y leer en compañía libros agradables; disentir a veces sin odio ni querella, como cuando el hombre discute consigo mismo, y condimentar con esos raros disentimientos una estable concordia; enseñarnos algo unos a otros, o aprender algo unos de otros; echar de menos con dolor a los ausentes y recibirlos con alegría a su regreso. Con éstos y otros parecidos signos de afecto, de esos que salen del corazón cuando las gentes se quieren bien y que se manifiestan por los ojos, por la palabra, por la expresión del rostro y de mil otros modos gratísimos, las almas se funden como el fuego y de muchas se hace una.

Capítulo 9

Esto es lo que se ama en los amigos, y de tal manera ama que la conciencia se siente culpable cuando no se corresponde el amor con amor, sin buscar del cuerpo del amigo otra cosa que signos de benevolencia. De aquí el luto cuando se muere un amigo; de aquí los sombríos dolores y el corazón empapado en una dulzura que se trocó en amargura y la vida que se perdió en los que mueren es muerte para los que siguen viviendo.

Dichoso el que te ama a ti y a su amigo en ti y a su enemigo en ti; pues el único que no pierde a sus seres queridos es el que los quiere y los tiene en Aquel que no se pierde. ¿Y quién es ése sino tú, nuestro Dios, el que hizo el cielo y la tierra y los llena, pues llenándolos los hizo?

A ti no te pierde sino el que te abandona. Y el que te deja, ¿a dónde va, a dónde huye sino de ti benévolo a ti enojado? ¿Y en dónde no encontrará tu ley en su propia pena? Pues tu ley es la verdad y la Verdad eres tú.

Capítulo 10

1. ¡Oh Dios de las virtudes, conviértenos a ti, que brille tu rostro y seremos salvados! (Sal 79,4). Porque a dondequiera que se vuelva el alma del hombre fuera de ti, queda afincada en el dolor, aunque se detenga en cosas bellas fuera de ti y fuera de él mismo, cosas que sin ti nada serían. Cosas que tienen su aurora y su ocaso; que al nacer tienden al ser, crecen para perfeccionarse y cuando son perfectas, envejecen y mueren. Todo envejece y perece. Cuando nacen y tienden al ser, mientras más deprisa crecen para ser perfectas, tanto más se apresuran rumbo al no ser. Así es su manera, tanto como eso les diste. Son parte de cosas, que no coexisten nunca simultáneamente, sino que sucediéndose unas a otras componen el universo cuyas son las partes. Como en la palabra humana, que consta de signos sonoros; no se completa una frase sino a condición de que las palabras, habiendo dicho lo que les toca, dejen el sitio a las palabras que siguen.

2. Por todo eso te alabe mi alma, ¡oh Dios, creador de todas las cosas! Pero que no se embadurne en ellas con el pegamento del amor de los sentidos corporales. Porque las cosas van rumbo al no ser y despedazan el alma con deseos

pestilenciales, pues ella quiere ser lo que ama y descansa en ello. Pero en las cosas no hay permanencia; no son estables, sino fugitivas. Nadie puede seguirlas en su huída con el sentido de la carne, que es lerdo porque es carnal y ese es su modo. Es suficiente para cosas para las cuales fue hecho, pero no lo es para dominar el flujo de las cosas transitorias desde su debido principio hasta su debido fin. Es en tu Verbo, Palabra por la cual fueron creadas, donde las cosas oyen su destino: "Desde aquí comienzan y hasta allí llegarán".

Capítulo 11

1. No seas hueca, alma mía, ni permitas que se ensordezca el oído de tu corazón con el tumulto de tus vanidades. Es el Verbo mismo quien te llama para que vuelvas a Él. Él es el lugar de la paz imperturbable en donde el amor no es abandonado sino cuando él mismo abandona. Mira cómo se retiran las cosas para dejar el lugar a otras cosas y que así se integre este inferior universo.

"Pero yo, dice el Verbo, no me retiro ni cedo mi lugar". Instala en Él tu mansión, alma mía, ahí encomienda todo lo que tienes, aun cuando no sea más que por la fatiga de tanto engaño. Encomienda a la Verdad todo lo que de ella has recibido, segura de que nada habrás de perder: florecerá en ti lo que tienes podrido, quedarás sana de todas tus dolencias. Lo que hay en ti de fugaz y perecedero será reformado y adecuado a ti; las cosas no te arrastrarán hacia donde ellas se deslizan, sino que permanecerán contigo y serán siempre tuyas, en un Dios estable y permanente.

2. ¿Por qué en tu descarrío sigues los pasos de tu carne? Es ella la que, convertida, a ti debe seguirte. Lo que por su medio sientes es parcial; tú ignoras cómo sea el todo de que forma parte y sin embargo te deleita. Mas si tu sentido carnal fuese idóneo para conocer el todo; si no hubiera recibido en pena justos límites como parte del universo, bien querrías tú que pasara volando todo cuanto existe para mejor conocer el conjunto; a la manera como mediante un sentido corporal sientes lo que se habla pero no quieres que se detengan las sílabas, sino que vuelen y que vengan otras y así puedas entender lo que te dicen. De este modo son siempre las partes que forman un todo pero no existen al mismo tiempo: mayor deleite causa el todo que no las partes, con tal que puedan todas ser sentidas.

Pero mucho mejor que todo cuanto existe es el que todo lo hizo, nuestro Dios y Señor, que no cambia y a quien nadie puede suceder.

Capítulo 12

1. Entonces: si te agradan los cuerpos, alaba a Dios por ellos y endereza al artífice tu amor; no sea que en las cosas que a ti te placen a él le desagrades. Pero si te agradan las almas ámalas en Dios; porque ellas también son inestables, pero en Dios se estabilizan y sin Él pasan y perecen. Han de ser pues, amadas en Dios. Arrastra hacia Él a cuantas puedas y diles: "A Él y sólo a Él debemos amar; Él lo hizo todo y no está lejos. Porque no hizo las cosas para marcharse luego, sino las hizo y están en Él. Donde Él está, la Verdad adquie-

re sabor; Él está muy adentro del corazón, pero el corazón se aparta de Él. Recuerden esto, y compréndalo bien; piénsenlo en su corazón (Is 46,8) y abracen allí al que los creó. Estén con Él y serán estables; descansen en Él y su descanso será verdadero. ¿A dónde van por ásperos caminos? Lo que aman, de Él procede y no es bueno y suave sino por cuanto a Él se refiere. Pero lo dulce se volverá justamente amargo si se le ama con injusticia, con abandono de aquel que lo creó".

2. ¿A dónde van pues, una vez y otra vez, por caminos difíciles y laboriosos? Busquen la paz que quieren encontrar; pero la paz no está en donde la están buscando. Pues, ¿cómo hablar de una vida feliz cuando ni siquiera es vida? Cristo, nuestra vida, bajó acá para llevarse nuestra muerte y matarla con la abundancia de su vida; con tonante voz nos llamó para que volviéramos a Él en el secreto santuario de aquel vientre virginal en que Él se desposó con la humana criatura, carne mortal, pero no para siempre mortal; y de ahí, como esposo que sale de su tálamo se llenó de alegría, gigante ansioso de recorrer su camino (Sal 18,6). Porque no tardó, sino que corrió, clamando con los dichos, con los hechos, con su muerte, con su vida, con su descenso y su ascenso, que volvamos Él. Y luego desapareció de nuestra vista para que lo busquemos en nuestro corazón y allí lo encontremos.

3. Se fue, pero aquí está. No se quiso quedar largo tiempo con nosotros, pero no nos dejó. Se fue hacia el lugar en que siempre estuvo y que nunca abandonó; porque Él hizo el mundo y estuvo en el mundo, a donde vino para salvar a

los pecadores. A Él se confiesa mi alma, para que Él la sane, pues había pecado contra Él.

¿Hasta cuándo, hijos de los hombres, seran de pesado corazón? ¿No quieren acaso, después de que la vida descendió hasta nosotros, ascender y vivir? Pero, ¿a dónde subirán si ya están en alto y su boca se insolenta contra el cielo? (Sal 72,9). Desciendan primero, para poder luego ascender hasta Dios; porque habían caído al subir contra Él.

Diles todo esto, alma mía, para que lloren en este valle de lágrimas y así te los puedas llevar hacia Dios; porque del Espíritu de Dios será lo que digas, si lo dices ardiendo en caridad.

Capítulo 13

Todo esto no lo sabía yo entonces; amaba las bellezas de orden inferior, me iba a lo profundo y decía a mis amigos: "¿Amamos algo, acaso, que no sea bello? Pero, ¿qué es la hermosura y qué cosas la tienen? ¿Qué es lo que atrae nuestro ánimo hacia las cosas cuando las amamos? Pues si ninguna gracia ni hermosura tuvieran no nos moverían". Bien advertía yo que en los cuerpos se da una integridad en que reside su hermosura; pero algo muy distinto es su aptitud y la decencia con que se acomodan a algo, como los miembros del cuerpo, que se acomodan y proporcionan al todo. Y muchas otras cosas hay que así son. Esta consideración brotó en mi ánimo desde muy hondo y escribí sobre el tema de lo bello y de lo apto dos o tres libros, no lo recuerdo con exactitud. Tú, Señor, sabes cuántos fueron; yo no los conservo, pues no sé cómo se extraviaron.

Capítulo 14

1. ¿Qué fue, Dios mío, lo que me movió a dedicar mis libros al renombrado orador romano Hierio a quien de persona no conocía? Yo amaba a este hombre sin conocerlo, pues su gran fama había llegado hasta mí y algunas palabras suyas había yo oído con mucho placer. Pero más aún me movía el que otros las hallaran agradables y a él lo ensalzaran con grandes alabanzas, pues se asombraban de que un hombre de Siria como él, formado inicialmente en la lengua griega hubiera podido luego llegar a la excelencia en la lengua latina. Y a mí me caía muy bien el que fuera tan perito en todo lo relativo al estudio de la sabiduría.

De esta manera se ama y se honra a un hombre aun en su ausencia. ¿Será acaso porque el amor pasa de quien alaba a quien oye la alabanza? Por cierto que no; pero el amor de uno enciende el amor en otro. Se ama al ausente porque las alabanzas que se le dedican parecen sinceras y brotadas del corazón, que es siempre el caso cuando alaba el que ama. Era así como amaba yo entonces a los hombres, movido por el juicio de otros hombres y no por el tuyo, Dios mío, en quien nadie se engaña.

2. Y sin embargo: ¿por qué se alaba a Hierio no como se hace con los corredores de carreras célebres o con los cazadores de fieras famosos y favoritos del pueblo; sino de muy diferente manera, con gravedad, como a mí mismo me hubiera gustado ser alabado? Porque yo he amado y alabado, ciertamente, a los cómicos; pero en manera alguna querría ser ni amado ni alabado como lo son ellos. Prefiero sin género de

duda la oscuridad total a este tipo de celebridad y más querría ser odiado que no amado de esa manera. Así como un buen caballo es amado por quien no quiere ser caballo aunque bien lo pudiera, así se ha de pensar del cómico, aunque él es hombre como nosotros. O sea, que amo yo en un hombre lo que de ningún modo querría yo ser, siendo hombre él y yo.

Insondable abismo es el hombre, Señor, cuyos cabellos tú tienes contados, ninguno de los cuales se pierde en ti. Y mucho más fáciles son de contar sus cabellos que no sus afectos y los movimientos de su corazón.

3. Pero aquel retórico era el tipo de hombre que yo amaba y hubiera querido ser. Lleno de vanidad flotaba yo a todos los vientos; pero tú me gobernabas secretamente. ¿Y de dónde puedo saber para confesártelo con toda certeza que yo amaba a aquel hombre movido más por el amor de quienes lo alababan que no por las cualidades mismas que se le atribuían? Porque si quienes así lo ensalzaban en lugar de eso lo difamasen y si con ese menosprecio me refirieran de él las mismas cosas por las cuales lo alababan, de cierto no me habría yo encendido ni entusiasmado por él. Y no por ello habrían cambiado las cosas, ni sería él otro del que era; lo único diferente habría sido el ánimo de quienes de él hablaran. Así es, Señor, como yace enferma el alma cuando todavía no se funda en la solidez de la verdad: se deja mover según sopla el viento de las opiniones humanas; es llevada y traída, torcida y retorcida y atormentada, se le oscurece la luz y no da con la verdad aunque la tenga enfrente.

Por todo eso, era para mí algo muy grande e importante el que mis libros y mis estudios fueran conocidos por un varón tan insigne. Su aprobación me habría enardecido, su desaprobación habría herido profundamente mi corazón vanidoso y alejado de tu solidez. Y sin embargo, aquella obrita sobre lo bello y lo apto que yo le había escrito y dedicado, la tenía yo presente y con ella me recreaba en la soledad de mi contemplación, sin necesidad de que nadie me alabara por ello.

Capítulo 15

1. Pero yo no entendía aún la capital importancia de tu acción providencial, ¡oh, Dios omnipotente!, que obras maravillas tú sólo. Mi ánimo vagaba por las formas corporales y distinguía lo bello, que parece bien por sí mismo, de lo apto o conveniente, que lo parece porque se acomoda a algo, y esto lo fundamentaba con ejemplos sacados del mundo corporal.

De eso pasé a la consideración de la naturaleza del alma; pero la falsa idea que me había formado sobre lo que es el espíritu me impedía ver la verdad. La fuerza de la verdad irrumpía en mis ojos; pero yo apartaba la mente vacilante del concepto mismo de lo incorpóreo, reduciéndolo todo a líneas, colores y volúmenes. Y porque tales cosas espirituales no las podía forjar en mi imaginación creía no poder conocer el alma. Ya amaba la paz en la virtud y odiaba en el vicio la discordia; advertía en aquella la unidad y en éste la división. Y en aquella unidad me parecía que estaba la mente racional, la naturaleza de la verdad y del sumo bien; al paso que en la división del vicio veía yo la vida irracional, no sé que naturaleza y sustancia del sumo mal, que no era sólo sustancia, sino también vida. Y no sólo vida, mísero de mí, sino vida absoluta e independiente de ti, de quien todo procede. Y a la primera, concebida por mí como *mente sin sexo*, la llamaba *mónada* y al otro lo llamaba *díada*, de que proceden la ira en el crimen y la sensualidad en los vicios. Así hablaba yo sin saber lo que decía.

2. Ignoraba yo, pues de nadie lo había aprendido, que el mal no es una sustancia y que la mente humana no es tampoco el bien sumo e inmutable. Así como se cometen los crímenes cuando es vicioso el movimiento del ánimo y éste empuja con ímpetu y con turbia insolencia; y así como se cometen los vicios cuando es inmoderada la inclinación del alma hacia las voluptuosidades carnales, así también los errores y las falsas opiniones contaminan la vida cuando la misma mente racional es viciosa.

Así era la mía entonces; yo ignoraba que la mente ha de ser iluminada por otra luz, ya que no es ella misma la esencia de la verdad. "Tú eres mi lámpara, Señor; Dios mío, tú iluminas mis tinieblas y de tu plenitud recibimos todos"(Sal 17,29; Jn 1,16). Porque tú eres la luz verdadera, que ilumina a todo hombre que viene a este mundo (Jn 1,9). Y en ti no hay cambio ni sombra de declinación (St 1,17). Yo me esforzaba por llegar a ti, pero era de ti rechazado, pues a los soberbios tú los resistes (1Ped 5,5).

3. ¿Qué soberbia mayor que la de pensar en mi demencia que yo soy de la misma naturaleza que tú? Como yo me sabía cambiante precisamente porque quería ser sabio para pasar de lo menos bueno a lo mejor, antes que admitir que

yo era lo que eres tú, prefería pensar que tú eres mudable como yo. Entonces tú me rechazabas y resistías a mi fatua vanidad y yo, siendo carne, lo manifestaba imaginándome formas corpóreas y, espíritu vagabundo, no retornaba a ti y me movía entre cosas que no existen ni en ti ni en mí, ni fuera de mí. No eran formas creadas en mí por tu verdad, sino fingidas por mi imaginación sobre el modelo de lo que son los cuerpos y, a tus hijos fieles, de los cuales andaba sin saberlo desterrado, les decía con parlanchina necedad: "¿Cómo puede errar el alma si fue creada por Dios?" Y no quería que se me respondiera: "Entonces, ¿Dios puede errar?" Y prefería pensar que tu sustancia inmutable erraba por necesidad, más bien que admitir que mi sustancia mudable yerra por albedrío y encuentra en el error mismo su pena.

4. Tenía yo veintiséis o veintisiete años cuando compuse aquellos libros revolviendo en mi mente ficciones corpóreas que aturdían mi corazón y, sin embargo, tendía mi oído interior a la dulce melodía de tu voz, pues al meditar sobre lo bello y lo apto deseaba, en el fondo, estar ante ti y escucharte y gozar con la voz del esposo (Jn 3,29). Pero no podía; las voces de mi error me sacaban fuera de mí y me arrastraban hacia abajo con el peso de mi soberbia. Es que tú no dabas gozo a mi oído ni alegría; ni tampoco exultaban mis huesos (Sal 50,10), porque no eran humildes.

Capítulo 16

1. Pero, ¿de qué me sirvió el haber leído y entendido por mí mismo cuando tenía veinte años el libro de Aristóteles

llamado "De las diez categorías"? Mi maestro el retórico de Cartago y otros que pasaban por doctos mencionaban ese libro con sonoro énfasis y yo quedaba arrobado. Curioso y como presintiendo algo grande y divino, lo leí yo sólo y lo entendí. Dialogué luego sobre él con otros que decían haberlo comprendido con harto trabajo, aun cuando se lo explicaban maestros doctísimos que no sólo se valían de palabras, sino también de figuras dibujadas con el dedo en el polvo; y no me pudieron decir nada que no hubiera yo entendido leyendo solo en mi estudio. Dichas categorías me parecían explicar bien claro lo que son las sustancias, como el hombre y lo que son las propiedades del hombre, como su figura, su estatura, de pie o sentado, calzado o armado, si hace algo o padece algo. Esto lo pongo a guisa de ejemplos de las innumerables cosas que caben en esos nueve géneros y en el género de sustancia.

2. Pero todo esto en lugar de ayudarme me estorbaba, creyendo que todo cuanto existe está comprendido en esas categorías, pensaba que tú mismo, ser admirablemente simple e inmutable, quedabas comprendido en ellas a la par de los demás seres y estimaba que tu grandeza y tu belleza estaban en ti como en un sujeto que las tuviera, como pasa con los cuerpos; siendo así que tú mismo eres tu propia grandeza y belleza. Al contrario de ti, un cuerpo no es ni grande ni hermoso por el solo hecho de ser cuerpo, ya que si fuera menos grande y bello sería cuerpo todavía. Pero todo eso no era verdad sino falsedad cuando lo pensaba de ti: ficciones de mi miseria y no fundamentos de tu bienaventuranza. En mí se cumplía algo que tú habías mandado: que la tierra

diera abrojos y espinas (Gn 3,18) y que con trabajo llegara a mi pan.

3. ¿De qué me sirvió pues, siendo como era esclavo de mis malos apetitos, el haber leído y entendido por mí mismo todos aquellos libros de las llamadas artes liberales?

Mucho me alegraba con ellas, pero no sabía cuál era el origen de cuanto hay en ellas de cierto y verdadero. A la luz tenía vuelta la espalda y la cara a las cosas por ella iluminadas, por lo cual mi propio rostro, que veía iluminadas las cosas, no era él mismo iluminado. Todo lo que entendí sin mayor trabajo y sin maestro alguno acerca del arte de hablar y de disertar, sobre las dimensiones de las figuras, sobre la música y acerca de los números, lo entendí porque tú, Dios mío, me habías dado el don de un entendimiento vivaz y agudo para discutir; pero siendo dones tuyos no los usaba yo para tu alabanza. Por eso mis conocimientos me resultaban más que útiles, perniciosos. Me empeñé en conservar para mí la mejor parte de mi herencia y no te consagré a ti mis energías, sino que me marché lejos de tu presencia a una región remota para malgastarlo todo con las meretrices de mis malos apetitos. ¿De qué podía servirme una cosa buena si la usaba mal? Pero de la dificultad con que tropezaban personas estudiosas e inteligentes para entender esas artes no me percataba yo sino cuando me ponía a explicárselas y el mejor de mis discípulos era el que con menor tardanza me podía seguir.

4. Pero, ¿de qué me servía todo eso cuando yo pensaba de ti, mi Señor, que eras un cuerpo inmenso y lúcido y yo una partecita de ese cuerpo? Mucha perversidad era ésta;

pero así era yo entonces. Ahora no me avergüenzo de invocarte y de confesar las muchas misericordias que tuviste conmigo, ya que no me avergoncé entonces de proferir ante los hombres mis blasfemias y ladrar contra ti. ¿De qué me servía la agilidad de mi ingenio en aquellas disciplinas y comprender sin ayuda de nadie aquellos libros tan difíciles si con sacrílega torpeza erraba yo en la doctrina de la piedad? ¿O qué perjuicio reportaban tus hijos pequeños por tener un ingenio más tardo si no se apartaban de ti y en el nido de tu Iglesia mejoraban y nutrían sus alas con el alimento de una fe saludable?

5. Esperamos, Señor, bajo la sombra de tus alas (Sal 62,8); protégenos y líbranos. Tú llevarás a los párvulos y también a los ancianos encanecidos; pues cuando nuestra firmeza eres tú, es en verdad firmeza, mientras que cuando es solamente nuestra no es sino debilidad. En ti nuestro bien está siempre vivo y cuando de ti nos apartamos, nos pervertimos. Volvamos ya a ti, Señor, para no quedar abatidos; en ti vive siempre y sin defecto nuestro bien, que eres tú mismo y no temeremos que no haya lugar a donde volver por haber nosotros caído de él. Nuestra casa no se derrumba por nuestra ausencia, pues nuestra casa es tu eternidad.

Libro V

LIBRO V

Capítulo 1

Recibe, Señor, el sacrificio de estas confesiones por medio de esta lengua que me diste y que animas para que alabe tu nombre. Sana todos mis huesos para que digan: ¿Quién hay, Señor, que sea semejante a ti? (Sal 34,10). Pues el que se confiesa a ti no te hace saber lo que pasa en él, sino que te lo confiesa. El corazón más cerrado es patente a tu mirada y tu mano no pierde poder por la dureza de los hombres, ya que tú la vences cuando quieres, o con la venganza o con la misericordia: no hay quien pueda esconderse a tu calor (Sal 18,7).

Que mi alma te alabe, para que pueda llegar a amarte; que te confiese todas tus misericordias y por ellas te alabe. No cesa en tu gloria ni calla tus alabanzas la creación entera; ni se calla el espíritu, que habla por la boca de quienes se convierten en ti; ni los animales, ni las cosas inanimadas que hablan por la boca de quienes las conocen y contemplan, para que nuestra alma se levante hacia ti apoyándose en las cosas creadas y pasando por ellas hasta llegar a su admirable creador, en quien alcanza su renovación y una verdadera fortaleza.

Capítulo 2

1. ¡Qué se vayan y huyan de ti los inquietos y los impíos! Pero tú los ves y los distingues muy bien entre las sombras. Y

tu creación sigue siendo hermosa, aunque los tenga a ellos, que son odiosos. ¿Qué daño te han podido causar, o en qué han menoscabado tu imperio, que desde el cielo hasta lo más ínfimo es íntegro y justo? ¿A dónde fueron a dar cuando huían de tu rostro, o en dónde no has hallado a los fugitivos? Huyeron de ti para no verte, pero tú sí los veías; en su ceguera toparon contigo, pues tú no abandonas jamás cosas que hayas creado. Siendo injustos chocaron contigo y justo fue que de ello sufrieran. Quisieron sustraerse a tu benignidad y fueron a chocar con tu rectitud y cayeron abrumados bajo el peso de tu rigor. Es que no saben que en todas partes estás y que ningún lugar te circunscribe y que estás presente también en aquellos que huyen de ti.

2. Que se conviertan, pues, a ti; que te busquen, pues tú, el creador, no abandonas jamás a tus criaturas como ellas te abandonan a ti. Entiendan que tú estás en ellos; que estás en lo hondo de los corazones de los que te confiesan y se arrojan en ti de cabeza; de los que lloran en tu seno tras de sus pasos difíciles. Tú enjugas con blandura sus lágrimas, para que lloren todavía más y en su llanto se gocen. Porque tú, Señor, no eres un hombre de carne y sangre; eres el creador que los hiciste y que los restauras y consuelas.

¿Por dónde andaba yo cuando te buscaba? Tú estabas delante de mí, pero yo me había retirado de mí mismo y no me podía encontrar. ¡Cuánto menos a ti!

Capítulo 3

1. Voy a recordar ahora delante de mi Dios aquel año vigésimo noveno de mi vida. Había ya venido a Cartago un

cierto obispo de los maniqueos llamado Fausto, que era una verdadera trampa del diablo y a muchos enredaba con el atractivo de su suave elocuencia. Yo, ciertamente, la alababa pero no la confundía con aquella verdad de las cosas de la cual estaba yo tan ávido. Lo que me interesaba no era el hermoso platillo de las palabras, sino lo que pudiera haber de sustanciosa ciencia en la doctrina que el dicho Fausto proponía. Mucho lo había levantado la fama ante mis ojos, como a varón entendido en toda clase de honestas disciplinas y especialmente perito en las artes liberales.

2. Y como había yo leído mucho de varios filósofos y lo tenía todo bien claro en la memoria, comparaba algunas de sus afirmaciones con las prolijas fábulas de los maniqueos y mucho más que éstas me parecían dignos de aprobación los principios de aquellos filósofos que fueron capaces de averiguar la naturaleza del mundo, aun cuando al Señor mismo del mundo no lo hayan llegado a conocer. Porque tú, Señor, eres grande, pones los ojos en las cosas humildes y a las grandes las miras desde lejos (Sab 13,9). No te acercas sino a los de corazón contrito, ni te dejas encontrar por los soberbios por más que en su curiosidad y pericia sean capaces de contar las estrellas y conocer y medir los caminos de los astros por las regiones siderales. En estas cosas tienen los sabios puesta su mente según el ingenio que tú les diste y, de hecho, muchas cosas desconocidas han descubierto. Han llegado a predecir con antelación los eclipses del sol y de la luna; en qué día y a qué hora y en qué grado iban a acontecer y no se engañaron en sus cálculos, pues todo sucedió como lo habían predicho. Escribieron luego sobre las leyes descu-

biertas y eso se lee hasta el día de hoy y sirve de base para anunciar en qué año, en qué mes, en qué día y a qué hora del día y en qué grado va a faltar la luz del sol o de la luna y tales predicciones resultan acertadas.

3. Todo esto llena de asombro y estupor a los que tales cosas ignoran; pero quienes las saben, llenos de complacencia y engreimiento, con impía soberbia se retiran de tu luz; prevén los oscurecimientos del sol pero no ven la oscuridad en que ellos mismos están, ya que no buscan con espíritu de piedad de dónde les viene el ingenio que ponen en sus investigaciones. Y cuando les viene el pensamiento de que tú los creaste no se entregan a ti para que guardes y conserves lo que creaste. Mundanos como llegaron a hacerse, no se inmolan ante ti, no sacrifican como a volátiles sus pensamientos altaneros, ni refieren a ti la curiosidad con que pretenden moverse entre los misterios del mundo como los peces se mueven en los escondidos fondos del mar; ni matan sus lujurias como se matan los animales del campo para que tú, que eres un fuego devorador, consumas sus muertos desvelos para recrearlos en la inmortalidad.

4. Pero no llegaron a conocer el camino. El camino, que es tu Verbo, por quien hiciste lo que ellos cuentan y a los que lo cuentan y el sentido con que perciben lo que cuentan y la inteligencia con que sacan la cuenta; y tu sabiduría no tiene número (Sal 146,5). Tu mismo hijo unigénito se hizo para nosotros sabiduría y justicia y santificación, fue contado entre nosotros y pagó tributo al César (Mt 22,21). No conocieron el camino para descender desde sí mismos hacia él para poder ascender hasta él. Ignorando pues este camino

se creen excelsos y luminosos como los astros, cuando en realidad se han venido a tierra y se ha oscurecido su corazón (Rom 1,21).

Es cierto que muchas cosas verdaderas dicen de la creación, pero no buscan con espíritu de piedad al artífice del universo y por eso no lo encuentran, habiéndolo conocido no lo honran como a Dios, ni le dan gracias, sino que se desvanecen en sus propios pensamientos y se tienen por sabios (Rom 1,21-22), atribuyéndose lo que no es suyo sino tuyo. Por esto mismo te atribuyen a ti, con perversa ceguera, lo que es propio de ellos, suponiendo mentira en ti, que eres la Verdad. Cambian la gloria del Dios incorruptible según la semejanza de la imagen del hombre corruptible y a la imagen de volátiles, de cuadrúpedos y de serpientes (Rom 1,23). Convierten pues tu verdad en mentira y dan culto y servicio no al Creador, sino a la criatura.

5. De estos filósofos retenía yo muchas cosas verdaderas que habían ellos sacado de la observación del mundo; y la cuenta y razón que ellos enseñaron por los números y la ordenación de los tiempos, me salía puntual y conforme al visible testimonio de los astros. Comparaba yo eso con los dichos de Maniqueo, el cual escribió sobre esos fenómenos muchas cosas delirantes; pero en sus escritos no aparecía en modo alguno la razón de los equinoccios, los solsticios y los eclipses del sol y de la luna según lo tenía yo aprendido en los libros de la ciencia del siglo. Maniqueo me mandaba creer; pero la creencia que me mandaba no convenía con mis cálculos ni con lo que veían mis ojos: se trataba de cosas del todo diferentes.

Capítulo 4

1. ¿Acaso, Señor, el que sabe estas cosas te agrada con sólo saberlas? Infeliz del hombre que sabiendo todo esto no te sabe a ti y dichoso el que a ti te conoce aunque tales cosas ignore. Pero el que las sepa y a ti te conozca no es más feliz por saberlas, sino solamente por ti, si conociéndote te honra como a Dios y te da gracias y no se envanece con sus propios pensamientos.

2. El que posee un árbol y te da las gracias por sus frutos sin saber cuán alto es y cuánto se extienden sus ramas está en mejor condición que otro hombre que mide la altura del árbol y cuenta sus ramas, pero ni lo posee ni conoce ni ama a su creador. De igual manera, un hombre fiel cuyas son todas las riquezas del mundo y que sin tener nada todo lo posee (2 Cor 6,10) con sólo apegarse a ti, a quien sirven todas las criaturas, aunque no conozca los giros de la osa mayor, se encuentra en mejor condición que el que mide el cielo y cuenta los astros y pesa los elementos, pero no se esmera por ti, que todo lo hiciste en número, peso y medida (Sab 11,20).

Capítulo 5

1. Alguno pidió a no sé qué maniqueo que escribiera también de estas cosas que pueden ser ignoradas sin perjuicio de la piedad. Porque tú dijiste que en la piedad está la sabiduría (Jb 28,28) y ésta podía ignorarla el maniqueo aun cuando tuviera la ciencia de las cosas. Pero no la tenía y con todo descaro se atrevía a enseñar y, en consecuencia, no podía alcanzarla. Porque es vanidad hacer profesión de estas cosas

mundanales aunque sean en realidad conocidas; pero es piedad el confesarte a ti. Así, pues, aquel hombre descaminado por su locuacidad, habló de muchas cosas en forma tal que los que en verdad las sabían lo pusieron en evidencia y así quedó probada su incapacidad para entender cosas aún más difíciles. Pero él no quería ser estimado en poco; entonces, pretendió convencerlos de que en él residía personalmente y con su plena autoridad, el Espíritu Santo que consuela y enriquece a los tuyos.

2. Fue pues demostrado que había dicho cosas falsas sobre el cielo y las estrellas y sobre los movimientos del sol y de la luna. Y aun cuando estas cosas no pertenecen a la doctrina religiosa, quedó puesta en claro su audacia sacrílega cuando con soberbia y demente vanidad se atrevió a poner afirmaciones no sólo ignorantes sino también falseadas bajo el patrocinio de una divina persona. Cuando oigo decir de algún cristiano hermano mío que no sabe estas cosas y dice una cosa por otra, oigo con paciencia esas opiniones; no veo en qué pueda perjudicarle su ignorancia sobre las cosas del mundo si no piensa de ti cosas indignas.

Pero mucho le daña el pensar que tales cosas pertenecen a la esencia de la doctrina de la fe y si se atreve a afirmar con pertinencia lo que no sabe.

3. Pero aun esta flaqueza la soporta maternalmente la caridad en los que están recién nacidos a la fe mientras no llega el tiempo de que surja en ellos el hombre nuevo, el varón perfecto que no es llevado de aquí para allá por cualquier viento de doctrina (Ef 4,13-14). Aquel hombre, en cambio, se atre-

vió a presentarse como doctor, consejero, guía y director, y a sus discípulos los persuadía de que no eran seguidores de un hombre cualquiera, sino de tu mismo Santo Espíritu; ¿cómo no juzgar semejante audacia como detestable demencia y no condenarla con firme reprobación y horror apenas quedaba demostrado que había dicho cosas erróneas?

Con todo, no había yo sacado completamente en claro que no pudieran componerse con sus enseñanzas los fenómenos celestes del alargamiento y acortamiento de los días y las noches y los desfallecimientos del sol y de la luna según yo los conocía por otros libros; me quedaba siempre la incertidumbre de que pudiera o no ser así, pero todavía me sentía inclinado a aceptar su autoridad, pues me parecía acreditada por la santidad de su vida.

Capítulo 6

1. Durante esos nueve años bien corridos en que con inmenso deseo de verdad pero con ánimo vagabundo escuché a los maniqueos, estuve esperando la llegada del dicho Fausto. Porque los otros maniqueos con que me encontraba y no eran capaces de responder a mis objeciones, me prometían siempre que cuando él llegara, con su sola conversación les daría el mate a mis objeciones y aun a otras más serias que yo pudiera tener. Cuando Fausto por fin llegó me encontré con un hombre muy agradable y de fácil palabra; pero decía lo que todos los demás, sólo que con mayor elegancia. Mas no era lo que mi sed pedía a aquel mero, aunque magnífico, escanciador de copas preciosas. De las cosas que decía esta-

ban ya hartos mis oídos y no me parecían mejores porque él las dijera mejor, ni verdaderas por ser dichas con elocuencia; ni sabia su alma porque fuera su rostro muy expresivo y muy elegante su discurso. Los que tanto me lo habían ponderado no tenían buen criterio: les parecía sabio y prudente sólo porque tenía el arte del buen decir.

2. Conozco también otro tipo de hombres, que tienen la verdad por sospechosa y se resisten a ella cuando se les presenta en forma bien aliñada y con abundancia. Pero tú ya me habías enseñado (creo que eras tú, pues nadie fuera de ti enseña la verdad dondequiera que brille y de donde proceda), me habías enseñado, digo, que nada se ha de tener por verdadero simplemente porque se dice con elocuencia, ni falso porque se diga con desaliño y torpeza en el hablar. Pero tampoco se ha de tener por verdadero algo que se dice sin pulimento, ni falso lo que se ofrece con esplendor en la dicción. La sabiduría y la necedad se parecen a los alimentos, que son buenos unos y malos otros, pero se pueden unos y otros servir lo mismo en vasija de lujo que en vasos rústicos y corrientes. La sabiduría y la necedad pueden ofrecerse lo mismo con palabras cultas y escogidas que con expresiones corrientes y vulgares.

La avidez con que yo había esperado por tan largo tiempo la llegada de aquel hombre me hacía ciertamente deleitarme en la vivacidad y animación con que disputaba y en el feliz tino con que hallaba las palabras justas, que fácilmente le venían para revestir sus sentencias. Pero me sentía molesto de que en la rueda de quienes lo escuchaban no se me permitiera intervenir para proponerle mis dificultades conversando con él en diálogo familiar.

3. Pero cuando finalmente pude en compañía de algunos amigos ocupar su atención en tiempo que no parecía importuno, le expuse algunos puntos que me preocupaban. Me di cuenta entonces de que tenía enfrente a un hombre ignorante de las disciplinas liberales con la sola excepción de la gramática, de la cual tenía, por otra parte, un conocimiento muy ordinario. Había leído solamente unas pocas oraciones de Tulio y poquísimos libros de Séneca, algunos libros poéticos y los de su propia secta, cuando sucedía que estuvieran escritos en buen latín. Le ayudaba también el cotidiano ejercicio de hablar, que le daba una fluida elocuencia tanto más seductora cuanto que sabía muy bien gobernar su talento con un donaire natural.

Es así como lo recuerdo. ¿Lo he recordado bien, Señor y Dios mío, árbitro de mi conciencia? Delante de ti pongo mi corazón y mi memoria. Tú me dirigías entonces con secretos movimientos de tu Providencia y, poco a poco, ibas poniendo ante mis ojos mis funestos errores, para que los viera y los aborreciera.

Capítulo 7

1. Cuando aquel hombre a quien había yo tenido por excelente conocedor de las artes liberales se me apareció en toda su impericia comencé a desesperar de que pudiera él aclarar mis problemas y resolver mis dudas. Porque ignorante como era, bien podía conocer la verdad y la piedad si no fuera maniqueo. Porque los libros están repletos de interminables fábulas sobre el cielo y las estrellas, sobre el sol y la luna y no creía yo ya que él me pudiera explicar las cosas como

era mi deseo, comparando sus explicaciones con los datos numéricos que había yo leído en otras partes y no sabía si concordaban o no con lo que en los libros maniqueos se decía, ni si daban buena razón de su doctrina. Así que cuando le propuse mis problemas para su consideración y discusión, se comportó con mucha modestia y no se atrevió a arrimar el hombro a tan pesada carga. Bien sabía él que ignoraba tales cosas y no tuvo reparo en reconocerlo. No era de la laya de otros hombres locuaces que yo había padecido, que pretendían enseñarme, pero no decían nada. Fausto era un hombre de corazón; si no lo tenía enderezado hacia ti tampoco lo tenía clavado en sí mismo. No era del todo inconsciente de su impericia y no quiso exponerse temerariamente a disputar y meterse en una situación de la que no pudiera salir ni tampoco retirarse honorablemente y en eso me gustó sobremanera. Porque más hermosa que todo lo que yo deseaba conocer es la modestia de un hombre de ánimo sincero y yo lo encontraba tal en todas las cuestiones más sutiles y difíciles.

2. Rota así la ilusión que yo tenía por los estudios maniqueos y desesperando por completo de sus otros doctores cuando, para las cuestiones que me agitaban, me había parecido insuficiente el más prestigioso de todos ellos, comencé a frecuentarlo en otro terreno. Él tenía gran interés por conocer las letras que yo enseñaba a los adolescentes como maestro retórico de Cartago: comencé pues a leer con él lo que él deseaba por haber oído de ello o lo que yo mismo estimaba adaptado a su ingenio. Por lo demás mi intento por aprovechar en aquella secta quedó completamente cortado, no porque yo me separara de ellos del todo, sino porque no

encontrando por el momento nada mejor que aquello en que ciegamente había dado de cabeza, había resuelto contentarme con ello mientras no apareciera ante mis ojos algo mejor.

3. Y así, aquel Fausto, que había sido perdición para muchos, aflojaba sin quererlo ni saberlo el lazo en que estaba yo amarrado. Porque tu mano, Señor, en lo oculto de tu Providencia no me dejaba; y las lágrimas del corazón que mi madre vertía por mí de día y de noche eran un sacrificio ante ti por mi salvación. Y tú obraste en mí de maravillosas maneras. Sí, Dios mío, tú lo hiciste; tú, que diriges los pasos de los hombres y regulas sus caminos. ¿Qué pretensión de salvación puede haber si no viene de tu mano, que recrea lo que creaste?

Capítulo 8

1. Te las arreglaste para que fuera yo persuadido de ir a Roma para enseñar allí lo mismo que enseñaba en Cartago y no pasaré por alto el recordar el modo como me persuadí, pues en ello se ven muy de manifiesto tus misteriosos procedimientos y tu siempre presente misericordia. No fui a Roma en busca de mayores ganancias ni en pos del prestigio de que mis amigos me hablaban, aunque ciertamente no estaba ajeno a tales consideraciones; pero la razón principal, casi la única fue que yo sabía que en Roma los estudiantes eran más sosegados y se contenían en los límites de una sana disciplina; no entraban a cada rato y con impudente arrogancia a las clases de otros profesores no suyos, sino solamente con su venia y permiso.

2. En Cartago, muy al contrario, los estudiantes eran de una fea e insolente indisciplina. Irrumpían y con una especie de furia perturbaban el orden que los profesores tenían establecido para sus propios alumnos. Con increíble estupidez cometían desmanes que la ley debería castigar si no los condonara la costumbre, con lo cual quedaban en la condición miserable de poder hacer cuanto les venía en gana, abusos que tu ley no permite ni permitirá jamás. Y los cometían con una falsa sensación de impunidad, ya que en el mero hecho de cometerlos llevan ya su castigo, por cuanto deben padecer males mayores que los que cometieron.

Así sucedió que aquella mala costumbre que yo ni aprobé ni hice mía cuando era estudiante, tenía que padecerla de otros siendo profesor. Por eso me pareció conveniente emigrar hacia un lugar en que tales cosas no sucedieran, según me lo decían quienes estaban de ello informados. Y tú, que eres mi esperanza y mi porción en la tierra de los vivos (Sal 141,6), me ponías, por el bien de mi alma, estímulos que me apartaran de Cartago y, al mismo tiempo, el señuelo de Roma. Para esto te valías de hombres amantes de la vida muerta que hacían algo insano y allá prometían vanidades. Para corregir mis pasos, te valías ocultamente de la perversidad de ellos y de la mía. Porque los que perturbaban mi quietud estudiosa con insana rabia eran ciegos; y los que me sugerían otra cosa tenían el sentido de la tierra. Y yo, que detestaba la miseria muy real de aquellos, apetecía la falsa felicidad que éstos me prometían.

3. Cuál era la causa que me movía a huir de Cartago para ir a Roma, tú la sabías, pero no me la hacías saber a mí ni

tampoco a mi madre y ella padeció atrozmente de mi partida y me siguió hasta el mar. Y yo la engañé cuando fuertemente asida a mí quería retenerme o bien acompañarme. Fingí que no quería abandonar a un amigo que iba de viaje, mientras el viento se hacía favorable para la navegación. Le mentí pues a aquella madre tan extraordinaria y me escabullí.

Pero tú me perdonaste también esa mentira y, tan lleno de bajezas abominables como estaba yo, me libraste de las aguas del mar para que pudiese llegar al agua de tu gracia y absuelto ya y limpio, pudieran secarse los torrentes de lágrimas con que mi madre regaba la tierra por mí en tu presencia. Ella se negaba a regresar sin mí y a duras penas pude persuadirla de que pasara aquella noche en el templo de San Cipriano que estaba cerca de nuestra nave. Pero esa misma noche me marché a escondidas mientras ella se quedaba orando y llorando y sólo te pedía que me impidieras el viaje. Pero tú, con oculto consejo y escuchando lo sustancial de su petición, no le concediste lo que entonces te pedía para concederle lo que siempre te pedía.

4. Sopló pues el viento e hinchó nuestra velas y pronto perdimos de vista la ribera en la cual ella a la siguiente mañana creyó enloquecer de dolor y llenaba tus oídos con gemidos y exclamaciones. Tú desdeñabas esos extremos; me dejabas arrebatar por el torbellino de mis apetitos con el fin de acabar con ellos y domabas también el deseo natural de ella con un justo flagelo, pues ella, como todas las madres (y con mayor intensidad que muchas) necesitaba de mi presencia, ignorante como estaba de las inmensas alegrías que tú le ibas a dar mediante mi ausencia. Nada de esto sabía y por

eso lloraba y se quejaba; se manifestaba en ella la herencia de Eva, que es buscar entre gemidos a quien gimiendo había dado a luz. Sin embargo, después de haberse quejado de mi engaño y de mi crueldad, volvió a su vida acostumbrada y a rogarte por mí. Y yo continué mi viaje hasta Roma.

Capítulo 9

1. Y he aquí que apenas llegado a Roma me recibe con su flagelo la enfermedad corporal. Ya me iba yendo a los infiernos cargando todos los pecados que había cometido contra ti, contra mí mismo y contra los demás; pecados muchos y muy graves, que hacían todavía más pesada la cadena del pecado original con que en Adán morimos todos (1 Cor 15,22). Porque nada de Cristo me habías dado todavía, ni había Él reconciliado con la sangre de su cruz las enemistades que contigo había contraído yo por mis pecados; pues, ¿cómo podía destruirlas aquel fantasma crucificado en que yo entonces creía? Tan falsa como me parecía su muerte corporal, era real y verdadera la muerte de mi alma, y tan real como fue su muerte corporal así era de mentida la vida de mi alma, pues no creía en aquella. Y como la fiebre se hacía más y más grave, me deslizaba yo rumbo a la muerte. ¿Y a dónde me hubiera ido, de morir entonces, sino a los fuegos y tormentos que mis pecados merecían según el orden que tú tienes establecido? Mi madre ausente ignoraba todo esto, pero me asistía con la presencia de su plegaria y tú, que en todas partes estás, la oías en donde ella estaba y en donde estaba yo tenías misericordia de mí. Por esta misericordia

recuperé la salud del cuerpo, aunque mi corazón sacrílego seguía enfermo. Porque viéndome en tan grave peligro no tenía el menor deseo de tu bautismo; mucho mejor era yo cuando de niño le solicitaba a mi madre que se me bautizara: así lo recuerdo y así te lo he confesado.

2. Yo había adelantado mucho en la deshonra y en mi demencia me burlaba de tu medicina y tú, sin embargo, no permitiste que muriera yo entonces, que habría muerto dos veces, en el cuerpo y en el alma. Esto habría causado en el corazón de mi madre una herida incurable. Lo digo porque no he ponderado como conviene el afecto sin medida que por mí sentía y con el cual engendraba en el espíritu al hijo que había alumbrado según la carne. No comprendo cómo hubiera podido sobrevivir si la noticia de mi muerte la hubiera herido entonces en pleno corazón. ¿Qué habría sido entonces de aquellas plegarias tan grandes y tan ardientes, que no conocían descanso alguno? ¿En dónde estarían, pues no había para ellas otro lugar fuera de ti?

Pero, ¿cómo podías tú, el Dios de las misericordias, despreciar el corazón contrito y humillado (Sal 50,19) de una viuda sobria y casta que hacía abundantes limosnas y servía obsequiosamente a tus siervos; que no se quedaba un sólo día sin asistir al santo sacrificio y que diariamente, por la mañana y por la tarde visitaba tu casa y no para perder el tiempo en locuacidades de mujeres, sino para escuchar tu palabra y que tú escucharas sus preces?

3. ¿Cómo podía ser que tú desoyeras y rechazaras las lágrimas de la que no te pedía oro ni plata ni bien alguno pasajero sino la salud espiritual de su hijo, que era suyo porque tú

se lo habías dado? No, mi Señor. Bien al contrario, le estabas siempre presente y la escuchabas; ibas haciendo según su orden lo que habías predestinado que ibas a hacer. Lejos de mí la idea de que la hubieras engañado en aquellas visiones y en aquellas respuestas que le diste y que ya conmemoré y otras que no he recordado. Palabras tuyas que ella guardaba fielmente en su corazón y que te presentaba en su oración como documentos firmados de tu propia mano. Tanta así es, Señor, tu misericordia, que te dignas de ligarte con tus promesas y te conviertes en deudor de la criatura a quien le perdonas todas sus deudas.

Capítulo 10

1. De aquella enfermedad me hiciste volver a la vida y salvaste al hijo de tu sierva para que pudiera más tarde recibir otra salud mucho mejor y más cierta. Y en Roma me juntaba yo todavía con aquellos santos falsos y engañadores y no sólo con los simples oyentes, de cuyo número formaba parte el dueño de la casa en que estuve enfermo, sino que también oía y servía a los llamados elegidos. Todavía pensaba yo que no somos nosotros los que pecamos, sino que peca en nosotros no sé que naturaleza distinta y mi soberbia sentía complacencia en no sentirse culpable ni confesarse como tal cuando algo malo había yo hecho.

2. Porque todavía tú no habías puesto una guarda a mi boca ni centinela a la puerta de mis labios para impedirme la palabra maliciosa, y que mi corazón se excusara de los pecados cometidos junto con hombres perversos (Sal 140,3-4); por eso seguía yo tratando con aquellos elegidos aun sin

esperanza de progresar en la secta, pues había determinado quedarme provisionalmente en ella mientras no encontrara cosa mejor; y si bien retenía su doctrina, lo hacía cada vez con mayor tibieza y negligencia.

Me asaltó entonces la idea de que mucho más lúcidos eran aquellos filósofos que llamaban *académicos*, que tienen por necesario dudar de todo y sostienen que nada puede el hombre conocer con certeza. Esta era la idea corriente sobre ellos y yo lo pensé así, pues no conocía entonces su verdadera posición.

3. Tampoco descuidé el reprender en mi huésped la desmedida confianza que veía yo en él sobre las fábulas de que están llenos los libros maniqueos; pero con todo, me ligaba a ellos una familiaridad que no tenía los ímpetus del principio; mas la familiaridad con ellos (de los cuales hay muchos ocultos en Roma) me hacía perezoso para indagar más allá. Y menos que en ninguna parte, Dios y Señor mío, creador de todas las cosas, me imaginaba yo encontrar la verdad en tu Iglesia, de la cual me habían ellos apartado.

Me parecía muy torpe el creer que tú hubieras tomado una forma corporal ajustada a los lineamientos del cuerpo humano, ya que cuando quería pensar en Dios, no podía hacerlo sino como una mole corporal, porque era imposible para mí concebir la realidad de otra manera, y ésta era la causa inevitable de mi error.

4. De aquí que creyera yo con los maniqueos que tal es la sustancia del mal, que tenía o bien una mole negra, espesa y deforme que ellos llaman *tierra*, o bien una masa tenue y sutil como la del aire, una especie de espíritu maligno que según

ellos rastrea sobre esa tierra. Y como la piedad más elemental me prohibía pensar que Dios hubiera creado ninguna cosa mala, ponía yo frente a frente dos moles o masas, infinitas las dos, pero amplia la buena y más angosta la mala, y de este pestilencial principio se seguían los otros sacrilegios.

Así, cuando a veces me sentía movido a considerar con seriedad la fe católica me sentía por ella repelido, porque no la conocía yo como realmente es. ¡Oh Dios, cuyas misericordias confieso de corazón! Más piedad veía yo en creerte infinito en todas tus partes que no limitado y terminado por las dimensiones del cuerpo humano; aunque por el mero hecho de poner frente a ti una sustancia mala me veía obligado a pensarte finito, contenido y terminado en una forma humana.

5. Y mejor me parecía pensar que tú no habías creado ningún mal, por cuanto mi ignorancia concebía el mal como algo sustantivo y aún corpóreo; no podía mi mente concebirlo sino a manera de un cuerpo sutil que se difundiera por todos los lugares del espacio. Esto me parecía mejor que pensar que procediera de ti lo que yo creía que era la naturaleza del mal. Y aun de nuestro Salvador, tu Hijo unigénito, pensaba yo que emanaba de tu masa purísima y venía a nosotros para salvarnos, y no concebía que una naturaleza tan pura pudiera nacer de la Virgen María sino mezclándose con la carne, constituyendo semejante mezcla una contaminación inevitable. Me resistía a creer en un Cristo nacido, por no poder creer en un Cristo manchado por la carne. Tus amigos fieles se reirán de mí con amor y suavidad si llegan a leer estas confesiones. Pero así era yo.

Capítulo 11

1. Por otra parte, me parecía que los puntos de la Escritura impugnados por los maniqueos no tenían defensa posible; pero en ocasiones me venía el pensamiento de conferir sobre ellos con algún varón muy docto, para conocer su sentir. Ya desde que enseñaba en Cartago me habían hecho impresión los sermones y discursos de un cierto Helvidio que hablaba y disertaba contra los maniqueos; pues decía sobre las Escrituras cosas que parecían irresistibles y contra las cuales me parecían débiles las respuestas de los maniqueos.

2. Tales respuestas, además, no las daban fácilmente en público; más bien nos decían a nosotros en secreto que los textos del Nuevo Testamento habían sido adulterados por no sé quién que estaba empeñado en introducir en la fe cristiana la ley de los judíos. Pero nunca mostraban para probarlo ningún texto incorrupto de las Escrituras. Por lo que a mí se refiere, siendo como era incapaz de concebir otras cosas que seres materiales, me sofocaban y oprimían con su pesada mole aquellas dos masas infinitas tras de las cuales anhelaba yo; pero no podía respirar el aire puro y sutil de tu verdad.

Capítulo 12

1. Con mucho esmero comencé pues en Roma lo que me había llevado a ella; la enseñanza del arte de la Retórica. Primero reuní en mi casa a algunos que habían tenido ya noticia de mí y por los cuales me conocieron luego otros. Y comencé a padecer en Roma vejaciones que no había cono-

cido en África. Porque ciertamente no se usaban allí las *eversiones* que en África había yo conocido, pero en cambio se me anunció desde el principio que los estudiantes romanos se confabulaban para pasar de golpe a la clase de otro maestro abandonando al primero sin pagarle. Eran infieles a la palabra dada, les importaba mucho el dinero y menospreciaban la justicia. Los odiaba yo de todo corazón, aunque mi odio no era perfecto. Lo digo porque más me afectaba lo que yo podía padecer de su parte que no la injusticia que cometían con otros maestros.

2. Ciertamente son innobles estos tales, que alejados de ti aman esas burlas pasajeras y una ganancia de barro que no puede ser tocada sin mancharse la mano, abrazando un mundo pasajero mientras te menosprecian a ti, que eres permanente y perdonas al alma rebelde cuando se vuelve hacia ti. Y aún ahora detesto a esos perversos y descarriados, aunque los amo en el deseo de que se corrijan. Les deseo que prefieran la ciencia que aprenden al dinero con que la pagan, y que más que a ella te estimen a ti, ¡oh Dios!, que eres verdad y superabundancia de bien cierto y de castísima paz. Pero entonces no quería yo que fueran malos para no ser perjudicado por ellos, y para nada pensaba que fueran buenos para gloria de tu Nombre.

Capítulo 13

1. Fue entonces cuando Símaco, prefecto de Roma, recibió de Milán una solicitud para que enviara allá a un maestro de Retórica, a quien se le ofrecía a costa del erario público todo

cuanto necesitara para su traslado. Yo, valiéndome de aquellos amigos míos ebrios de la vanidad maniquea y de los cuales ansiaba yo separarme sin que ni yo ni ellos lo supiéramos, me propuse al prefecto para pronunciar en su presencia una pieza oratoria, para ver si le gustaba y era yo el designado. Lo fui y se me envió a Milán, en donde me recibió tu obispo Ambrosio, renombrado en todo el orbe por sus óptimas cualidades. Era un piadoso siervo tuyo que administraba fervorosamente con su elocuencia el pan que alimenta a tu pueblo, la alegría de tu óleo y el sobrio vigor de tu vino. Sin que yo lo supiera me guiabas hacia él para que por su medio llegara yo, sabiéndolo ya, hasta ti. Me acogió paternalmente ese hombre de Dios y con un espíritu plenamente episcopal se alegró de mi viaje.

2. Y yo empecé a quererlo y a aceptarlo. Al principio no como a un doctor de la verdad, pues yo desesperaba de encontrarla en tu Iglesia, sino simplemente como a un hombre que era amable conmigo. Con mucha atención lo escuchaba en sus discursos al pueblo; no con la buena intención con que hubiera debido, sino para observar su elocuencia y ver si correspondía a su fama, si era mayor o menor de lo que de él se decía. Yo lo escuchaba con atención, pero sin la menor curiosidad ni interés por el contenido de lo que predicaba. Me deleitaba la suavidad de su palabra, que era la de un hombre mucho más docto que Fausto, aunque no tan ameno ni seductor en el modo de decir. Pero en cuanto al contenido de lo que el uno y el otro decían no había comparación posible. Fausto erraba con todas las falacias del maniqueísmo, mientras que Ambrosio hablaba de la salvación de manera muy saludable. La salvación, empero, está siempre lejos de los pe-

cadores como lo era yo entonces y, sin embargo, se acercaba a mí sin que yo lo supiera.

Capítulo 14

1. Como estaba convencido de que el camino hacia ti permanece cerrado para el hombre, no me preocupaba por aprender lo que él decía y sólo me fijaba en el modo cómo lo decía. Y sin embargo, llegaban a mi alma envueltas en las bellas palabras que apreciaba las grandes verdades que despreciaba, y no podía yo disociarlas. Y mientras abría mi corazón para apreciar la excelencia con que enseñaba, me iba percatando muy poco a poco de cuán verdaderas eran las cosas que enseñaba. Gradualmente fui derivando a pensar que tales cosas eran aceptables.

Respecto a la fe católica pensaba antes que no era posible defenderla de las objeciones de los maniqueos; mas por entonces ya creía que podía aceptarse sin imprudencia, máxime cuando tras de haber oído las explicaciones de Ambrosio en muchas oportunidades, me encontraba con que él resolvía satisfactoriamente algunos enigmas del Antiguo Testamento entendidos por mí hasta entonces de una manera estrictamente literal, que había matado mi espíritu.

2. Y así, con la explicación de muchos pasajes de esos libros comenzaba yo a dudar que fueran irrefutables los argumentos de quienes detestaban la Escritura y se burlaban de los profetas.

Y sin embargo, no me sentía obligado a tomar el camino de los católicos por el hecho de que su fe tuviera doctores y defensores que refutaban con abundancia y buena lógica las objeciones que le eran adversas, pues pensaba que también las posturas contrarias tenían sus defensores y que había un equilibrio de fuerzas; la fe católica no me parecía vencida, pero tampoco todavía victoriosa.

Me apliqué entonces con todas mis fuerzas a investigar si había algunos documentos ciertos en los cuales pudiera yo encontrar un argumento decisivo contra la falsedad de los maniqueos. Pensé que con sólo yo llegar a concebir una sustancia espiritual quedarían desarmadas sus maquinaciones y ya podría rechazarlas definitivamente. Pero no podía conseguirlo.

Considerando sin embargo, con una atención cada vez mayor lo que del mundo y su naturaleza conocemos por los sentidos y comparando las diferentes sentencias, llegué a la conclusión de que eran mucho más probables las explicaciones de otros varios filósofos. Y entonces, dudando de todo, como es según se dice, el modo de los académicos, y fluctuando entre nubes de incertidumbre, decidí que mientras durara mi vacilación, en ese tiempo en que los anteponía yo a otros filósofos, no podía ya seguir con los maniqueos. Pero aun a tales filósofos me negaba yo a confiarles la salud de mi alma, pues andaba aún bien lejos de la doctrina saludable de Cristo. En consecuencia resolví quedarme como catecúmeno en la Iglesia Católica, la que mis padres me habían recomendado, mientras no brillara a mis ojos alguna luz cuya certeza me diera seguridad.

LIBRO VI

LIBRO VI

Capítulo 1

¡Oh Dios, esperanza mía desde la juventud! ¿Dónde estabas entonces para mí, o dónde te habías retirado? ¿No eras tú mi creador, el que me había distinguido de los cuadrúpedos y los volátiles? Más sabio que ellos me hiciste y sin embargo, andaba yo resbalando en las tinieblas; te buscaba fuera de mí y no te podía encontrar. Había yo caído, ¡oh Dios de mi corazón! En lo hondo del abismo y con total desconfianza desesperaba de llegar a la verdad.

Entretanto había llegado mi madre, que llevada de su inmenso amor me seguía por tierra y por mar y que en todos los peligros estaba segura de ti y tanto, que durante los azares de la navegación confortaba ella a los marineros mismos, que están habituados a animar en sus momentos de zozobra a los viajeros novatos. Les prometía con seguridad que llegarían a buen puerto, pues tú así se lo habías revelado en una visión. Me encontró cuando me hallaba yo en sumo peligro por mi desesperación de alcanzar la verdad. Cuando le dije que no era ya maniqueo pero tampoco todavía cristiano católico, no se dio en extremos al júbilo como si mi noticia la hubiera tomado de sorpresa. Segura estaba de que de la miseria en que yacía yo como muerto, habías tú de resucitarme por sus lágrimas y, como la viuda de Naím, me presentaba a ti en el féretro de sus pensamientos, para que tú le dijeras al hijo de la viuda: "Joven, yo te lo mando, levántate" (Lc 7,14), y él reviviera y comenzara a hablar y tú se lo devolvieras a su madre. Así pues, su corazón no se estremeció con ninguna turbulenta exultación cuando vio que ya estaba hecho en parte lo que ella a diario con lágrimas te pedía: pues me vio no ganado todavía para la verdad, pero sí liberado de la falsedad. Y esperaba con firmeza que tú, que se lo habías prometido todo, hicieras lo que faltaba todavía. Con el pecho lleno de segura placidez me respondió que no dudaba un punto de que antes de morir había de verme católico fiel.

Esto fue lo que me dijo a mí; pero a ti te pedía con ardientes preces y lágrimas que te apresuraras a socorrerme iluminando mis tinieblas y con mayor afán corría a tu Iglesia y se suspendía de la boca de Ambrosio bebiendo el agua que salta hasta la vida eterna (Jn 4,14). Lo amaba ella como a un ángel de Dios, pues supo que debido a él había yo llegado a aquel estado de vacilante fluctuación por la cual presumía ella que habría yo de pasar de la enfermedad a la salud, después de atravesar ese subido peligro que los médicos llaman *crisis*.

Capítulo 2

1. Sucedió en una ocasión que mi madre, según la costumbre africana llevó a las tumbas de los santos comida de harina cocida, panes y vino puro. El portero se negó a recibírselos diciendo que el obispo lo tenía prohibido y ella, con humilde obediencia, se plegó a su voluntad y no dejé de admirarme de la facilidad con que renunció a una costumbre que le era

querida, en vez de criticar costumbres diferentes. Porque la embriaguez no dominaba su espíritu ni el vino le inspiraba odio a la verdad, como sucede con tantos hombres y mujeres que al cántico de la sobriedad responden con la náusea de los beodos por el vino aguado. Cuando llevaba su cesta con sus manjares rituales para su degustación y distribución, no ponía para sí misma sino un vasito con vino tan diluido como lo pedía su temperante paladar. Y si eran muchas las sepulturas que hubiera que honrar, llevaba y ponía en todas ellas el mismo vasito con el vino no sólo más aguado, sino ya muy tibio para participar con pequeños sorbitos en la comunión con los presentes; pues lo que con ello buscaba no era la satisfacción del gusto, sino la piedad con los demás.

2. Así, cuando se enteró de que esto era cosa prohibida por aquel preclaro predicador y piadoso prelado que no lo permitía ni siquiera a las personas moderadas y sobrias para no dar ocasión para el desorden a los que no lo eran y porque, además, dicha costumbre era muy semejante a la costumbre supersticiosa de los paganos en sus ritos funerarios, ella se sometió con absoluta buena voluntad y, en lugar de la cesta llena de frutos de la tierra, aprendió a llevar a las tumbas de los mártires un pecho lleno de afectos más purificados para dar lo que pudiera a los menesterosos y celebrar allí la comunión del Cuerpo del Señor, cuya pasión habían imitado los mártires que con el martirio fueron inmolados y coronados.

3. Sin embargo, me parece probable que no sin interiores dificultades hubiera cedido mi madre a la supresión de una práctica a la que estaba acostumbrada, de haber procedido

la prohibición de otro que Ambrosio, al cual amaba mucho, especialmente por lo que él significaba para mi salvación. Y Ambrosio a su vez la amaba a ella por su religiosa conducta, por su fervor en las buenas obras y su asiduidad a la Iglesia; hasta el punto de que cuando me encontraba prorrumpía en alabanzas suyas y me felicitaba por la dicha de tener una madre semejante. Es que no sabía él qué clase de hijo tenía mi madre: un escéptico que dudaba de todo y no creía posible acertar con el camino de la verdad.

Capítulo 3

1. Yo no había aún aprendido a orar rogándote con gemidos que me ayudaras, sino que tenía puesta mi alma entera en la investigación de las cosas mundanas y el ejercicio de la disertación. Y a Ambrosio mismo lo tenía yo por el hombre feliz según el mundo, pues tantos honores recibía de gentes poderosas y sólo me parecía trabajoso su celibato. Por otra parte no tenía yo experiencia ni siquiera sospechas de las esperanzas que él tuviera, ni de las tentaciones que tenía que vencer derivadas de su propia excelencia; no tenía la menor idea de cuáles fueran sus luchas ni sus consuelos en las adversidades, ni sabía de qué se alimentaba en secreto su corazón, ni qué divinos sabores encontraba en rumiar tu pan. Pero él tampoco sabía nada de mis duras tempestades interiores ni de la gravedad del peligro en que me hallaba. Ni podía yo preguntarle las cosas que querría, pues me apartaba de él la multitud de quienes acudían a verlo con toda clase de asuntos y a quienes él atendía con gran servicialidad. Y el poco tiempo en que no estaba con la gente lo empleaba en

cuidar su cuerpo con el sustento necesario o en alimentar su mente con la lectura.

2. Cuando leía, sus ojos recorrían las páginas y su corazón entendía su mensaje, pero su voz y su lengua quedaban quietas. A menudo me hacía yo presente donde él leía, pues el acceso a él no estaba vedado ni era costumbre avisarle la llegada de los visitantes.

Yo permanecía largo rato sentado y en silencio: pues, ¿quién se atrevería a interrumpir la lectura de un hombre tan ocupado para echarle encima un peso más? Y después me retiraba, pensando que para él era precioso ese tiempo dedicado al cultivo de su espíritu lejos del barullo de los negocios ajenos y que no le gustaría ser distraído de su lectura a otras cosas. Y acaso también para evitar el apuro de tener que explicar a algún oyente atento y suspenso, si leía en alta voz, algún punto especialmente oscuro, teniendo así que discutir sobre cuestiones difíciles; con eso restaría tiempo al examen de las cuestiones que quería estudiar. Otra razón tenía además para leer en silencio: que fácilmente se le apagaba la voz. Mas cualquiera que haya sido su razón para leer en silencio, buena tenía que ser en un hombre como él.

3. Lo cierto es que yo no tenía manera de preguntarle lo que necesitaba saber a aquel santo oráculo tuyo sino cuando me podía brevemente atender; y para exponerle con la debida amplitud mis ardores y dificultades necesitaba buen tiempo y nunca lo tenía. Cada domingo lo escuchaba yo cuando exponía tan magistralmente ante el pueblo la palabra de verdad y cada vez crecía en mí la persuasión de que era posible

soltar el nudo de todas aquellas calumniosas dificultades que los maniqueos levantaban contra los Sagrados Libros.

4. Pero cuando llegué a comprobar que en el pensamiento de los hijos que tú engendraste en el seno de la Iglesia católica, tú creaste al hombre a tu imagen y semejanza pero tú mismo no quedabas contenido y terminado en la forma humana corporal y, aunque ni de lejos barruntaba yo lo tenue y enigmática que es la naturaleza de los seres espirituales, sin embargo, me avergoncé, lleno de felicidad, de haber por tantos años ladrado no contra la fe católica, sino contra meras ficciones de pensamiento carnal. Tan impío había yo sido, que en vez de buscar lo que tenía que aprender, lo había temerariamente negado. Porque tú eres al mismo tiempo inaccesible y próximo, secretísimo y cercano; no tienes partes ni mayores ni menores, pues en todas partes estás de manera total; ningún lugar te contiene y, ciertamente, no la forma corporal del hombre. Y sin embargo, tú hiciste al hombre a tu imagen y semejanza y, ¡él sí que está, de la cabeza a los pies, contenido en un lugar!

Capítulo 4

1. No sabiendo, pues, cómo podía subsistir esa imagen tuya, con gusto y temor habría yo pulsado la puerta de Ambrosio para preguntarle por sus motivos de creer lo que creía, sin ofenderlo con arrogante reproche por haber creído. Y el ansia por saber qué podía yo retener como cierto, me corroía las entrañas con fuerza tanto mayor cuanto más avergonzado me sentía de haber andado por tanto tiempo engañado

por ilusorias promesas de certeza y por haber pregonado con error y petulancia pueril tantas cosas inciertas como si fueran ciertas. Que eran falsas lo comprobé más tarde, pero entonces estaba ya seguro, cuando menos, que se trataba de cosas inciertas que yo había tenido por ciertas en aquel tiempo en que con ciega arrogancia acusaba a la Iglesia Católica; pues si bien es cierto que la Iglesia no se me aparecía aún como maestra de verdad, cuando menos nada enseñaba de cuanto a mí me parecía gravemente reprensible.

Con esto quedaba yo confuso y converso. Me alegraba sobremanera de que tu Iglesia única, Señor, el Cuerpo de tu Hijo único, en la cual se me infundió desde niño la reverencia al nombre de Cristo, nada supiera de aquellas banalidades ni admitiera en su doctrina la idea de que tú, el creador de todas las cosas, estuvieras circunscrito en un lugar del espacio, por sumo y amplio que fuera, ni terminado en los límites de la figura humana.

2. Me alegraba también de que los viejos escritos de la ley y los profetas no se me dieran a leer con mis antiguos ojos, que tantos absurdos veían en ellos cuando yo retrucaba a tus santos por errores que ellos nunca profesaron. Y grande era mi contento cuando oía frecuentemente a Ambrosio decir con énfasis y reiteración en sus sermones al pueblo que la letra mata y el espíritu vivifica (2 Cor 3,6). Así, descorriendo espiritualmente el velo místico, explicaba algunos pasajes de la Escritura que entendidos en forma estrictamente literal suenan a error, y al explicar de esta manera nada decía que pudiera molestarme aun cuando dijese cosas de cuya verdad no me constaba todavía. Y así, por miedo de precipitarme en

algún yerro, suspendía yo mi asentimiento, sin darme cuenta de que tal suspensión me estaba matando.

3. Quería yo tener de las cosas invisibles una certidumbre absoluta, como la de que siete más tres suman diez. Mi escepticismo no llegaba a la insania de tener por dudosas las proposiciones matemáticas, pero este mismo tipo de certeza era el que yo pedía para todo lo demás; lo mismo para los objetos materiales ausentes y por ello invisibles, como para los seres espirituales, que yo era incapaz de representarme sin una forma corpórea.

Yo no podía sanar sino creyendo; pues la vista de mi entendimiento, agudizada y purificada por la fe, podía de algún modo enderezarse hacia tu verdad. Esa verdad que siempre permanece y nunca viene a menos. Pero en ocasiones acontece que alguien, dolorido por la experiencia de algún mal, queda temeroso y se resiste a entregarse al bien. Ésta era entonces la situación de mi alma, que sólo creyendo podía ser curada, pero, por el miedo de exponerse a creer en algo errado, recusaba la curación y hacía resistencia a tu mano con la que tú preparaste la medicina de la fe y la derramaste sobre todas las enfermedades del mundo y pusiste en ella tan increíble eficacia.

Capítulo 5

1. Desde ese tiempo comencé a sentir preferencia por la doctrina católica también por otro motivo: porque en ella, sin falacia de ningún género se me mandaba creer con modestia en cosas que no se pueden demostrar, o porque se

resisten a toda demostración, o porque la demostración existe pero no está al alcance de todos. Los maniqueos, en cambio, se burlaban de la credulidad de la gente con temerarias promesas de conocimiento científico y en seguida pedían que creyéramos en las más absurdas fábulas diciendo que eran verdades indemostrables. Entonces tú, tratándome con mano suavísima y llena de misericordia, fuiste modelando poco a poco mi corazón. Me hiciste pensar en el enorme número de cosas que yo creía sin haberlas visto ni haber estado presente cuando sucedieron. ¡Cuántas cosas admitía yo por pura fe en la palabra de otros sobre cosas que pasaron en la historia de los pueblos, o lo que se me decía, sobre lugares y ciudades, y cuántas creía por la palabra de los médicos, o de mis amigos, o de otros hombres! Si no creyéramos así, la vida se nos haría imposible. Y, ¿cómo, si no por fe en lo que me decían podría yo tener la absoluta convicción de ser hijo de mis padres?

2. Me persuadiste de que no eran de reprender los que se apoyan en la autoridad de esos libros que tú has dado a tantos pueblos, sino más bien los que en ellos no creen; y de que no debía yo hacer caso de ellos si por ventura me dijeren: "¿De dónde sabes tú que esos libros fueron comunicados a los hombres por el verdadero y veraz Espíritu de Dios?". Porque en ese divino origen y en esa autoridad me pareció que debía yo creer, antes que nada, porque el ardor polémico de las calumniosas objeciones movidas por tantos filósofos como había yo leído y que se contradecían unos a otros no pudo jamás arrancar de mí la convicción de que tú existes, aunque yo no entienda cómo y de que en tus manos está el

gobierno de las cosas humanas. A veces lo creía con fuerza y otras con debilidad; pero siempre creía que existes y que diriges la marcha de las cosas del mundo, aunque no sabía qué es lo que se debe pensar de tu sustancia o de los caminos que llevan a ti o apartan de ti.

3. Por eso, siendo yo débil e incapaz de encontrar la verdad con las solas fuerzas de mi razón, comprendí que debía apoyarme en la autoridad de las Escrituras y que tú no habrías podido darle para todos los pueblos semejante autoridad si no quisieras que por ella te pudiéramos buscar y encontrar. En los últimos días había yo oído explicaciones muy plausibles sobre aquellas necias objeciones que antes me habían perturbado y me encontraba dispuesto a poner la oscuridad de ciertos pasos de la Escritura a la cuenta de la elevación de los misterios y, por eso mismo, tanto más venerable y digna de fe me parecía la Escritura, cuanto que por una parte, quedaba accesible a todos y por otra reservaba la comprensión de sus secretos a una interpretación más profunda. A todos está abierta con la simplicidad de sus palabras y la humildad de su estilo, con la cual ejercita, sin embargo, el entendimiento de los que no son superficiales de corazón; a todos recibe en su amplio regazo, pero a pocos encamina a ti por angostas rendijas. Pocos, que serían muchos menos si ella no tuviera tan alta autoridad ni atrajera a las multitudes al seno de su santa humildad.

Tú estabas a mi lado cuando pensaba yo todo esto; yo suspiraba y tú me oías; yo andaba fluctuando y tú me gobernabas, sin abandonarme cuando iba yo por el ancho camino de este mundo.

Capítulo 6

1. Ávido estaba yo entonces de honores y de ganancias; ardía por el matrimonio, pero tú te burlabas de mí. Con todas esas concupiscencias pasaba yo por amargas dificultades y tú me eras tanto más propicio cuanto que menos permitías que me fuera dulce lo que no eras tú. Ve mi corazón, Dios mío, que has querido que yo recordara todo esto para confesártelo. Adhiérase a ti mi alma, pues me sacaste de tan pegajoso y tenaz engrudo de muerte.

¡Cuán mísera era entonces mi alma! Y tú hacías todavía más punzante el dolor de mi herida para que dejándolo todo me convirtiera a ti, ser soberano sin el cual nada existiría y, para que convertido, quedara sano. Era pues yo bien miserable. ¡Y con qué violencia hiciste que sintiera mi miseria aquel día en que me preparaba yo a recitar un panegírico del emperador en el cual muchas mentiras iba a decir para ganarme el favor de quienes sabían que mentía! Con este anhelo pulsaba mi corazón, encendido en la fiebre de vanos pensamientos, cuando al pasar por una callejuela de Milán vi a un mendigo, borracho según creo, que lleno de jovialidad decía chistes. Al verlo se me escapó un gemido. Empecé a hablar con los amigos que me acompañaban sobre los pesados sinsabores que nos venían de nuestras locuras; pues con todos aquellos esfuerzos y cuidados como el que en ese momento me oprimía (pues estimulado por mis deseos iba cargando el fardo de mi infelicidad, que se aumentaba hasta la exageración) no buscábamos otra cosa que conseguir aquella descuidada alegría y que aquel mendigo había llegado ya a donde nosotros acaso no lograríamos nunca. Esa especie de felicidad temporal que él había logrado con unas pocas monedas habidas de limosna andaba yo buscando por largos rodeos y fragosos caminos.

2. Aunque, una alegría verdadera no la tenía, por cierto, aquel mendigo; pero yo, con todas mis ambiciones estaba aún más lejos que él de la verdadera alegría. Él estaba alegre cuando yo andaba ansioso; él se sentía seguro mientras yo temblaba. Y si alguien me hubiera preguntado entonces qué prefería yo, si estar alegre o estar triste, le habría respondido que estar alegre. Pero si de nuevo me interrogara sobre si querría yo ser como aquel mendigo o más bien ser lo que yo era y como era, le habría contestado que prefería ser yo mismo y como era, no obstante lo abrumado que me tenían mis muchos temores. Y en tal respuesta no habría habido verdad, sino sólo perversidad. No podía yo tenerme en más que él por el solo hecho de ser más docto, sino que me gozaba en agradar a los demás y lo que realmente me importaba no era enseñarles algo, sino tan sólo agradarles. Por eso me rompías tú los huesos con el duro báculo de tu disciplina.

¡Lejos pues de mí los que me dicen que es muy importante saber las causas de nuestra alegría! El mendigo aquel se alegraba por su borrachera, pero tú querías gozar de la gloria. Pero, ¿de qué gloria, Señor? Pues, de la que te negamos cuando buscamos la gloria fuera de ti. Porque así como la alegría de aquel beodo no era verdadera alegría, así tampoco era gloria verdadera la que andaba yo buscando con tan grande perturbación de mi espíritu. Aquel iba a digerir su vino aquella misma noche; yo en cambio iba a dormirme con mi ebriedad y a despertar con ella, para seguir así con ella durmiendo y despertando. Y esto, Señor, ¡por cuánto tiempo!

Con todo, es importante conocer cuál es la causa de nuestra alegría. Yo sé cuán grande es la diferencia que media entre la esperanza fiel y toda aquella vanidad. Pero esta distancia la había entre aquel beodo y yo. Más feliz que yo era él, no solamente porque podía expandirse en risas mientras a mí me desgarraba toda clase de cuidados, sino también porque él, con buena elección, había comprado su buen vino, mientras que yo buscaba una gloria vanidosa por medio de mentiras.

Muchas cosas dije entonces a mis amigos en esta línea de pensamiento y con frecuencia me preguntaba a mí mismo cómo me iba, sólo para tener que admitir que me iba mal; con esto me dolía y este dolor aumentaba mis males. Hasta el punto de que si algo próspero me venía al encuentro sentía fastidio de tenderle la mano, pues antes de yo tocarlo, se había desvanecido.

Capítulo 7

1. De todas estas miserias nos lamentábamos juntos los que vivíamos unidos por el lazo de la amistad; pero con mayor familiaridad que con otros hablaba yo con Alipio y con Nebridio. Alipio había nacido en la misma ciudad que yo, era un poco mayor que yo y sus padres eran principales en el municipio. Había estudiado conmigo en nuestra ciudad natal y más tarde en Cartago. Me quería mucho porque le parecía yo bueno y docto, y yo lo amaba a él por su buen natural y por una virtud que lo destacaba, a pesar de su juventud. Pero

la vorágine de las costumbres cartaginesas, en las cuales tanta importancia se daba a toda suerte de frivolidades, lo había absorbido con una insana afición por los juegos circenses. Mientras él se revolvía en aquella miseria tenía yo establecida ya mi escuela pública de Retórica, a la cual no asistía él a causa de ciertas diferencias que habían surgido entre su padre y yo. Bien comprobado tenía yo el pernicioso delirio que tenía él por los juegos del circo y yo sentía angustia de pensar que tan bellas esperanzas pudieran frustrarse en él, si acaso no estaban ya del todo frustradas. Pero no tenía manera de amonestarlo o de ejercer sobre él alguna presión para sacarlo de aquello, ni por el afecto de la amistad ni por el prestigio de mi magisterio.

Creía yo que él pensaba de mí lo mismo que su padre, pero en realidad no era así y por eso, pasando por encima de la voluntad de su padre, comenzó a saludarme y a visitar mi clase; escuchaba un poco y luego se marchaba. Ya para entonces se me había olvidado mi propósito de hablar con él para exhortarlo a no desperdiciar su buen ingenio con aquel ciego y turbulento amor por los espectáculos.

2. Pero tú, Señor, que presides el destino de todo cuanto creaste, no te habías olvidado de quien iba a ser más tarde entre tus hijos ministro de tus sagrados misterios. Y para que su corrección no pudiera atribuirse a nadie sino a ti, quisiste valerte de mí para conseguirla, pero no sabiéndolo yo. Sucedió pues, cierto día que estando yo sentado en el lugar de costumbre y rodeado de mis discípulos llegó él, saludó y se sentó poniendo toda su atención en lo que se estaba tratando. Y dio la casualidad de que tuviera yo entre las manos

un texto para cuya explicación en forma clara y amena me pareció oportuno establecer un símil con los juegos circenses y me valí de expresiones mordaces y sarcásticas sobre los que padecen la locura del circo. Bien sabes tú, Señor, que al hacerlo, para nada pensaba en la corrección de Alipio ni en librarlo de aquella peste; pero él se lo apropió todo inmediatamente, creyendo que por nadie lo decía yo sino por él y lo que otro habría tomado como razón para irritarse conmigo lo tomó, joven honesto como era, como motivo de enojarse consigo mismo y de amarme más a mí. Bien lo habías tú dicho mucho antes y consignado en tus Escrituras: Reprende al sabio y te amará por ello (Prov 9, 8).

Yo, empero, no lo había reprendido. Pero tú te vales de todos, sabiéndolo ellos o no, según el orden justísimo que tienes establecido. De mi corazón y de mi lengua sacaste carbones ardiendo para cauterizar y sanar aquella mente que estaba enferma, pero también llena de juventud y de esperanzas. Que nadie se atreva a cantar tus loores si no considera tus misericordias como lo hago yo ahora, confesándotelo todo desde lo hondo de mis entrañas.

Así pues, al oír mis palabras se arrancó Alipio con fuerza de aquella fosa profunda en la cual con tanta complacencia se había ido hundiendo cegado por un miserable placer; con temperante energía sacudió de su ánimo las bajezas del circo y nunca se lo vio más por allí. Después venció la resistencia de su padre y obtuvo su consentimiento para alistarse entre mis discípulos y con ello se vio envuelto en la misma superstición que yo, pues le gustaba la ostentación de austeridad que hacían los maniqueos, que tenía por sincera. Pero no había tal. Era un error que seducía almas preciosas pero inexpertas de la virtud y fáciles de engañar por apariencias superficiales de una virtud simulada y no real.

Capítulo 8

1. Alipio, siguiendo el camino de los honores de la tierra que tanto le habían ponderado sus padres, me precedió en el viaje a Roma, a donde fue para aprender el Derecho. Allí recayó de la manera más increíble en el increíble frenesí de los espectáculos de gladiadores. Pues, como manifestara su aversión y detestación por aquellos espectáculos, algunos entre sus amigos y condiscípulos a quienes encontró cuando ellos regresaban de una comilona, con amistosa violencia vencieron su vehemente repugnancia y lo llevaron al anfiteatro en días en que se celebraban aquellos juegos crueles y funestos. Alipio les decía: "Aunque llevéis mi cuerpo y lo pongáis allí no podréis llevar también mi alma, ni lograr que mis ojos vean semejantes espectáculos. Estaré allí, si me lleváis, pero ausente y así triunfaré sobre ellos y también sobre ustedes". Mayor empeño pusieron ellos en llevarlo, acaso con la curiosidad de saber si iba a ser capaz de cumplir su palabra.

2. Alipio les mandó entonces a sus ojos que se cerraran y a su espíritu que no consintiera en tamaña perversidad; pero por desgracia no se tapó también los oídos; porque en el momento de la caída de un luchador fue tal el bramido de todo el anfiteatro que Alipio, vencido por la curiosidad y creyendo que podía vencer y despreciar lo que viera, abrió los ojos y con esto recibió en el alma una herida más grave

que la que en su cuerpo había recibido el luchador cuya caída desatara aquel clamor que a Alipio le entró por los oídos y lo forzó a abrir los ojos para ver lo que lo iba a deprimir y dañar. Su ánimo tenía más audacia que fortaleza y era tanto más débil cuanto más había presumido de sus propias fuerzas en vez de contar sobre las tuyas. Y así aconteció que al ver aquella sangre bebió con ella la crueldad y no apartó la vista, sino que más clavó los ojos; estaba bebiendo furias y no caía en la cuenta; se gozaba con la ferocidad de la lucha y se iba poco a poco embriagando de sangriento placer. Ya no era el que era antes de llegar al circo, sino uno de tantos en aquella turba y auténtico compañero de los que lo habían llevado allí. ¿Para qué decir más? Alipio vio, gritó, se enardeció y de todo ello sacó una locura por volver al circo no sólo con los que a él lo habían llevado, sino también sin ellos y llevando él mismo a otros.

Y de esto, sin embargo, con mano fortísima y misericordiosa lo liberaste tú y le enseñaste a no confiar en sus propias fuerzas sino solamente en las tuyas. Pero esto fue mucho después.

Capítulo 9

1. El recuerdo de esta experiencia le quedó en la memoria como medicina para lo porvenir. Cuando ya asistía él a mis clases en Cartago sucedió que en cierta ocasión, a mediodía, ensayaba él en el foro lo que luego tenía que recitar, al modo como suelen hacerlo los estudiantes. Entonces permitiste tú que fuera aprehendido por los guardianes del foro como

ladrón y pienso que tu motivo para permitirlo fue el de que un hombre que tan grande iba a ser en tiempos posteriores comenzara a aprender que un juez no siempre puede en un litigio juzgar con facilidad y que un hombre no ha de ser condenado por otro con temeraria credulidad.

Es el caso que cierto día se paseaba él solo delante de los tribunales con su punzón y sus tablillas cuando un jovenzuelo de entre los estudiantes, que era un verdadero ladrón, entró sin ser visto por Alipio hasta los canceles de plomo que dominan la calle de los banqueros; llevaba escondida un hacha y con ella comenzó a cortar el plomo. Al oír el ruido de los golpes, los banqueros que estaban debajo comenzaron a agitarse y mandaron a los guardias con la orden de aprehender al que encontrasen. El ladronzuelo al oír las voces huyó rápidamente dejando olvidado su instrumento para que no lo pillaran con él en la mano.

2. Pero Alipio, que no lo había visto entrar pero sí salir y escapar rápidamente y, queriendo averiguar de qué se trataba, entró al lugar y encontrando el hacha la tomó en la mano y la estaba examinando. En esto llegan los guardias y lo encuentran a él sólo con el hacha en la mano. Lo detienen pues, y se lo llevan pasando por en medio de la gente que había en el foro y que se había aglomerado, para entregarlo a los jueces como ladrón atrapado en flagrante delito. Pero hasta aquí llegó y de aquí no pasó la lección que querías darle y saliste a la defensa de una inocencia cuyo único testigo eras tú. Porque mientras se lo llevaban a la cárcel o al suplicio, les vino al encuentro un arquitecto que tenía a su cargo la alta vigilancia sobre los edificios públicos. Se alegraron ellos del

encuentro, pues él solía sospechar que fueran ellos mismos los que se robaban lo que desaparecía del foro: ahora, pensaban, iba a saber por sí mismo quién era el ladrón.

3. Pero el arquitecto conocía a Alipio por haberlo encontrado varias veces en la casa de cierto senador que él visitaba con frecuencia. Lo reconoció al instante, le tendió la mano y lo sacó de entre la multitud. Se puso a investigar la razón del incidente y, cuando Alipio le hubo dicho lo acontecido, mandó a todos los que estaban gritando y amenazando con furia que lo acompañaran a la casa del muchacho que había cometido el delito. A la puerta de la casa estaba un chiquillo muy pequeño, que ningún daño podía temer de su amo si lo decía todo y él había estado con el delincuente en el foro.

Alipio lo reconoció luego y se lo indicó al arquitecto y éste, mostrándole el hacha, le preguntó al chiquillo de quién era. "Es nuestra", le contestó éste y sometido a interrogatorio, contó todo el resto. De esta manera se transfirió la causa a aquella familia y fueron confundidas las turbas que ya creían haber triunfado sobre un futuro dispensador de tus miembros, que había más tarde de examinar muchas causas en tu Iglesia. De este caso salió el futuro juez instruido y con una preciosa experiencia.

Capítulo 10

1. Lo había yo pues encontrado en Roma y se adhirió a mí con fortísimo vínculo y se fue conmigo a Milán, pues no quería abandonarme y, además, para ejercer un poco el Derecho que había aprendido más por deseo de sus padres

que por su propio deseo. Después de esto había llegado a ejercer el cargo de consiliario con una integridad que a todos admiraba y les servía de ejemplo, pues manifestaba suma extrañeza por los magistrados que estimaban más el dinero que la inocencia. También fue sometido a prueba su carácter, no sólo con los atractivos de la sensualidad, sino también por la presión del terror.

2. Alipio asesoraba entonces en Roma al administrador de los bienes imperiales. Y sucedió que había allí un senador muy poderoso que tenía sometidos a muchos o por hacerles beneficios o por la intimidación. Este señor confiando en su fuerza política pretendió una vez salirse con algo que estaba prohibido por la ley y Alipio lo resistió. Se le hicieron promesas, pero las desechó con una sonrisa; le hicieron amenazas, pero él las despreció con gran admiración de todos, pues nadie estaba acostumbrado a ver semejante energía para enfrentarse a un hombre que se había hecho célebre por la fuerza que hacía a la gente y los grandes recursos con que contaba para favorecer o perjudicar; les parecía increíble que alguien ni quisiera ser amigo ni temiera ser enemigo de un hombre tan poderoso. El juez mismo de quien Alipio era consejero no quería plegarse a las demandas del senador, pero tampoco quería oponerse abiertamente; así que se descargó en Alipio, diciendo que no lo dejaba obrar. Lo cual, además, era cierto, pues de haber cedido el juez, Alipio habría dimitido.

Una sola tentación tuvo que combatir y fue la que le vino de su afición a las letras; pues de haber cedido a las demandas del senador, con la paga que éste le ofrecía, se habría podido procurar ciertos códices que deseaba poseer. Pero atendió a la justicia y rechazó la idea; pensaba que a la postre más útil le era la justicia que le cerraba el paso que no la influencia de un poderoso que todo se lo permitía.

Poca cosa era eso; pero el que es fiel en lo poco lo será también en lo mucho (Lc 16,10); y nunca será vana la palabra de verdad que nos vino de ti cuando dijiste: "Si no fueron fieles con la riqueza mal habida ¿quién les encomendará la riqueza verdadera? Y si no fueron fieles con lo ajeno, ¿quién les dará lo que es de ustedes?" (Lc 16,11-12).

Así era entonces Alipio, unido a mí por estrechísima amistad. Ambos estábamos en la perplejidad y ambos nos preguntábamos qué género de vida teníamos que llevar.

Nebridio, por su parte, había dejado su ciudad natal, cercana a Cartago, y a Cartago misma, que con frecuencia solía visitar; había dejado también su casa y renunciado a la herencia de un magnífico campo de su padre. Su madre no quiso seguirlo cuando él se vino a Milán no por otra razón, sino porque quería vivir conmigo en el mismo fervoroso empeño por alcanzar la verdad y la sabiduría. Nebridio participaba en nuestras vacilaciones y, ardoroso como era y escrutador acérrimo de las cuestiones más difíciles, suspiraba con nosotros por la consecución de una vida feliz. Éramos tres indigentes con la boca llena de hambre, que mutuamente se comunicaban su pobreza y sus anhelos, en la esperanza de que tú les dieras el alimento en el tiempo oportuno (Sal 144,15). Y en medio de la amargura que por misericordia tuya se producía de nuestra mundana manera de vivir, cuando considerábamos el fin que con todo ello nos proponíamos se abatían sobre nosotros las tinieblas. Nos volvíamos gimiendo hacia otra parte y decíamos: "¿Cuánto durará todo esto?". Así decíamos con mucha frecuencia; pero por mucho que lo dijéramos no nos resolvíamos a dejar nuestro modo de vida, pues no alcanzábamos a ver una luz cierta que dejándolo todo pudiéramos seguir.

Capítulo 11

1. Me asombraba considerando el largo tiempo transcurrido desde que yo, a los diecinueve años, con tanto ardor había comenzado el estudio de la sabiduría con el propósito firme, si la encontraba, de abandonar a las falaces esperanzas y a la mentida locura de los falsos placeres. Y ya andaba en los treinta años ahora y no salía del lodazal.

Desde mis diecinueve años estaba yo entregado al goce de los bienes del momento presente, que se me escurrían entre las manos dejándome distraído y disperso. Y yo me decía: "Mañana la tendré, mañana se me aparecerá y me abrazaré a ella, mañana llegará Fausto y me lo explicará todo". ¡Oh, varones ilustres de la Academia que decís que ninguna certidumbre podemos alcanzar para dirigir la vida! Pero no. Debemos, bien al contrario, buscar con mayor diligencia y sin desesperar. Ya no me parecen absurdas en los libros eclesiásticos las cosas que antes me lo parecían y que pueden ser entendidas con toda honradez de otra manera. Asentaré entonces mis pies en el paso en que de niño me pusieron mis padres, en espera de que la verdad se me haga ver claramente.

2. "Pero, ¿dónde y cuándo buscar la verdad? Ambrosio no tiene tiempo y yo no tengo facilidades para leer. ¿En dónde podría yo conseguir los códices, en dónde comprar-

los o a quién pedirlos prestados? Y será, además, preciso determinar un tiempo y señalar horas fijas para dedicarlas a la salud de mi alma."

Todo esto me decía, pues se había levantado en mi alma una gran esperanza desde el momento en que comprobé que la fe católica no afirma los errores de que vanamente la acusábamos. Sus doctores reprueban resueltamente la idea de que Dios tenga figura corporal de hombre y que en ella se termine. ¿Cómo dudar entonces de que inquiriendo más las demás puertas también se me tenían que abrir? Y me decía para mí mismo: "Las horas de la mañana me las ocupan los estudiantes y no me quedan para el estudio de la verdad sino las horas de la tarde. Pero, por otra parte, sólo por la tarde puedo saludar a mis amigos y visitar a las personas importantes cuya ayuda necesito, y sólo por las tardes puedo preparar los trabajos que me compran mis alumnos. Además, sólo por las tardes puedo reparar mis fuerzas descansando de la tensión de mis preocupaciones".

Así me hablaba a mí mismo. Pero decidí que no. Me dije: "Que todo se pierda, si se ha de perder; pero tengo que dejar todas estas vanidades para consagrarme al estudio de la verdad. Esta vida es miserable, la muerte es algo incierto; si se me viene encima de repente, ¿cómo saldré de todo esto y en dónde aprenderé lo que no aprendí en esta vida? ¿No tendría yo que pagar por semejante negligencia? ¿Y qué, si la muerte da fin a todos nuestros cuidados amputándonos el sentimiento? Todo esto lo tengo que averiguar. Pero no es posible semejante anulación, pues las cosas, tantas y tan grandes que Dios ha hecho por nosotros no las habría hecho si con la muerte del cuerpo viniera también la aniquilación del alma; ni es cosa vana y sin sentido la gran autoridad del cristianismo por todo el mundo. ¿De dónde me viene pues esta vacilación para dejar de lado las esperanzas del mundo y consagrarme a la búsqueda de Dios y de la vida feliz?".

3. "Pero, aguarda: todas estas cosas mundanas son agradables y tienen su encanto; no sería prudente cortarlas con precipitación, ya que existe el peligro de tener que volver vergonzosamente a ellas. No me sería difícil conseguir algún puesto honorable y más cosas que pudiera desear; tengo muchos amigos influyentes que podrían fácilmente conseguirme una presidencia. Podría yo también casarme con una mujer que tuviera algún patrimonio, para que no me fuera gravosa con sus gastos y con esto tendría satisfechos todos mis deseos. Hay, además, muchos varones grandes y dignos de imitación, que no obstante vivir casados han podido consagrarse a la sabiduría".

4. Mientras todas estas razones revolvía yo en mi mente con muchos cambios de viento que empujaban mi corazón de aquí para allá, dejaba pasar el tiempo y difería mi conversión. Dejaba siempre para mañana el vivir en ti y esta dilación no me impedía morir en mí mismo un poco cada día. Deseando la vida feliz, tenía miedo de hallarla en su propia sede y huía de ella mientras la buscaba. Pensaba que sin los abrazos de una mujer sería yo bien miserable pues para nada pensaba, por no haberla experimentado, en la medicina de tu misericordia para sanar la enfermedad de la concupiscencia. Tenía la idea de que la continencia es posible naturalmente

para quien tiene fuerza de carácter y yo no tenía la menor conciencia de poseerla. En mi necedad, ignoraba yo que tú habías dicho: "Nadie puede ser continente si tú no se lo concedes" (Sab 8,21). Y la continencia me la habrías ciertamente concedido de pulsar yo con gemidos interiores la puerta de tus oídos, arrojando en ti, con sólida fe, todos mis cuidados.

Capítulo 12

1. Alipio me disuadía de tomar mujer. Pensaba que la vida del matrimonio no era compatible con una tranquila seguridad en el amor de la sabiduría, que era el ideal que nos habíamos propuesto. Es de notar que entonces era Alipio de una castidad admirable. Había ciertamente tenido en su adolescencia conocimiento de lo que es la unión carnal, pero no se había quedado ahí, sino que más bien se había dolido de ello; la había menospreciado y había vivido desde entonces en estricta continencia. Pero yo le contradecía, alegando el ejemplo de hombres casados que habían merecido favores de Dios, se comportaban con fidelidad y amaban a sus amigos. Muy lejos andaba yo de tal grandeza de ánimo. Esclavizado por el morbo de la carne y sus mortíferas suavidades arrastraba mis cadenas con mucho miedo de romperlas y, así como una herida muy maltratada rehúsa la mano que la cura, así yo rechazaba las palabras del buen consejero que quería soltar mis cadenas.

2. Pero además, la serpiente le hablaba a Alipio por mi medio; por mi boca le presentaba y sembraba en su camino lazos agradables en los que pudieran enredarse sus pies ho-

nestos y libres. Porque él se asombraba de que yo, a quien en tanta estima tenía, estuviera tan preso en el engrudo de los torpes placeres y, que cuantas veces tocábamos el tema, le dijera que no me era posible vivir en el celibato. Le asombraba el que yo me defendiera de su extrañeza afirmando que no había comparación posible entre su experiencia y la mía. La suya, decía yo, había sido furtiva, no continuada y, por eso no la recordaba ya bien y podía condenarla con tanta facilidad; la mía, en cambio, era una recia costumbre del deleite y si se legalizaba con el honesto nombre de matrimonio, debía serle comprensible que no desdeñara yo ese género de vida.

Entonces comenzó él mismo a desear el matrimonio no vencido por la lujuria, sino por mera curiosidad. Decía tener vivo deseo de saber qué podía ser aquello sin lo cual mi vida, para él tan estimable, para mí no era vida, sino condena.

3. Libre como era, sentía una especie de estupor ante las ataduras de mi esclavitud y por esta admiración iba entrando en él el deseo de conocer por sí mismo una experiencia que de haberla él tenido habría acaso dado con él en la misma servidumbre en que yo estaba; pues quería también él hacer un pacto con la muerte y el que ama el peligro en él perecerá (Ecli 3,26). Ni él ni yo le concedíamos real importancia a lo que hace la dignidad del matrimonio, que es la compostura de la vida y la procreación de los hijos. A mí, en mi esclavitud, me atormentaba con violencia la costumbre de saciar una concupiscencia insaciable; a él lo arrastraba hacia el mal aquella su admiración por mí. Y así fuimos, hasta que tú, ¡oh, Señor Altísimo!, tuviste misericordia de nuestra miseria y por admirable manera viniste a socorrernos.

Capítulo 13

1. Muy vivas instancias se me hacían para que tomase mujer. La pedía yo y me la prometían. De esto se ocupaba sobre todo mi madre, que veía en mi matrimonio una preparación para el bautismo saludable. Sentía con gozo que estaba yo cada día mejor dispuesto para él y esperaba que llegado yo a la fe se cumplirían sus votos y las promesas que tú le habías hecho. Y un día, por mis ruegos y por su propio vivo deseo te pidió con clamores del corazón que le indicaras algo en sueños sobre mi futuro matrimonio, pero tú no quisiste.

2. Algunas visiones tenía, vanas y fantásticas como las que suele engendrar por su propio ímpetu el espíritu del hombre y me contaba estos sueños, pero no con la confianza con que solía cuando tú le mostrabas las cosas. Y yo no le hacía caso. Me decía que podía discernir, por no sé qué misterioso sabor imposible de explicar, la diferencia entre sus revelaciones y sus propios sueños. De todas maneras, seguía ella en su insistencia y hasta llegó a pedir para mí a una doncellita dos años menor de lo necesario para casarse; era muy agradable y esperábamos que creciera hasta llegar a la edad núbil, para casarme con ella.

Capítulo 14

1. Habíamos discutido con frecuencia en un grupo de amigos sobre lo molesta y detestable que era aquella vida turbulenta y revolvíamos en el ánimo el proyecto de alejarnos de la multitud para llevar en la soledad una vida tranquila y fecunda. Habíamos pensado contribuir con lo que cada uno

tuviera para formar con lo de todos un patrimonio común, de modo que por nuestra sincera amistad no hubiera entre nosotros *tuyo y mío*, sino que todo fuera de todos y de cada uno. Hasta diez personas podíamos asociarnos en esta compañía y entre nosotros los había que eran bien ricos; especialmente Romaniano, paisano mío y amigo desde la infancia, que por asunto de sus negocios había venido a la corte. Él era el más entusiasta y su insistencia tenía gran autoridad precisamente porque su fortuna superaba la de los otros.

2. También teníamos planeado que dos de entre nosotros se turnaran cada año, como lo hacen los magistrados, en el cuidado de lo necesario al bien común, para que los otros pudieran estar quietos y descuidados. Pero en un momento dado nos tuvimos que preguntar si tal proyecto nos lo iban a permitir las mujeres; pues algunos ya tenían la suya y yo esperaba tener la mía. Entonces todo el proyecto se nos deshizo entre las manos, se vino por tierra y fue desechado. Y con esto volvimos al gemido y al suspiro. Volvieron nuestros pasos a transitar los trillados caminos del mundo. En nuestros corazones iban y venían los pensamientos, al paso que tu consejo permanece eternamente (Sal 32,11). En tu consejo te reías de lo nuestro y preparabas lo tuyo, pues nos ibas a dar el alimento en el tiempo oportuno, abriendo tu mano para llenar nuestras almas de bendición.

Capítulo 15

Mientras tanto, mis pecados se multiplicaban. Cuando se retiró de mi lado aquella mujer con la cual acostumbraba dormir y a la cual estaba yo profundamente apegado, mi corazón quedó hecho trizas y chorreando sangre. Ella había regresado a África no sin antes hacerte el voto de no conocer a ningún otro hombre y dejándome un hijo natural que de mí había concebido. Y yo, infeliz, no siendo capaz de imitar a esta mujer e impaciente de la dilación, pues tenía que esperar dos años para poderme casar con la esposa prometida y, no siendo amante del matrimonio mismo, sino sólo esclavo de la sensualidad, me procuré otra mujer. No como esposa ciertamente, sino para fomentar y prolongar la enfermedad de mi alma, sirviéndome de sostén en mi mala costumbre mientras llegaba el deseado matrimonio. Pero con esta mujer no se curaba la herida causada por la separación de la primera; sino que pasada la fiebre del primero y áspero sufrimiento, la herida se exasperaba, más me dolía. Y este dolor era un dolor seco y desesperado.

Capítulo 16

1. A ti la alabanza y la gloria, ¡oh Dios, fuente de las misericordias! Yo me hacía cada vez más miserable y tú te me hacías más cercano. Tu mano estaba pronta a sacarme del cieno y lavarme, pero yo no lo sabía. Lo único que me estorbaba hundirme todavía más en la ciénaga de los placeres carnales era el temor a la muerte y a tu juicio después de ella, que nunca, no obstante la volubilidad de mis opiniones, llegué a perder. Y conversaba con Alipio y Nebridio, mis amigos, sobre los confines del bien y del mal, y en mi ánimo le hubiera dado la palma a Epicuro si no creyera lo que él nunca quiso admitir, que muerto el cuerpo, el alma sigue viviendo.

2. Y me decía a mí mismo: "Si fuéramos inmortales y viviéramos en una continua fiesta de placeres carnales sin temor de perderlos, ¿no seríamos, acaso, felices? ¿Qué otra cosa podríamos buscar?". Ignoraba yo que pensar de este modo era mi mayor miseria. Ciego y hundido, no podía concebir la luz de la honestidad y la belleza que no se ven con el ojo carnal sino solamente con la mirada interior. Ni consideraba, mísero de mí, de qué fuente manaba el contento con que conversaba con mis amigos aun sobre cosas sórdidas; ni que me era imposible vivir feliz sin amigos, ni siquiera en el sentido de abundancia carnal que la felicidad tenía entonces para mí. Pues a estos amigos los amaba yo sin sombra de interés y sentía que de este modo me amaban también ellos a mí.

3. ¡Oh, tortuosos caminos! ¡Desdichada el alma temeraria que se imaginó que alejándose de ti puede conseguir algo mejor! Se vuelve y se revuelve de un lado para otro, hacia la espalda y boca abajo y todo le es duro, pues la única paz eres tú. Y tú estás ahí, para librarnos de nuestros desvaríos y hacernos volver a tu camino; nos consuelas y nos dices: ¡Vamos! ¡Yo los aliviaré de peso, los conduciré hasta el fin y allí los liberaré!

Libro VII

LIBRO VII

Capítulo 1

1. Muerta ya mi mala y perversa adolescencia, entraba yo en la juventud. Estaba ya por los treinta y un años pero al crecer mi edad crecía al parejo mi vanidad, pues no podía concebir que existiera lo que no nos entra por los ojos. Es cierto, mi Señor, que no te pensaba concreto en una figura humana desde el día en que comencé a oír hablar de la sabiduría. Tal idea me repugnó siempre y mucho me alegré al enterarme de que igualmente la rechazaba la fe espiritual de nuestra santa Madre la Iglesia Católica; pero de todos modos, no se me ocurría cómo poder pensarte de otra manera. Te seguía pensando como a hombre; aunque un hombre tal, que al mismo tiempo fuera Él solo, soberano y verdadero Dios. Creía también y con todas mis fuerzas que Dios es incorruptible, inviolable e inmutable; porque sin saber cómo ni por dónde, bien claro veía y por cierto tenía que lo corruptible es inferior a lo incorruptible; que lo inviolable es superior a lo que puede ser violado y lo inmutable, superior a lo que se puede mudar. Mi corazón clamaba con violencia contra todos mis fantasmas.

2. Habría querido con un solo golpe de la mano ahuyentar de mi alma toda aquella turba volátil de imágenes inmundas; pero apenas ahuyentada volvía a la carga, aumen-

tada todavía y me obnubilaba la vista y así, aun cuando no te atribuía una figura humana, me sentía forzado a pensarte corpóreo, presente en los lugares, difundido en el mundo, por todo lo infinito, dentro y fuera del mundo. Sólo así podría yo concebir lo incorruptible, lo inviolable, lo inmutable que tan por encima ponía de todo lo que se corrompe, es violado o se muda. Y todo cuanto imaginara yo privado de esta situación en el espacio me parecía ser nada. Como si un cuerpo se retirara de un lugar y éste quedara vacío de todo lo que es terreno, aéreo, húmedo o celeste, la nada absoluta; algo tan absurdo como una nada que ocupara un lugar.

3. Así yo, embotado y lerdo de corazón y confuso para mí mismo, pensaba que no podía ser algo real lo que no se extendiera en algún espacio o se difundiera o se hinchara en él; lo que no fuera capaz de contener alguna cosa o ser contenido en otra cosa. Mi mente iba siguiendo las imágenes de las formas que veían mis ojos y no comprendía que la actividad interior con la cual formaba yo esas imágenes no era como ellas, cosa vana, ni podría formarlas si no fuera ella misma algo real. Así pensaba yo pues, que tú, vida mía, eras algo muy grande que por infinitos espacios penetraba la mole toda del mundo y se extendía mucho más allá, en todas direcciones, por manera que estabas presente en la tierra, presente en el cielo, presente en todo y todo se terminaba en ti y tú mismo no tenías término.

4. A la manera como el aire que hay sobre la tierra no es obstáculo para la luz del sol, pues ésta lo atraviesa y lo penetra sin rasgarlo ni despedazarlo, sino llenándolo todo, así pensaba yo que era penetrable la masa del cielo, del aire, del

mar y aun de la tierra sólida; penetrable en todas sus partes, máximas y mínimas, para recibir tu presencia y que es tu presencia la que con oculta inspiración gobierna por fuera y dirige por dentro a todo cuanto creaste. Falsa era esta idea, pero no podía entonces tener otra.

Según ella, la parte mayor de la tierra tomaba una parte mayor de ti y la parte menor, una menor y de tal manera estarían las cosas llenas de ti, que más presencia tuya hubiera en el voluminoso cuerpo del elefante que en el diminuto de los pajaritos, teniendo así tu presencia que ocupar más o menos lugar. Con el resultado de que tú dividirías tu presencia en fragmentos; unos grandes para los cuerpos grandes y otros pequeños para los cuerpos pequeños.

Ahora bien, esto no es así. Pero tú no habías iluminado aun mis cerradas tinieblas.

Capítulo 2

1. Suficiente para mí contra aquellos engañados engañadores, contra aquellos mudos parlanchines (mudos porque en su boca no sonaba tu palabra) suficiente era, digo, aquel argumento que Nebridio solía proponer desde mucho antes, cuando vivíamos aún en Cartago y que tan gran impresión había causado en todos nosotros. Pues, ¿qué podía hacerte no sé qué gente salida de las tinieblas, que según los maniqueos era contraria a ti, si tú no quisieras pelear con ella? Pues si se dijera que en algo te podía hacer daño, tú serías violable y corruptible, y si se dijera que ningún daño te podría hacer, no tendrías tú entonces el menor motivo para luchar con ella. Y esto, con un tipo de lucha en que

una parte de ti o miembro tuyo, o prole nacida de tu misma sustancia se mezclara con las potencias adversas y con naturalezas no creadas por ti, que las corromperían mudándolas en algo inferior; con lo cual se trocaba la felicidad en miseria y quedaba una necesidad de auxilio y purificación. Y decían que nuestra alma no es sino esa parte de ti, manchada y miserable y que tu Verbo tenía que venir a socorrerla: el libre a la esclava, el puro a la manchada, el íntegro a la corrompida; pero siendo él mismo corruptible, pues era de la misma sustancia que ella.

2. Entonces: si de tu sustancia sea ella lo que fuere, se dice que es incorruptible, con esto sólo aparecen falsas y execrables las afirmaciones de los maniqueos y si se dice que es corruptible, al punto se ve claro que esto es falso y abominable. Este argumento de Nebridio era por sí solo suficiente para vomitar de los oprimidos corazones aquella falsa doctrina; pues no tenían sus doctores una salida que no fuera sacrilegio del corazón y de la lengua, cuando tales cosas decían de ti.

Capítulo 3

1. Es cierto que con toda firmeza creía yo que tú, Señor y creador de nuestras almas, de nuestros cuerpos y de todo cuanto existe, eras incontaminable e invariable y en ninguna manera mudable; pero, fuese lo que fuese, no creía tener que investigar la naturaleza del mal en forma que me viera forzado a tener como mudable al Dios inmutable; para no convertirme yo mismo en el mal que investigaba. Mi inves-

tigación se basaba en la absoluta seguridad de que era falso lo que decían aquellos de los que con toda su fuerza huía mi ánimo, pues los veía llenos de malicia mientras investigaban la naturaleza del mal; pues creían que tu sustancia era más capaz de padecer el mal que no ellos de cometerlo. Ponía pues todo mi empeño en comprender lo que oía decir a algunos, que en el libre albedrío de la voluntad humana está la causa de que hagamos el mal y que cuando lo padecemos es por la rectitud de tus juicios. Sin embargo, no conseguía ver esto con entera claridad.

2. Con este esfuerzo por sacar mi alma de la fosa, me hundía en ella y mientras más batallaba, más me hundía. Me levantaba ya un poco hacia tu luz el hecho de que tenía clara conciencia de poseer una voluntad, lo mismo que la tenía de estar vivo. Entonces, cuando yo quería algo o no lo quería, seguro estaba yo de que no había en mí otra cosa que esta voluntad y con esto advertía ya claramente que la causa del mal estaba en mí. Y cuando, arrastrado por la pasión, hacía algo contra mi propia voluntad, tenía la clara impresión de que más que hacerlo lo padecía y que en ello había más que una culpa, una pena; y siendo tú justo, convenía que esa pena no fuera injusta.

3. Pero me volvía con insistencia el pensamiento: ¿quién me hizo? ¿No fue mi Dios, que no sólo es bueno, sino que es el Bien? ¿De dónde pues me viene este querer el mal y no querer el bien, de manera que tenga que ser castigado? Si todo yo procedo de un Dios de dulzura, ¿quién fue el que puso y plantó en mí semillas de amargura? Si fue el diablo quien lo hizo, ¿quién hizo al diablo? Y si él, de ángel bueno se convirtió

en demonio por obra de su mala voluntad, ¿de dónde le vino a él esa voluntad mala que lo convirtió en demonio cuando todo él, como ángel, salió bueno de la mano de Dios?

Toda esta confusión de pensamientos agitaba mi alma, me deprimía y me dejaba sofocado. Pero nunca llegué a hundirme en aquel infierno de error en que el hombre no te confiesa y prefiere pensar que tú padeces el mal, antes que admitir que es el hombre quien lo comete.

Capítulo 4

1. Me fatigaba por descubrir las demás verdades con el mismo empeño con que había descubierto ya que es mejor lo incorruptible que lo corruptible; por lo cual pensaba que tú, fueras lo que fueras, tenías que ser incorruptible. No existe ni puede existir quien piense que hay algo más excelente que tú, pues eres el sumo bien. Y como es del todo cierto y segurísimo que lo incorruptible es mejor que lo corruptible, es evidente que si fueras corruptible éste era el punto preciso en que te debía buscar, y colegir de eso luego de dónde puede proceder el mal. Es decir, de dónde provenga la corrupción que, ciertamente, de ti no puede venir.

2. Es pues imposible que la corrupción pueda de alguna manera alcanzar a nuestro Dios; por ninguna voluntad, por ninguna necesidad, por ningún caso imprevisto. Porque Él es Dios y lo que para sí mismo quiere, bueno es. Ni puede verse sin su poder y sólo sería mayor si fuera posible que Dios fuera mayor que Él mismo, ya que la voluntad y el poder de Dios son Dios mismo. ¿Y qué puede tomarte de improviso a

ti, que todo lo sabes; a ti, que conociendo las cosas las pusiste en el ser? Y después de todo: ¿para qué tantas palabras para demostrar la incorruptibilidad de la sustancia de Dios, si es del todo evidente que si fuera corruptible no sería Dios?

Capítulo 5

1. Buscaba pues yo de dónde viene el mal, pero no buscaba bien y no veía lo que de malo había en mi búsqueda. En mi mente me representaba la creación entera y cuanto en ella podemos ver: la tierra, el mar, el aire, los astros, los árboles y los animales; me representaba también lo que no se ve, como el espacio sin fin, los ángeles y todo lo que tienen de espiritual; pero me los representaba como si fueran cuerpos a los cuales señalaba un lugar mi imaginación. Con eso me forjaba una masa enorme, que era tu creación, distinta con diferentes géneros de cuerpos; unos, que realmente lo eran y otros, los espíritus, que yo como cuerpos me imaginaba. Muy grande me imaginé tu creación; no como en realidad es, que eso no lo podía yo saber, sino como quise que fuera. Grande, sí, pero por todas partes limitada. Y a ti, Señor, te imaginaba como ambiente y continente de toda tu creación, pero tú mismo infinito. Como un mar que estuviera en todas partes y no hubiera sino un solo mar infinito y en él se contuviera una grande esponja, grande pero limitada y que esa esponja estuviera toda llena, en todas sus partes, del agua del inmenso mar. Así me imaginaba yo tu creación; finita, pero llena de ti y tú, infinito. Y me decía: así es Dios y todo esto es lo que Dios creó. Bueno es Dios y con mucho, con

muchísimo, más excelente que todo eso. Y siendo Él bueno, creó buenas todas las cosas y, vean aquí cómo las circunda, las contiene y las llena.

2. Pero, ¿en dónde está pues el mal, de dónde procede y por qué caminos nos llega? ¿Cuál es su raíz y cuáles las semillas que lo engendran? ¿O será acaso que el mal en sí no existe? Pero, ¿cómo, entonces, podemos temer y precavernos de algo que no existe? Puede ser que nuestro temor mismo sea vano; pero entonces el temor es un mal que sin causa nos aflige y nos hiere en el corazón. Un mal tanto más grande cuanto que no hay nada que temer y sin embargo tememos. Y entonces, o es realmente malo lo que tememos, o lo hacemos malo nosotros porque lo tememos. ¿De dónde viene, pues?

Dios hizo todas las cosas. Bueno es Él y buenas son ellas. Él es el bien supremo, ellas son bienes inferiores; pero de todos modos bueno es el creador y buena es la creación. ¿De dónde, entonces, viene el mal? ¿Acaso en la materia de que hizo el mundo había una parte mala y Dios formó y ordenó el mundo, pero dejándole una parte de aquella materia, que no convirtió en bien? Pero una vez más, ¿por qué? ¿Acaso no podía, siendo omnipotente, mudar y convertir aquella materia para que nada quedara de ella? Y por último: ¿por qué quiso formar algo con esa materia en lugar de hacer con su omnipotencia, que esa materia no existiera? Porque ella no podía existir sin su voluntad. Y si la materia es eterna, ¿por qué la dejó estar así por tan dilatados espacios de tiempo, para luego sacar algo de ella?

3. O bien, si quiso con una voluntad repentina hacer algo, ¿por qué en su omnipotencia no hizo que esa materia no

existiese para ser Él el único ser verdadero, sumo e infinito bien? Y si no era conveniente que el ser sumamente bueno dejara de crear otras cosas buenas, ¿por qué no redujo a la nada aquella materia, que era mala, para sustituirla por otra buena de la cual sacara todas las cosas? Porque no sería omnipotente si no fuera capaz de crear algo bueno sin ser ayudado por una materia no creada por Él.

Tales cavilaciones revolvía yo penosamente en mi corazón acosado por hondas preocupaciones y por el temor a la muerte. Pero si bien cuando no daba aún con la verdad, tenía ya bien firme y estable en mi corazón la fe en tu Cristo, Salvador nuestro, como la profesa la Iglesia Católica; una fe informe todavía y fluctuante, fuera de toda norma doctrinal. Con todo, no sólo no rechazaba mi alma esta fe, sino que al paso de los días se adentraba más en ella.

Capítulo 6

1. Ya me había yo desprendido de la falacia de la adivinación y había rechazado los impíos delirios de los matemáticos. Que te alabe mi alma, Señor, desde sus más hondas intimidades, por tus misericordias. Pues, ¿quién puede apartarnos de la muerte del error sino la Vida que nunca muere y que ilumina la indigencia de las mentes sin necesidad de ninguna otra luz y que gobierna el mundo hasta en las hojas que se lleva el aire? Sí, fuiste tú y sólo tú el que me curaste de aquella obstinación con que había yo resistido a Vindiciano, el anciano sagaz, y a Nebridio, el admirable joven, cuando frecuentemente me decían, aquel con vehemencia y éste con

alguna vacilación, que no existe ninguna manera de predecir lo futuro y que las conjeturas humanas salen a veces acertadas por pura casualidad; que a fuerza de predecir tantas cosas algunas tienen que salir, sin que quienes las dicen realmente sepan lo que dicen y se topan con ellas simplemente por suerte y por no haber callado.

2. Entonces tú me procuraste la amistad de un hombre que consultaba con frecuencia a los matemáticos y algo sabía de sus artes, aunque no era perito en sus libros y los visitaba más que nada por curiosidad. Este hombre me contó algo que decía haber oído de su padre y por la cabeza no le pasaba que eso podía destruir por completo la credibilidad del arte de la adivinación. Este hombre, llamado Firmino, que era muy instruido y culto en su lenguaje, considerándome su más caro amigo, me consultó cierta vez sobre algunas cosas de este mundo en las cuales había puesto crecidas esperanzas. Quería saber qué pronóstico le daba yo basado en sus constelaciones, como ellos las llaman. Yo que para entonces me sentía ya muy inclinado a la posición de Nebridio, no quise negarme en redondo a adelantar algunas conjeturas; pero le dije por lo claro, que estaba a punto menos que convencido de la futilidad y ridiculez de la adivinación.

3. Entonces él me contó que su padre había sido muy aficionado a la astrología y muy curioso, y que había tenido un amigo que andaba en las mismas. Siempre conversaban de esas vanidades y estaban en ellas hasta el punto de observar cuidadosamente a los mudos animales, si algunos nacían en su casa; notaban el momento en que nacían y lo ponían en relación con la posición de los astros, para adquirir así

experiencia en la adivinación. Por su padre supo Firmino que cuando su madre estaba embarazada de él comenzó a dar señales de preñez una criada de aquel amigo de su padre. Dicho amigo, que observaba con cuidadosa atención los partos de sus perras advirtió luego que su criada estaba encinta. Y sucedió que mientras su padre observaba a su criada contando los días y las horas, ambas dieron a luz al mismo tiempo. Con esto resultaba necesario que las mismas constelaciones produjeran efectos idénticos hasta en las minucias sobre los dos recién nacidos, uno de los cuales era hijo y el otro, esclavo. Y cuando las dos mujeres se sintieron cercanas al alumbramiento ellos empezaron a comunicarse lo que pasaba en su propia casa y ambos dispusieron que algunas personas estuvieran listas para anunciar al amigo el nacimiento del hijo esperado. De este modo consiguieron que se supiera inmediatamente en cada casa lo que pasaba en la otra. Y según me contó Firmino, los emisarios de ambos amigos se encontraron a la misma distancia de ambas casas; por manera que ninguno de los dos pudo notar la menor diferencia en la posición de las estrellas ni en las fracciones del tiempo. Y sin embargo, Firmino, nacido en una casa de mucho desahogo, corría por los más honorables caminos del mundo, crecía en riquezas y recibía altos honores; al paso que aquel pequeño esclavo seguía en el vínculo de la esclavitud y sirviendo a sus señores.

4. Escuché pues el relato y lo creí, pues me contaba las cosas quien las conocía. Con esto me derrumbó mi última resistencia y allí mismo traté de apartar a Firmino de su insana curiosidad. Le hice ver que si del examen de su ho-

róscopo iba yo a decirle algo verdadero tendría que haber visto en él que sus padres eran principales entre sus conciudadanos, una noble familia de la misma ciudad y tendría que ver también su cuna distinguida, su buena crianza y su liberal educación. Pero si me consultara aquel esclavo que nació bajo los mismos signos que él, tendría yo que ver en el mismo horóscopo cosas del todo contrarias, una familia de condición servil y en todo el resto distinta y alejada de la de Firmino. ¿Cómo podría ser que considerando las mismas constelaciones pudiera ver cosas tan diferentes y las dijera con verdad; o que dijera que veía lo mismo, pero hablando con falsedad?

De esto saqué la conclusión de que lo que se dice tomando en cuenta las constelaciones no resulta atinado (cuando resulta) por arte, sino nada más por suerte y que las predicciones fallidas no se explican por una deficiencia en el arte, sino por una mentira de la suerte.

5. Con esto comencé a rumiar en mi ánimo la idea de ir a encontrar, para burlarme de ellos y confundirlos, a aquellos delirantes astrólogos que tan buenas ganancias sacaban de sus delirios; seguro de que no podrían resistirme diciendo que Firmino me había contado mentiras, o que su padre se las había contado a él. Me propuse estudiar los casos de esos hermanos gemelos que uno tras otro en tan pequeño intervalo, que por más que se hable de las leyes del mundo no resulta posible determinar con fijeza las diferencias, de modo que el astrólogo pudiera decir algo con seriedad. Mucho habría errado, por ejemplo, el que viendo el horóscopo de Jacob y de Esaú predijera de ambos lo mismo, cuando

sus vidas fueron tan diferentes. Y si hubiera predicho estas diferencias, no las hubiera podido sacar del horóscopo, que era el mismo. No habría podido acertar por arte, sino sólo por suerte.

Pero tú, Señor, justísimo moderador del universo, desde el abismo de tus justos juicios y sin que lo sepan ni los consultantes ni los consultados, con oculta providencia haces que el consultante oiga lo que según los méritos de su alma le conviene oír. Y que nadie diga: ¿qué es esto, o para qué es esto? Que nadie lo diga, porque es nada más un hombre.

Capítulo 7

1. Tú, Señor, que eres mi auxilio, ya me habías soltado de aquellas cadenas, pero seguía yo preguntándome con insistencia de dónde procede el mal y no encontraba solución alguna. Pero tú no permitías que el ir y venir de mis pensamientos me apartara de la firme convicción de que tú existes y de que tu ser es inmutable. Creía también que eres el juez de los hombres y que tu providencia cuida de ellos y que pusiste el camino de la salvación para todos los hombres en tu Hijo Jesucristo y en las santas Escrituras que recomienda la autoridad de la Iglesia Católica. Creía asimismo en la vida futura que sigue a la muerte corporal. Firmemente establecidos y arraigados en mi alma estos puntos de fe, seguía yo agitando en mí el problema del mal. ¡Qué tormentos pasó mi corazón, Señor, qué dolores de parto! Pero tu oído estaba atento, sin que yo lo supiera y mientras yo buscaba en silencio, clamaba a tu misericordia con fuertes voces mi desolación interior.

2. Nadie conocía mis padecimientos sino tú, pues era bien poco lo que mi lengua hacía llegar al oído de mis más íntimos amigos. ¿Cómo podían ellos sospechar nada del tumulto de mi alma, si para describirlo no me hubiera bastado ni el tiempo ni las palabras? Pero a tu oído llegaba todo cuanto rugía en mi corazón dolorido; ante ti estaba patente el anhelo de mi alma y no estaba conmigo la luz de mis ojos (Sal 37,11). Porque esa luz la tenía yo por dentro y yo andaba por afuera. Ella no estaba en lugar alguno, pero yo no atendía sino a las cosas localizadas y en ellas no encontraba sitio de reposo. Ninguna de ellas me recibía en forma tal que yo dijera "aquí estoy bien y contento", pero tampoco me dejaba volver a donde realmente pudiera estar bien. Yo era superior a ellas e inferior a ti. Si yo aceptaba serte sumiso, tú eras para mí la verdadera alegría y sometías a mí las criaturas inferiores.

3. Y en esto consistía el justo equilibrio, la región intermedia favorable a mi salud; para que permaneciera yo a tu imagen y semejanza y en tu servicio dominara mi cuerpo. Pero yo me había erguido orgullosamente delante de ti y corrí contra mi Señor con dura cerviz (Jb 15,26), dura como un escudo. Y entonces las cosas inferiores me quedaron por encima, me oprimían y no me daban respiro ni descanso. Salían a mi encuentro atropelladamente y en masa cuando yo no pensaba sino en imágenes corporales y estas mismas imágenes me cortaban el paso cuando yo quería regresar a ti, como si me dijeran: ¿a dónde vas, tan indigno y tan sucio?

De mi herida había salido toda esta confusión; porque tú heriste y humillaste mi soberbia, cuando mi vanidad me separaba de ti hinchando mi rostro hasta cerrarme los ojos.

Capítulo 8

Tú, Señor, permaneces eternamente, pero no es eterno tu enojo contra nosotros; quisiste tener misericordia del polvo y la ceniza y te agradó reformar mis deformidades. Con vivos estímulos me agitabas para que no tuviera reposo hasta alcanzar certidumbre de ti por una visión interior. Y así, el toque secreto de tu mano medicinal iba haciendo ceder mi fatuidad y la agudeza de mi mente perturbada y oscurecida se iba curando poco a poco con el amargo remedio de mis saludables dolores.

Capítulo 9

1. Y en primer lugar: queriendo mostrarme cómo resistes a los soberbios y a los humildes les das tu gracia (Sant 4,6) y cuánta misericordia has hecho a los hombres por la humildad de tu Verbo, que se hizo Carne y habitó entre nosotros (Jn 1,14), me procuraste, por medio de cierta persona excesivamente presumida y arrogante, algunos libros platónicos vertidos del griego al latín. En ellos leí, no precisamente con estos términos pero sí en el mismo sentido, que en el principio existía el Verbo y el Verbo estaba en Dios y el Verbo era Dios. Que todo fue hecho por Él y sin Él nada fue hecho. Y lo que fue hecho es vida en Él. La vida era la Luz de los hombres y la Luz brilló en las tinieblas y las tinieblas no la comprendieron. Decían también esos libros que el alma del hombre, aun cuando da testimonio de la luz, no es la luz; porque sólo el Verbo de Dios, que es Dios Él mismo, es también la Luz verdadera que ilumina a todo hombre que

viene a este mundo. Y estuvo en este mundo y el mundo fue hecho por Él y el mundo no lo conoció.

2. También leí que el Verbo no nació de carne ni de sangre ni por voluntad de varón, sino que nació de Dios; pero no leí que el Verbo se hizo carne y habitó entre nosotros. Aprendí también algo que repetidamente y de varias maneras se dice en aquellos escritos: que el Verbo tiene la forma del Padre y no tuvo por usurpación la igualdad con Dios, ya que es la misma sustancia con Él; pero esos libros nada dicen sobre que el Verbo se anonadó a sí mismo tomando la forma de siervo, se hizo semejante a los hombres y fue contado como uno de ellos; se humilló hasta la muerte y muerte de cruz, por lo cual Dios lo levantó de entre los muertos y le dio un Nombre que está sobre todo nombre, para que al Nombre de Jesús toda rodilla se doble en los cielos, en la tierra y en los infiernos y para que todo hombre confiese que el Señor Jesús está en la gloria de Dios Padre.

3. En esos libros se dice que tu Verbo, coeterno contigo, existe desde antes de los tiempos y sobre todos los tiempos y que de su plenitud reciben todas las almas para llegar a la bienaventuranza y que se renuevan por la participación de la permanente sabiduría. Pero que tu Hijo haya muerto en el tiempo por todos los pecadores y que a tu propio Hijo no perdonaste sino que lo entregaste por todos nosotros, eso no lo dicen. Porque cosas como éstas las has escondido a los ojos de los sabios y los prudentes para revelarlas a los pequeños, de modo que pudieran venir a Él los que sufren y están agobiados y Él los aliviará; pues Él, que es manso y humilde de corazón, dirige a los apacibles en el juicio y enseña sus

caminos a los humildes (Rom 5,6 y 8,32; Mt 11,25-30; Sal 24,9), considerando nuestra humildad y nuestros trabajos y perdonándonos nuestros pecados. En cambio, aquellos que se levantan sobre el contorno de una más sublime doctrina no escuchan al que dijo: "Aprendan de mí, que soy manso y humilde de corazón y encontraran la paz de sus almas"; y aquello otro, que si conocen a Dios no lo glorifican como a Dios ni le dan gracias, sino que se desvanecen en sus propios pensamientos y se les oscurece el corazón; mientras dicen ser sabios, se convierten en necios (Mt 11,19; Rom 1,21-22).

4. Por eso, leí también que tu gloria incorruptible había sido trocada en imágenes de hombres corruptibles y aun de aves, animales cuadrúpedos y serpientes. Ese era el alimento egipcio por el cual perdió Esaú su primogenitura; porque tu pueblo primogénito adoró en lugar tuyo la cabeza de un cuadrúpedo, convirtiendo a Egipto en su corazón (Ex 32,9) e inclinando su alma, hecha a tu imagen, ante la imagen de un becerro que come hierba (Sal 105,20). Tales pastos hallé en aquellos libros, pero no los comí; porque quisiste, Señor, quitar de Jacob el oprobio de su disminución, de modo que el mayor sirva al menor y llamaste a los gentiles a tener parte en tu heredad.

5. Y yo, que vine a ti entre los gentiles, había puesto mi atención en aquel oro que quisiste que tu pueblo sacara de Egipto y que sería tuyo dondequiera que estuviese (Ex 11 y 30). Y a los atenienses les dijiste por boca de tu Apóstol que en ti vivimos, nos movemos y existimos, como algunos de ellos habían dicho (Hech 17,28). Y ciertamente de allá procedían aquellos libros. No puse pues los ojos en los ídolos

egipcios fabricados con tu oro por los que cambian la verdad de Dios por la mentira y adoraron y sirvieron a la criatura en vez de al creador (Rom 1,25).

Capítulo 10

1. Advertido quedé con todo esto de que debía entrar en mí mismo y pude conseguirlo porque tú, mi auxiliador, me ayudaste. Entré pues y de algún modo, con la mirada del alma y por encima de mi alma y de mi entendimiento, vi la luz inmutable del Señor. No era como la luz ordinaria, accesible a toda carne; ni era más grande que ella dentro del mismo género, como si la luz natural creciera en claridad hasta ocuparlo todo con su magnitud. Era una luz del todo diferente, muchísimo más fuerte que toda luz natural. No estaba sobre mi entendimiento como el aceite está sobre el agua o el cielo sobre la tierra; era superior a mí, porque ella me hizo y yo le era inferior porque fui hecho por ella. Quien conoce esta luz conoce la Verdad y con la Verdad la eternidad. Y es la caridad quien la conoce.

2. ¡Oh Verdad eterna, oh verdadera caridad y amable eternidad! Tú eres mi Dios y por ti suspiro día y noche. Y cuando por primera vez te conocí tú me tomaste para hacerme ver que hay muchas cosas que entender, y que yo no era todavía capaz de entenderlas. Y con luz de intensos rayos azotaste la debilidad de mi vista y me hiciste estremecer de amor y de temor. Entendí que me hallaba muy lejos de ti, en una región distante y extraña y sentí como si oyera tu voz que desde el cielo me dijera: "Yo soy el alimento de las almas

adultas; crece y me comerás. Pero no me transformarás en ti como asimilas los alimentos de la carne, sino que tú te transformarás en mí".

Entonces vi claro que tú corriges a los hombres por sus culpas y carcomes como la polilla sus tesoros (Sal 38, 12). Y me dije: "¿Acaso es inexistente la verdad por no difundirse por los lugares del espacio?". Y tú desde lejos me respondiste: "Muy al contrario, yo soy El-Que-Es" (Ex 3,14). Esta palabra la oí muy adentro del corazón y no había para mí duda posible. Más fácilmente podría dudar de mi propia existencia que no de la existencia de la Verdad, pues ella se nos manifiesta a partir de la inteligencia de las cosas creadas (Rom 1,20).

Capítulo 11

Consideré todo cuanto existe debajo de ti y encontré que ni absolutamente son ni absolutamente no son. Son, pues existen fuera de ti, pero no son, por cuanto no son lo que tú eres. Porque verdadera y absolutamente es sólo aquello que permanece inmutable. Entonces, bueno es para mí adherirme a mi Dios (Sal 72,28); pues si no permanezco en Él tampoco permanezco en mí. Y Él, permaneciendo en sí mismo renueva todas las cosas (Sab 7,27). Y Señor mío eres tú, pues no necesitas de mí (Sal 15,2).

Capítulo 12

1. Y me quedó del todo manifiesto que son buenas las cosas que se corrompen. No podrían corromperse si fueran

sumamente buenas, pero tampoco se podrían corromper si no fueran buenas. Si fueran sumos bienes serían por eso incorruptibles; pero si no fueran buenas nada tendrían que pudiera corromperse. La corrupción es un daño por cuanto priva de algún bien, pues si no fuera así a nadie dañaría. Porque o bien la corrupción no implica daño, lo cual es evidentemente falso, o bien, como es igualmente evidente, nos daña porque nos priva de algo bueno. Si las cosas se vieran privadas de todo bien no podrían existir en modo alguno; pero si existen y ya no admiten corrupción, ello será sólo porque son mejores y permanecen incorruptibles.

2. ¿Y qué monstruosidad mayor que la de decir que perdiendo algo se hacen mejores? Por consiguiente: si de todo bien se ven privadas, nada son; y si algo son es porque son buenas. El mal sobre cuya naturaleza y procedencia investigaba yo, no puede ser una sustancia, ya que si lo fuera sería buena. Entonces, no hay escape: o sería una sustancia incorruptible y por eso un sumo bien, o sería una sustancia corruptible que no podría corromperse si no fuera buena. Vi pues de manera manifiesta que tú todo lo hiciste bueno y que no existe sustancia alguna que tú no hayas hecho. Por otra parte, no hiciste todas las cosas igualmente buenas; por eso cada una tiene su bien y el conjunto de todas las cosas es muy bueno. Tú, Señor y Dios nuestro, lo hiciste todo muy bueno.

Capítulo 13

1. En ti mismo no hay, en absoluto, mal alguno. Pero tampoco en el conjunto del universo, pues fuera de ti nada hay

que pudiera irrumpir en él y perturbar el orden que tú le impusiste. Sin embargo, en las partes singulares del mundo hay elementos que no convienen con otros y por eso se dicen malos; pero esos mismos tienen conveniencia con otras cosas y para ellas, son buenos, además de que son buenos en sí mismos. Y todos los elementos que entre sí no concuerdan tienen clara conveniencia con esta parte inferior del mundo que llamamos *tierra*, la cual tiene, porque así es congruente, su cielo lleno de vientos y nubes.

2. Lejos de mí el decir que sólo estas cosas existen. Pero si no viera yo ni conociera más que éstas, de ellas solas tendría motivo para alabarte. Porque manifiestan que eres admirable, en la tierra, los cetáceos y los abismos del mar, el rayo, el granizo, la nieve y la bruma, y el viento huracanado que obedece a tu palabra. Que alaben siempre tu Nombre los montes y las colinas, los árboles frutales y todos los cedros. Que lo canten las fieras y los animales domésticos, los reptiles y los pájaros alados. Que los reyes de la tierra y todas las naciones, los príncipes y los gobernantes de la tierra, los ancianos, los jóvenes y los niños, canten a tu Nombre.

Y como en el cielo, Señor y Dios nuestro, también se te alaba, canten a tu Nombre en las alturas todos los ángeles y las virtudes; el sol y la luna, la luz y todas las estrellas, los cielos de los cielos y las aguas que contienen (Sal 148,7-12).

No deseaba yo ya cosas mejores, pues pensé en todo lo que existe, donde los seres más perfectos son mejores que los menos perfectos; pero su conjunto es mejor todavía que los mismos seres superiores. Todo eso lo llegué a pensar con mayor cordura.

Capítulo 14

No hay cordura en quienes sienten disgusto por alguna de tus criaturas, como no la había en mí cuando me disgustaban algunas de la cosas que tú creaste. Y como no se atrevía mi alma a desagradarte a ti, mi Dios, prefería no admitir como tuyo lo que me disgustaba. De ahí me vino la inclinación a la teoría de las dos sustancias, en la cual, por otra parte, no hallaba quietud y tenía que decir muchos desatinos.

A vueltas de estos errores me había yo imaginado un dios difuso por todos los lugares del espacio, creyendo que eso eras tú; y ese ídolo abominable para ti, lo había puesto yo en mi corazón como en un templo. Pero luego de que alumbraste mi ignorante cabeza y cerraste mis ojos para que no vieran la vanidad (Sal 118,37), me alejé un poco de mí mismo y se aplacó mi locura.

Me desperté en tus brazos y comprendí que eres infinito, pero de muy otra manera; con visión que ciertamente no procedía de mi carne.

Capítulo 15

Consideré pues todas las cosas y vi que te deben el ser; que todo lo finito se contiene en ti no como en un lugar, sino abarcado, como en la mano, por tu verdad. Todas son verdaderas en la medida en que algo son y, en ellas no hay falsedad sino cuando nosotros pensamos que son lo que no son.

Y vi que cada cosa está bien en su lugar y también en su tiempo y que tú, eterno como eres, no comenzaste a obrar sólo pasados largos espacios de tiempo; pues todos los tiempos, los que ya pasaron y los que van a venir, no vendrían ni pasarían sino porque tú obras y eres permanente.

Capítulo 16

Por la experiencia he podido comprobar que el pan mismo, bueno como es y agradable al paladar del hombre sano, no le cae bien al paladar de un hombre enfermo; así como la luz, agradable para el ojo sano, es un martirio para el que está enfermo de los ojos. Tu justicia misma no place a los viles que, a la par de las víboras y los gusanos, buenos en sí, tienen afinidad con las partes inferiores de la tierra y tanto más les son afines cuanto más desemejantes son contigo; por la misma manera como los que más se te asemejan mayor conveniencia tienen con las cosas superiores.

Al preguntarme pues qué es la maldad me encontré con que no es sustancia alguna, sino sólo la perversidad de un albedrío que se tuerce hacia las cosas inferiores apartándose de la suma sustancia que eres tú y que arroja de sí sus propias entrañas quedándose sólo con su vanidad.

Capítulo 17

1. Y me admiré entonces de ver que te amaba a ti y no ya a un fantasma. Pero no era estable mi gozo de ti; pues si bien tu hermosura me arrebataba, me apartaba luego de ti la pesadumbre de mi miseria y me derrumbaba gimiendo en mis costumbres carnales. Pero aun en el pecado me acompañaba siempre el recuerdo de ti y ninguna duda me cabía ya de tener a quien asirme, aun cuando carecía yo por mí mismo de

la fuerza necesaria. Porque el cuerpo corruptible es un peso para el alma y esta morada de arcilla oprime a la mente con muchas preocupaciones (Sab 9,15). Segurísimo estaba yo de que tus perfecciones invisibles se hicieron, desde la constitución del mundo, visibles a la inteligencia que considera las criaturas y también tu potencia y tu divinidad (Rom 1,20).

2. Buscando pues un fundamento para apreciar la belleza de los cuerpos tanto en el cielo como sobre la tierra, me preguntaba qué criterio tenía yo para juzgar con integridad las cosas mudables diciendo: "Esto debe ser así y aquello no". Y encontré que por encima de mi mente mudable existe una verdad eterna e inmutable. De este modo y procediendo gradualmente a partir de los cuerpos pasé a la consideración de que existe un alma que siente por medio del cuerpo, y esto es el límite de la inteligencia de los animales, que poseen una fuerza interior a la cual los sentidos externos anuncian sobre las cosas de afuera.

3. Pero luego de esto, mi mente, reconociéndose mudable, se irguió hasta el conocimiento de sí misma y comenzó a hurtar el pensamiento a la acostumbrada muchedumbre de fantasmas contradictorios para conocer cuál era aquella luz que la inundaba, ya que con toda certidumbre veía que lo inmutable es superior y mejor que lo mudable. Alguna idea debía de tener sobre lo inmutable, pues sin ella no le sería posible preferirlo a lo mudable. Por fin y siguiendo este proceso, llegó mi mente al conocimiento del ser por esencia en un relámpago de temblorosa iluminación. Entonces tus perfecciones invisibles se me hicieron visibles a través de

las criaturas, pero no pude clavar en ti fijamente la mirada. Como si rebotara en ti mi debilidad, me volvía yo a lo acostumbrado y de aquellas luces no me quedaba sino un amante recuerdo, como el recuerdo del buen olor de cosas que aún no podía comer.

Capítulo 18

Andaba yo en busca de alguna manera de adquirir la energía necesaria para gozar de ti, pero no pude encontrarla mientras no pude admitir que Jesucristo es mediador entre Dios y los hombres; que está sobre todas las cosas y es Dios bendito por todos los siglos (1 Tm 2,5; Rom 9,5). Y Cristo me llamaba diciendo: "Yo soy el camino, la verdad y la vida" (Jn 14,6).

El alimento que yo no podía alcanzar no era otro que tu propio Verbo por quien hiciste todas las cosas, el cual al hacerse hombre y habitar en nuestra carne (Jn 1,14) se hizo leche para nuestra infancia.

Pero yo no era humilde y por eso no podía entender a un Cristo humilde, ni captar lo que Él nos enseña con su debilidad. Porque tu Verbo, eterna verdad y supereminente sobre lo más excelso que hay en tu creación, levanta hacia sí a quienes se le someten. Siendo la excelsitud misma, quiso edificarse acá en la tierra una humilde morada de nuestro barro por la cual deprimiese el orgullo de los que quería atraer a sí y los sanara nutriéndolos en su amor; para que no caminaran demasiado lejos apoyados en su propia confianza, sino que más bien se humillaran al ver a sus pies a una persona divina empequeñecida por su participación en la vestidura de nuestra piel humana; para que sintiéndose fatigados se postraran ante ella y ella levantándose, los levantara.

Capítulo 19

1. Pero entonces creía yo de mi Señor Jesucristo algo del todo diferente. Ciertamente lo tenía por un varón de insuperable sabiduría con el cual nadie podía compararse, especialmente porque había nacido de manera admirable de una virgen, como para ejemplo de menosprecio de los bienes temporales poder conseguir la inmortalidad. Por haber tenido de nosotros tan grande providencia, su autoridad me parecía inigualable; pero no me cabía ni la menor sospecha del misterio encerrado en las palabras "el Verbo se hizo carne" (Jn 1,14). De todo lo que sobre Él se nos había entregado por escrito asumía yo que Cristo había bebido y dormido, que caminó y predicó, que conoció la tristeza y también la alegría; pero estimaba que aquella carne suya no se había unido a tu Verbo, sino con un alma y con una inteligencia humanas. Esto lo sabe quien ha llegado a conocer la inmutabilidad de tu Verbo, como la conocía yo ya para entonces y lo profesaba sin la menor sombra de duda. Porque la capacidad de mover a voluntad los miembros del cuerpo o no moverlos; o sentir un afecto y luego otro diferente en otro momento; o pronunciar en una ocasión admirables sentencias para guardar silencio en otra, es cosa propia de la mutabilidad del alma y de la mente. Y si todas estas cosas que de Cristo se dicen fueran falsas, todo lo demás naufragaría en la mentira y no quedaría en los Sagrados Libros ninguna esperanza de salvación para el género humano.

2. Pero yo, teniendo por veraces esos escritos, reconocía en Cristo a un hombre completo. No solamente un cuerpo humano o un alma en ese cuerpo pero sin inteligencia, sino un hombre completo y verdadero. Cristo no era para mí la Verdad personal; pero sí veía en Él una incomparable grandeza y excelencia debida a su más perfecta participación en la sabiduría. Alipio pensaba que la fe de los católicos predicaba que en Cristo no había, aparte de Dios y el cuerpo, un alma y una mente de hombre. Y como aceptaba bien en firme lo que había oído y guardaba en la memoria; y como pensaba que tales cosas no son posibles sino en un ser dotado de alma y de razón, caminaba con tardos pasos hacia la fe cristiana. Pero cuando más tarde se enteró de que tales enseñanzas eran la herejía de los apolinaristas, se alegró sobremanera y se entregó sin reticencias a la fe católica.

Confieso que sólo más tarde fui capaz de distinguir la mucha diferencia que media entre el error de Fotino y la fe católica a propósito de que el Verbo se hizo carne. Porque la discusión de las herejías pone en relieve cuál es el verdadero sentir de tu Iglesia y cuál es la doctrina verdadera. Era necesario que se produjesen las herejías para que los fuertes en la fe se distinguieran de los débiles en la fe (1 Cor 11,19).

Capítulo 20

1. Los libros platónicos que leí me advirtieron que debía buscar la verdad incorpórea y llegué a sentir que en realidad perfecciones invisibles se hacen visibles a la inteligencia por la consideración de las criaturas; pero era repelido por aquellos que las tinieblas de mi alma no me dejaban conocer.

Seguro estaba yo de tu existencia; seguro de que eres infinito pero que no te difundes por lugares ni finitos ni infinitos; que en verdad eres el que siempre has sido, idéntico a ti mismo y deducía que todas las cosas proceden de ti por el simplicísimo argumento de que existen.

De todas estas cosas estaba convencido, pero era débil para gozar de ti. Hablaba con locuacidad, como si fuera muy perito; pero de no buscar el camino en Cristo Redentor sería yo no un hombre perito, sino un hombre que perece. Ya para entonces había yo comenzado a hacer ostentación de sabiduría, lleno como estaba de lo que era mi castigo y, en vez de llorar, me hinchaba con la ostentación de la ciencia.

2. Pues, ¿dónde estaba aquella caridad que edifica sobre el fundamento de la humildad de Jesucristo; o cuándo me enseñaron la humildad aquellos libros? Tú quisiste, creo, que los leyera antes de acercarme a la Sagrada Escritura para que quedara impreso en mi memoria el efecto que me habían producido; así, más tarde, amansado ya por tus libros y curado de mis llagas por tu mano bienhechora, iba yo a tener discernimiento para distinguir la verdadera confesión de la mera presunción; para ver la diferencia entre los que entienden a dónde se debe ir pero no ven por dónde y la senda que lleva a la patria feliz no sólo para verla, sino para habitar en ella.

Porque si primeramente hubiera sido formado en tus Sagrados Libros y en una suave familiaridad contigo y después hubiera leído los libros de los platónicos, acaso me arrancaran del sólido fundamento de la piedad; o si no me arrancaban afectos en los que estaba profundamente embebido, al menos pudiera yo creer que dichos libros eran capaces, con sólo leerlos, de engendrar tan noble afecto.

Capítulo 21

1. Así sucedió que con ardiente avidez arrebataba yo la escritura de tu Espíritu, en San Pablo con preferencia a los demás apóstoles y se me desvanecieron ciertas dificultades que tuve cuando en cierta ocasión me parecía encontrarlo en contradicción consigo mismo y no ir de acuerdo el texto de sus palabras con el testimonio de la ley y los profetas. Y se apoderó de mí una trepidante exultación cuando vi claro que uno solo es el rostro que nos ofrecen todas las Escrituras.

Comencé pues y, cuanto había leído de verdadero allá, lo encontré también aquí con la recomendación de tu gracia; para que el que ve no se gloríe como si su visión no la hubiera recibido (1 Cor 4,7). Pues, ¿qué tiene nadie que no lo haya recibido? Y para que sea no sólo amonestado de verte, sino también sanado para poseerte a ti, que eres siempre el mismo y para que, siéndole imposible descubrirte desde lejos, tome el camino por donde puede llegar a verte y luego a poseerte. Pues cuando se deleite el hombre en la ley de Dios según el hombre interior, ¿qué hará con esa otra ley que está en sus miembros y que resiste a la ley de su mente y lo tiene cautivo en la ley del pecado que está en sus miembros? (Rom 7,22-23). Porque tú, Señor, eres justo y nosotros somos pecadores y hemos obrado la iniquidad (Dn 3,28). Por eso tu mano se ha hecho pesada sobre nosotros y con justicia hemos sido entregados al antiguo pecador y señor de la muerte y éste ha modelado nuestra voluntad según la suya, en la cual no está la verdad (Jn 8,44).

2. ¿Qué hará pues el hombre mísero? ¿Quién lo libertará de su cuerpo de muerte sino tu gracia por Jesucristo, Señor nuestro? (Rom 7,24-25). Jesucristo, a quien engendraste coeterno contigo y a quien creaste en el principio de tus caminos (Prov 8,22); en el cual un príncipe de este mundo no halló causa de muerte (Jn 14,30) y, sin embargo, lo hizo matar y con esa muerte fue destruido el decreto que nos era contrario (Col 2,14).

Nada de esto dicen los libros de los platónicos, ni en sus páginas se encuentra este rostro de piedad, ni las lágrimas de la confesión, en las que tú ves el sacrificio de un corazón contrito y humillado (Sal 50,19); nada dicen de la salud del pueblo, ni de la ciudad desposada, ni de las primicias del Espíritu Santo y el cáliz de nuestra salud. Nadie canta en ellos "mi alma suspira por ti, mi Dios. ¿Cuándo iré a contemplar el rostro de Dios?" (Sal 41, 2-3).

Libro VIII

Libro VIII

Capítulo 1

1. Recuerdo yo mi vida, Señor, dándote gracias y confieso tus muchas misericordias para conmigo. Que se impregnen mis huesos de tu amor y que te digan: "Señor, ¿quién hay que sea semejante a ti?". "Tú has roto mis cadenas y ofreceré en tu honor un sacrificio vespertino" (Sal 34,10; 115,16).

Y te voy a contar ahora cómo las rompiste, por manera que cuantos te adoran digan al oírme: "Bendito sea el Señor en el cielo y en la tierra, grande y admirable es su nombre". Tus palabras se habían ya fincado en mis entrañas y tú me tenías cercado por todas partes. Cierto estaba yo de tu eterna existencia, aunque no la alcanzaba sino en enigma y como en un espejo (1 Cor 13,12).

Con todo, se había ya apartado totalmente de mí la más mínima duda sobre que eres una sustancia incorruptible y de que de ti proceden todas las criaturas; y mi deseo no era tanto el de estar más cierto de ti, sino el de estar más firme y estable en ti. Pero en mi vida temporal todo era vacilante y mi corazón debía purificarse del viejo fermento; me gustaba el Salvador como camino a la vida, pero me sentía desanimado por las angosturas del camino.

2. Entonces me pusiste en el corazón un pensamiento que me pareció prudente: el de buscar a Simpliciano, que

en mi concepto era un buen servidor tuyo y en él resplandecía tu gracia. Había yo sabido de él que te servía desde su juventud y ahora era un anciano muy experimentado en el bien, gracias a una larga vida que mucho le enseñó sobre tus caminos. Así me parecía y así era.

Mi deseo era el de conversar con él sobre los ardores que me quemaban, para que él dijera, conociendo mi condición, cuál podía ser el mejor modo de andar por tus caminos. Veía yo la Iglesia llena, pero todos llevaban en ella senderos diferentes. Hastiado ya andaba de mis ocupaciones mundanas, que se me habían vuelto extremadamente pesadas, pues para soportar su servidumbre no tenía yo el aliciente de mis viejas ambiciones de gloria y de dinero. Todo eso había dejado de agradarme a causa de tu dulzura y de mi amor por el decoro de tu casa (Sal 25,8). Sí, pero me retenían aun con tenacidad los lazos de una mujer. Es verdad que no me impedía casarme la palabra del Apóstol (1 Cor 7,7), aun cuando a todos exhorta a un bien mejor, y desearía que todos, hombres y mujeres, vivieran en la misma condición que él.

3. Pero yo era débil y tendía a la vida fácil. Esto sólo me ponía en todo lo demás como flotando lánguido y consumido por enervantes cuidados; pues todas aquellas cosas que ya no quería me veía obligado a soportarlas debido a las necesidades de una vida conyugal a la que estaba entregado. De la boca de la Verdad sabía yo que hay eunucos que se hicieron voluntariamente tales por amor al Reino de los Cielos; pero añadió: "¡El que pueda entender que entienda!" (Mt 9,12). Otra cosa dijo también: que vanos son todos los

hombres que no tienen la ciencia de Dios, y no pudieron, a través de las cosas visibles, encontrar al que es (Sab 13,1).

Para entonces yo ya había salido de esa vanidad; había pasado una frontera, y el testimonio unánime de toda tu creación me había llevado a encontrarte, ¡oh Dios creador!, y también a tu Verbo, que es Dios y está en ti, y que es contigo y con el Espíritu Santo un solo Dios.

4. Hay, sin embargo, otro tipo de impíos que habiendo conocido a Dios no lo honraron como tal ni le dieron gracias (Rom 1, 21). Entre este tipo de gente yo también había caído; pero tu mano divina me sostuvo (Sal 17,36); me sacó de aquello y me puso en un lugar en donde pudiera convalecer. Tú habías dicho a los hombres que la piedad es sabiduría (Jb 28,28), y también: "No quieras parecer sabio, pues los que por tales se tienen se han vuelto necios" (Prov 3,7; Rom 1,22). Con esta revelación había encontrado una perla muy preciosa que debía comprar vendiendo todos mis haberes.

Y, sin embargo, seguía vacilando.

Capítulo 2

1. Busqué, pues, a Simpliciano, que fue padre en tu fe y en tu gracia del Obispo Ambrosio, a quien amaba con amor de padre. Le conté todas mis idas y venidas en el error; y cuando le mencioné que había leído algunos libros platónicos traducidos al latín por Victorino, famoso retórico de Roma que murió como cristiano, Simpliciano se alegró mucho de que no hubiera caído yo en los libros de otros filósofos, que están llenos de falacias y engaños según los elementos de este

mundo (Col 2,8), mientras que en los libros platónicos se insinúa de muchas maneras a Dios y a su Verbo. Y enseguida, para exhortarme a la humildad de Cristo, que se esconde a los sabios y es revelada a los pequeños (Mt 11,25), me habló de Victorino, a quien, en otro tiempo, había tratado en Roma con mucha familiaridad; y de él me contó algunas cosas que no puedo callar, pues dan mucho motivo de alabar y confesar tu benevolencia.

2. Victorino, anciano doctísimo y muy entendido en todas las disciplina liberales, había leído, juzgado y elucidado muchos libros y había sido maestro de muchos nobles senadores que lo tenían en tanta reputación, que le habían concedido el alto honor, aceptado por él, de erigirle una estatua en el foro romano. Hasta ese momento, había sido Victorino adorador de los ídolos y tomado parte en los sacrílegos actos de culto que practicaba entonces con fervor casi toda la nobleza romana. También el pueblo, a imitación de la nobleza, veneraba toda clase de dioses, entre los que se encontraba Anubis, un dios que ladraba. Estos dioses extranjeros en un tiempo habían declarado la guerra a Neptuno y a Venus, y se habían levantado contra Minerva; y los romanos, que habían vencido a esos pueblos, invocaban ahora a sus ídolos.

Durante muchos años el anciano orador había combatido con imponente voz a esos dioses extraños a favor de los dioses de la patria; pero cuando le llegó la hora no vaciló, ni se avergonzó de declararse discípulo de tu Cristo e infante de tu fuente bautismal, doblando el cuello bajo el yugo de la humildad e inclinando su frente ante el oprobio de la cruz.

3. ¡Oh Señor, que tendiste los cielos y descendiste e hiciste humear los montes al tocarlos! (Sal 143,5). ¿Cómo hiciste para penetrar en el pecho de aquel hombre? Leía, según Simpliciano, la Sagrada Escritura, e investigaba con sumo interés los textos cristianos, buscando comprenderlos a fondo; y a Simpliciano le decía, no en público, sino en la familiaridad de la confianza: "Debes saber que ya soy cristiano". A lo que el otro respondía: "No lo creeré mientras no te vea dentro de la Iglesia". Victorino respondía con gracia: "Eso quiere decir que son las paredes las que hacen a los cristianos". Estos cambios de palabras se repetían con frecuencia, con la broma sobre las paredes.

Es que entonces Victorino temía ofender a sus amigos, que eran orgullosos adoradores de los ídolos; temía que, desde la cumbre de la babilónica dignidad, se derrumbara sobre él una montaña de enemistades. Eran sus amigos como cedros del Líbano que el Señor no desgajaba todavía.

4. Pero tras mucho leer y anhelar, comenzó a sentirse más firme, y a temer que Cristo lo negara delante de sus ángeles, si él no se atrevía a confesarlo delante de los hombres (Mt 10,32). Pensó que se hacía reo de un crimen muy grave, si se avergonzaba del misterio de la humildad de tu Verbo, cuando no se había avergonzado del sacrílego culto a los orgullosos demonios de quienes había sido orgulloso imitador. Así llegó un momento en que no pudo ya soportar la vergüenza de la vanidad de la idolatría y cobró ánimos frente a la Verdad. Y un día, contó Simpliciano, le dijo de repente: "Vamos a la Iglesia, quiero hacerme cristiano". Y su amigo, rebosante de júbilo, lo acompañó. Y poco después, habiendo recibido

la instrucción indispensable sobre los misterios cristianos, Victorino, ante la admiración de Roma y con alegría de la Iglesia, dio finalmente su nombre y pidió el bautismo. Los soberbios, al ver esto, se llenaban de ira y rechinaban los dientes de despecho (Sal 111,10); pero tú eras la esperanza de tu siervo, y él apartaba sus ojos de las vanidades y de las locas mentiras (Sal 39,5).

5. Cuando llegó finalmente la hora de la confesión de fe que, según la costumbre romana, deben hacer los candidatos a tu gracia con fórmulas fijas y bien memorizadas, desde un lugar eminente y ante la presencia de todo el pueblo, corrió el rumor de que los sacerdotes le habían propuesto a Victorino que hiciera su profesión de fe a puertas cerradas, como se les concedía con frecuencia a los que se sentían débiles e inseguros; pero él quiso profesar su fe ante la asamblea de los cristianos. ¿Cómo no hacerlo así, cuando públicamente había enseñado la Retórica, que no nos da la salvación? ¡Cuánto menos debió de temer el reconocer a tu Verbo en presencia de tu pacífica grey el que no había temido hablar ante turbas de insensatos!

6. Así pues, cuando subió al estrado para confesar la fe, los que lo conocían (y lo conocía todo el mundo) comenzaron a pronunciar su nombre con expresiones de ruidosa alegría. "¡Victorino, Victorino!" Era la voz que llenaba todo el ámbito como una exclamación comprimida. Estalló luego, en fervorosa ovación, el júbilo general, pero pronto se hizo el silencio, pues todos querían oírlo. Él pronunció entonces su confesión de fe con serenidad y en pleno dominio de sí. Y todos querían como arrebatarlo y metérselo en el corazón; y

en verdad que lo arrebataron con el amor y la alegría. Alegría y amor, como manos, se le llevaron.

Capítulo 3

1. ¿Qué es lo que se agita, ¡oh Dios de bondad!, en el pecho de los hombres? Porque de la salvación de alguno que tenía todas las esperanzas perdidas nos alegra mucho más que si nunca hubiera pasado peligros ni perdido la esperanza. Y en esto también tú, Padre de las misericordias, eres como nosotros; más te hace gozar un solo pecador que se convierte que noventa y nueve justos que no necesitan conversión (Lc 15,7).

Nuestra alegría es inmensa cuando oímos con cuánto gozo lleva el pastor sobre sus hombros a la oveja descarriada; y que la moneda perdida se reintegra a tus tesoros por la mujer que la encontró y recibió por ello la felicitación de sus vecinas. Y nuestros ojos derraman lágrimas alegres cuando en una solemne celebración dentro de tu casa se nos lee que el hijo menor había muerto y revivió, que se había perdido y lo volvieron a encontrar (Lc 15,24).

Es que tú gozas de nosotros como gozas de la caridad de tus ángeles. Porque tú eres siempre el mismo y desde siempre conoces a los seres que no siempre son ni son siempre del mismo modo.

¿Qué es pues lo que pasa en nosotros, que más nos alegramos de encontrar o recuperar nuestros bienes queridos que no de haberlos poseído siempre sin perderlos? Porque de todas partes se levantan testimonios convergentes, y todas las cosas claman que en verdad así es.

2. Un emperador victorioso celebra su triunfo; mas no venciera, si no hubiera batallado; y tanto mayores son los gozos del triunfo, cuanto mayores fueron los peligros de la batalla. Zarandea la tempestad a los navegantes, y la posibilidad del naufragio los hace palidecer con el temor de la muerte; pero luego se serena el cielo, se aplaca el mar y todos se alegran hasta el extremo, porque grande había sido su temor. Y cuando se enferma un ser querido, y su pulso denuncia su mal, todos los que lo quieren de corazón se enferman en el alma juntamente con él. Luego mejora, pero no puede caminar con la fuerza de antes, pero sólo con esto sus amigos reciben una alegría tan grande como no la tenían antes, cuando él estaba sano y vigoroso.

3. Y es claro que los contentamientos naturales de la vida humana los consiguen los hombres no solamente a través de molestias sorpresivas y repentinas, sino también por medio de sufrimientos deliberadamente buscados. Porque el placer de la comida y la bebida no se daría, si antes no vinieran el hambre y la sed; hasta el punto de que muchos bebedores, comiendo cosas saladas, se provocan una sed que calma luego placenteramente la bebida. ¿Y quién ignora la costumbre corriente de que las esposas no se entreguen inmediatamente después del matrimonio? Pues no convendría que el hombre sintiera poco interés en recibir de inmediato como marido a la mujer por la cual no hubiera largamente suspirado como desposado que aguarda.

Este fenómeno se da lo mismo en las malas alegrías que en las honestas y permitidas; se da en la sinceridad de las más hermosas amistades, lo mismo que en el caso de aquel que había muerto y revivió, había perecido y fue encontrado. Es la regla: no hay alegría verdaderamente grande, sin el preludio de algún grave sufrimiento.

4. ¿Cómo es, entonces, Señor, que siendo tú mismo de toda eternidad tu propio gozo haya también a tu lado otros seres que gozan de ti? ¿Y por qué esta parte inferior de tu creación fluctúa siempre entre el defecto y el provecho, entre la ofensa y la reconciliación? ¿No es acaso esta mutabilidad su condición esencial y su destino? Porque tú, desde las alturas del cielo hasta los más hondos abismos de la tierra; desde el principio hasta el fin, desde el ángel hasta el gusano, desde el movimiento primero hasta el último; todo, en suma, todo género de bienes y tus obras más precisas, todo lo has determinado para que todo fuera hecho en su debido tiempo y lugar.

¡Ay de mí, pues tú eres más excelso que todas las alturas y más profundo que todas las profundidades! Y nunca te retiras de nosotros, aun cuando nosotros sólo con trabajo y con pena nos volvemos a ti.

Capítulo 4

1. Obra, Señor, en nosotros. Muévenos y atráenos hacia ti; enciéndenos y arrebátanos; haz que te sintamos como dulce y fragante perfume, para que te amemos y corramos hacia ti. Pues, ¿no están volviendo a ti muchos otros, liberados de un abismo de oscuridad peor que el de Victorino? Vuelven a ti y se te acercan, y son iluminados por tu luz; y si la aceptan, reciben también de ti la potestad de ser hijos de Dios. Pero

menor es la alegría que da la conversión de personas menos conocidas, aun a aquellos que las conocieron. Es que una alegría compartida por muchos es mayor en cada uno, pues mutuamente se inflaman y contagian. Y el hecho mismo le presta mucha mayor autoridad y le permite encaminar a muchos rumbo a la salvación, y grande es la alegría que se tiene por él y por cuantos lo precedieron.

¡Ojalá nunca sean en tu casa recibidos los pobres con menor atención que los ricos, o los nobles mejor recibidos que los plebeyos! Porque tú has elegido lo que en el mundo pasa por débil para confundir a los fuertes; y lo que en el mundo es tenido por bajo y despreciable; lo que nada parece ser; eso lo elegiste para destruir lo que es (1 Cor 1,27-28).

2. Y, sin embargo, aquel Apóstol tuyo que se llamó a sí mismo "el más pequeño de todos los Apóstoles" es el mismo que sometió la soberbia del procónsul Sergio Pablo, haciéndolo aceptar el suave yugo de tu Cristo, y así ser un simple vasallo del gran Rey. Y a partir de entonces y como recuerdo de victoria tan insigne, cambió por el de Pablo su antiguo nombre de Saulo. Porque más grande es un triunfo cuando el enemigo vencido era más fuerte, y más gente tenía a su servicio; y el que lo domina subyuga a los soberbios con su grandeza y nobleza y a las multitudes las domina con su autoridad. Mientras más alto era el concepto en que se tenía a Victorino, fortaleza hasta entonces inexpugnable del diablo; cuanto más gloriosa era la espada de su elocuencia con la cual a tantos había descaminado, tanto más justo era que se alegraran tus hijos. Nuestro Rey había dominado al fuerte (Mt 12,29) y le había arrebatado sus vasos para purificarlos

y ponerlos a tu honor y a tu servicio, útiles para toda obra buena en el Señor.

Capítulo 5

1. Cuando tu siervo Simpliciano me contó de Victorino tales cosas, me sentí animado a imitarlo; y para esto y no por otro motivo me las había él contado. Pero cuando añadió que en tiempo del emperador Juliano se había promulgado una ley que prohibía a los cristianos enseñar la retórica y la literatura; y que Victorino había preferido abandonar su profesión de maestro antes que renegar de tu palabra; esa palabra que hace elocuente la boca de los niños (Sab 10,21), lo tuve por hombre fuerte, dichoso y afortunado, pues dejada la docencia tenía mayores oportunidades de consagrarse a ti.

Y por una fortaleza semejante suspiraba mi corazón. Pero me veía ligado no por cadenas de hierro, sino por la férrea cadena de mi propia voluntad, pues mi querer lo tenía prisionero mi enemigo con recias ataduras. Porque de una voluntad desordenada procedió la lujuria, de ésta vinieron las malas costumbres; y cuando el hábito malo no encuentra resistencia, degenera finalmente en necesidad. Con estos eslabones, que he llamado cadena, me tenía aprisionado en dura servidumbre; y la buena voluntad de servirte y gozarte que acababa de nacer en mí, ¡oh Dios, única alegría cierta y verdadera! No era aún capaz de superar la primera, que ya estaba arraigada en mí . Tenía yo, pues, dos voluntades, una vieja y otra nueva; aquella carnal, esta espiritual; y ambas luchaban en mí y en su discordancia me arrastraban.

2. Mi propia experiencia me permitía comprender aquella palabra que había leído, de que la carne desea con fuerza contra el espíritu (Gál 5,17). En el uno y en la otra andaba yo bien empeñado, pero era más yo mismo en lo que en mí aprobaba que en lo que reprobaba.

Porque en mi mala costumbre no estaba yo cabalmente empeñado, ya que mis pecados eran más padecidos contra mi voluntad que cometidos con ella. Pero el hábito que había contraído, me resistía con la fuerza que yo mismo le había dado, pues por mi culpa llegué a donde ahora no quería ya estar. Y, ¿quién podría reclamar con justicia si el pecador encuentra en el pecado su propia pena? Ni siquiera me quedaba ya la excusa que, en otros tiempos, me daba cuando creía que si no renunciaba al mundo por servirte, era por no hallarme aún seguro de cuál era la verdad; para entonces bien seguro estaba ya de ella. Pero me veía amarrado y me resistía a militar en tu campo. Temía deshacerme de aquellos estorbos como hubiera debido temer enredarme con ellos. El fardo del mundo me oprimía como en un sueño agradable, y los pensamientos que de ti me venían eran como esos intentos de despertar que a veces tenemos y que son vencidos por la pesadez del sueño. Nadie hay que quiera vivir siempre dormido, y la vigilia le parece siempre mejor a quien está en su sano juicio; pero con frecuencia se resiste la gente a sacudir el sueño cuando una pesada somnolencia carga sobre los miembros, y así vuelve a dejarse arrullar aun cuando esté ya harto de dormir y haya sonado la hora de levantarse.

3. Así tenía yo por cierto que era mejor entregarme a tu amor que ceder a mis apetitos; pero si tu amor me atraía, no

llegaba a vencerme; y el apetito, porque me agradaba me tenía vencido. No tenía respuesta que darte cuando me decías: ¡Levántate, hombre dormido, álzate de entre los muertos, y Cristo te iluminará! (Ef 5,14). Y mientras tú me rodeabas con la verdad por todas partes y de ella estaba totalmente convencido, no tenía para responderte sino lentas palabras llenas de sueño: "Sí, ya voy, ahora voy; pero ¡aguárdame un poco!". Y mientras tanto, pasaba el tiempo. En vano me deleitaba en tu ley según el hombre interior, cuando la ley de mis miembros resistía a la ley de mi razón y me mantenía cautivo en la ley del pecado que estaba en mis miembros (Rom 7,22-23). Porque la ley del pecado está en la fuerza de un hábito que arrastra y sojuzga al hombre contra su voluntad con una tiranía bien merecida, pues su propio querer fue a dar en él.

¡Miserable de mí! ¿Quién sino tu gracia podía liberarme de este cuerpo de muerte por Jesucristo Señor nuestro?

Capitulo 6

1. Contaré ahora cómo me libraste de la esclavitud de las preocupaciones del mundo y cómo rompiste la cadena con que me retenía el apetito carnal. Todo te lo confesaré, Dios mío, mi redentor y mi auxilio.

Iba yo viviendo mi vida con una creciente ansiedad, y, en medio de ella, suspiraba por ti. Frecuentaba tu Iglesia en la medida en que me lo permitían aquellas solicitudes cuyo peso me oprimía. Alipio estaba conmigo, desligado, por entonces, de sus actividades jurídicas, después de su tercera asesoría y en espera de alguien a quien vender sus consejos como yo vendía la pericia en el decir, si es que esto se puede realmente enseñar. Nebridio se había retirado de nosotros en obsequio al deseo que apelando a nuestra amistad había expresado Verecundo, ciudadano y retórico de Milán, que necesitaba mucho a alguno de nuestro círculo que lo asistiera como auxiliar en sus labores docentes.

2. Nebridio se fue con él, pero no atraído por la comodidad, pues mayores cosas podía hacer, si lo quería, en el campo de las letras; pero ese amigo dulce y agradable se separó de nosotros por servicialidad. Su cargo lo desempeñaba con suma prudencia, evitando ser conocido por los altos personajes de este mundo, para no perder la tranquilidad de su ánimo, pues quería conservarlo libre. Asi consagraba cuantas horas pudiera a la lectura, a la investigación o a escuchar las palabras de tu sabiduría.

3. Y un día sucedió que, estando Nebridio ausente por no recuerdo cuál motivo, vino a visitarnos a Alipio y a mí un tal Ponticiano, paisano nuestro de África, que desempeñaba un alto cargo en la corte; quería pedirnos un favor, no recuerdo cuál. Nos sentamos pues a conversar. Y en un momento dado, sus ojos se fijaron sobre la mesa de juego, en la cual estaba por pura casualidad un libro. Lo tomó, lo abrió y, con sorpresa, advirtió que no se trataba de ninguna materia literaria de las que yo enseñaba, sino de las cartas de san Pablo. Me miró sonriendo y muy admirado me felicitó de que semejante libro fuera el único que yo tenía allí. Porque él era un cristiano fiel que, con frecuencia, se postraba ante ti, Dios nuestro, en largos tiempos de oración. Y cuando le dije que tenía gran interés por esas escrituras, se inició una conversación en la cual empezó a hablarnos de Antonio, el monje egipcio, de

glorioso nombre entre tus hijos, pero desconocido para nosotros en aquellos días. Cuando se dio cuenta de nuestra ignorancia, se extendió más en la narración, admirado de que pudiéramos desconocer a tan conocido personaje.

4. Quedamos atónitos de oír estos hechos de memoria reciente, casi de nuestro tiempo; maravillas bien documentadas que se dan en la recta fe de tu Iglesia Católica. Y estábamos admirados los tres: Alipio y yo, de que sucedieran cosas tan grandes; y él, de que nosotros no las conociéramos. En seguida pasó a hablar de los muchos monasterios, tan poblados de monjes, con la fragancia de ti que hay en sus costumbres, y de la fertilidad de la vida solitaria en esos desiertos. Por él supimos algo de lo que estábamos completamente ignorantes: que en Milán, fuera de los muros de la ciudad; existía un monasterio sostenido por Ambrosio y habitado por santos monjes. Y entre tantas otras cosas, nos contó que, en cierta ocasión, no recordaba cuando, pero ciertamente en Tréveris, él, en compañía de tres amigos, mientras el emperador asistía a los espectáculos vespertinos del circo, habían salido a pasear por unos huertos contiguos a los muros de la ciudad. Y sucedió que, al caminar, se fueron separando: Ponticiano con uno de los amigos, y los otros dos, por otra parte. Y caminando a donde los llevaban los pies, fueron a dar a una casita en donde moraban algunos buenos servidores tuyos,de esos pobres de espíritu de quienes es el Reino de los cielos (Mt 5,3); y fue allí donde encontraron un códice en que se relataba la vida de Antonio.

5. Uno de ellos comenzó a leer; y, conforme leía, se admiraba y se entusiasmaba; hasta el punto de que, durante

la lectura comenzó a meditar el proyecto de abrazar una vida semejante para dejar la milicia de las cosas del mundo y servirte a ti. Era él uno de aquellos empleados que se llaman agentes del emperador. Y lleno de una súbita oleada de amor a ti y de pudor religioso, miró a su amigo y le preguntó: "Dime, por favor, ¿a dónde pretendemos llegar con todos nuestros trabajos? ¿Podemos aspirar a algo más en el palacio que a ser amigos del emperador? ¿Y por cuánto tiempo va a durar todo esto? En cambio, en este mismo momento, puedo ser amigo de Dios, si así lo quiero".

6. Esto dijo; y cómo turbado por el engendramiento de una vida nueva, volvió los ojos a las páginas; y, al ir leyendo, iba cambiando por dentro, en donde sólo tú penetras, y su mente se desnudaba del mundo, como luego se vio. Mientras iba leyendo se agitaba en su corazón una marejada de afectos. Lanzo un gemido; y habiendo visto claro y decidido lo mejor, y ya completamente dado a ti, dijo a su amigo: "Acabo de romper con las viejas esperanzas de progresar en el mundo, quiero servir a Dios, y, en este mismo momento y en este lugar me doy a ello. Y tú, si no quieres imitarme, por lo menos no me lo estorbes".

Pero el otro contesto que con gusto se adhería a su amigo para entrar en tan gloriosa milicia y aspirar a tan magno galardón. Y así, tuyos ya los dos, lo dejaron todo para seguirte, y comenzaron a edificar la torre contando con materiales suficientes (Lc 14,28).

Mientras tanto, Ponticiano y el amigo que con él vagaba por la otra parte del huerto, se pusieron a buscarlos, y finalmente los hallaron en aquel lugar; les advirtieron que convenía regresar, pues el día estaba cayendo. Pero ellos les hablaron de su nuevo propósito y de su firme decisión, y del modo cómo había nacido en ellos aquella nueva voluntad; y les rogaron que no lo tomaran a mal, si no regresaban con ellos. Ponticiano y su amigo continuaron en su género de vida, pero lloraron de compasión sobre sí mismos; los felicitaron por su determinación, se encomendaron a sus plegarias; y con el corazón puesto en la tierra, se volvieron al palacio. Aquellos, en cambio, con el corazón puesto en el cielo, se quedaron en aquella casa. Y sucedió que ambos estaban desposados; y cuando las dos novias se enteraron de aquel propósito, también ellas te consagraron su virginidad. Éste fue el relato de Ponticiano.

Capítulo 7

1. Y mientras él hablaba tú me hacías retorcerme y entrar en mí mismo, quitándome de mis propias espaldas en las que yo me había puesto, porque no quería mirar mi propio rostro. Me ponías frente a frente a mí mismo para que viera la fealdad, cuán sórdido y deforme era yo, cuán manchado y ulceroso. Me horrorizaba el verme así, pero no tenía manera de huir de mí mismo, pues si quería apartar de mí mismo la mirada, Ponticiano no me dejaba; continuaba hablando y hablando, y decía lo que tenía que decir. Y tú persistías en enfrentarme a mí mismo y ponías viva luz en mis ojos para que viera mi maldad y la aborreciera. Ya la conocía yo, pero la disimulaba, me convertía en su cómplice y terminaba por sepultarla en el olvido. Pero, en ese momento, cuanto más atracción sentía por aquellos hombres de quienes estaba oyendo hablar y

cuyos nobles sentimientos los había llevado a entregarse a ti, tanto más miserable me hallaba comparándome con ellos.

Muchos años de mi vida se habían escurrido ya, quizás doce, desde que un día, leyendo el *Hortensio* de Cicerón había sentido en mí el impulso de buscar la sabiduría. Disertaba entonces sobre el tema de abandonar las felicidades de este mundo para consagrarme a ella, pues estimaba que no ya el encontrarla, sino simplemente el buscarla era de preferir a todos los tesoros que se pueden hablar, a la dominación sobre los pueblos y a todos los placeres corporales que podía tener a mi arbitrio.

2. Yo, adolescente bien miserable desde el principio mismo de mi adolescencia, te había pedido la castidad. Pero te había dicho: "Concédeme la castidad y la continencia, pero no ahora". Temía que me escucharas demasiado pronto y me sanaras rápidamente del morbo de mi concupiscencia, pues más quería verla satisfecha que apagada. Más tarde, me extravié en la sacrílega superstición del maniqueísmo no por estar cierto de que era verdad, sino porque me parecía preferible a otras doctrinas que ciegamente combatía en vez de estudiarlas con piedad y atención. Y me imaginaba que el motivo de diferir, un día y otro también, el propósito de seguirte a ti con desprecio del mundo era que no alcanzaba a ver una luz cierta que pudiera dirigir mis pasos.

Ahora, sin embargo, había llegado el momento de verme desnudo ante mí mismo y de escuchar las vivas reclamaciones de mi conciencia.

3. Su voz me decía a gritos: "¿Qué pasa con tu lengua? ¿Por qué has dicho que por ver incierta la verdad diferías

alejar de ti el fardo de la vanidad? Pero la certeza, ahora ya la tienes, y, sin embargo, la carga te sigue oprimiendo y no das un paso. Otros, sin carga sobre los hombros, vieron brotar de ellos alas para volar a la verdad, cuando ni se han fatigado en buscarla ni han meditado en ella, como tú, por más de diez años". Este pensamiento me roía las entrañas. Me sentía confundido y aplastado por una vergüenza profunda y horrible a medida que Ponticiano nos iba relatando todo aquello.

Terminada la conversación y arreglado el asunto que lo había llevado a nosotros, se marchó a su casa, y yo me quedé frente a mí mismo. ¿Qué reproches no me hice, qué denuestos no me dije? Con palabras como látigos flagelé mi alma para estimularla a seguirme en mis intentos por ir a ti. Pero mi alma se negaba, rehuía, y no quería disculparse. Todas sus razones en mi contra habían quedado atadas y desbaratadas; y, sin embargo, quedaba en mí una muda trepidación, y como a la muerte misma temía yo que se cortara el flujo de aquella costumbre que como fatal enfermedad me quitaba las fuerzas.

Capitulo 8

1. Conturbado en el rostro y en el ánimo por aquella bravísima pelea interior que, en ese recinto tuyo que es mi corazón libraba yo con mi propia alma, me fui sobre Alipio como un agresor exclamando: "¿Por qué tenemos que aguantar todo esto? ¿Te das cuenta cabal de lo que hemos oído? ¿Cómo dejamos que los que nada saben se encaminen y consigan el Cielo por la fuerza, mientras nosotros, con toda nuestra ciencia, languidecemos atrás, cobardes e insensibles,

empantanados en nuestros pecados? ¿No querremos seguirlos nada más porque nos han tomado la delantera? ¿Y no es mayor vergüenza si ni siquiera intentamos seguirlos?".

Muchas otras cosas como éstas le dije; y me sentí un poco distanciado de él, pues ante mi tempestuoso ardor él me miraba atónito y sin pronunciar palabra. Pero es que yo estaba diciendo cosas insólitas y con una voz que no era la mía; y mi estado de ánimo se manifestaba menos con las palabras que decía que con la alteración del rostro, la frente, los ojos, la voz.

2. Había en la casa de nuestro alojamiento un jardincito, del cual podíamos disfrutar, como también de toda la casa, pues su dueño no vivía en ella. Allá me encaminó el tumulto de mi pecho, pues allí nadie podía intervenir en la dura lucha en que andaba conmigo mismo, hasta que se produjera un desenlace que tú conocías, pero yo no. Allí me sentí enloquecer de cuerda locura y morir con muerte vital; sabedor del mal que padecía, pero ignorante de la salud que más tarde iba a tener.

Me retiré pues al huerto, y Alipio siguió mis pasos. Mi secreto no dejaba de serlo porque él estuviera presente; ¿y cómo podía abandonarme estando yo en semejante excitación? Nos sentamos, pues, tan lejos de la casa como era posible. Y mi espíritu se estremecía con turbulenta indignación, porque no iba yo al compás de tu voluntad cuando todos mis huesos clamaban por ti con un clamor de alabanza que se levantaba hasta el cielo. Y a ti, mi Dios, no se podía ir en un navío, ni en carro, ni siquiera andando con los pies que nos habían llevado desde la casa hasta el lugar en que estábamos sentados.

3. Porque para ir y llegar a ti es necesaria y suficiente una voluntad firme y entera. No se va a ninguna parte con un querer semiparalítico y vacilante una de cuyas partes se levanta y está en conflicto con otra parte que se hunde. En el ardor de mi perplejidad, tenía yo actos corporales como los que tienen, a veces, los hombres cuando quieren algo pero no lo pueden hacer; o porque les faltan los miembros, o porque los tienen atados, o porque la enfermedad se los ha vuelto torpes. De esta manera, si me di golpes en la frente, si me tiré mis cabellos, si me abracé las rodillas con manos trémulas que entrelazaban sus dedos, fue porque quise y pude. Pero también era del todo posible que lo quisiera y no pudiera hacerlo, si mis miembros me negaban su obediencia. Hice así muchas cosas en las cuales no era lo mismo el querer que el poder.

En cambio, no me era posible algo que inmensamente quería; pues, en un momento, podía decir: "quiero", pero en otro no me alcanzaban las fuerzas para tanto, y sólo quería querer. Porque el acto propio de la voluntad interior es el acto de querer, y querer es lo que ella hace. Y en mí, sin embargo, no podía hacerse lo que yo tan grandemente quería. Fácilmente obedecía mi cuerpo a los más leves mandatos de mi alma moviéndose según su placer; pero mi alma no se podía obedecer a sí misma queriendo con voluntad eficaz lo que era su gran delicia.

Capitulo 9

1. ¿De dónde procede y por qué se da esta monstruosidad? Alúmbreme tu misericordia para interrogar, si por

ventura pueden responderme, los secretos del dolor humano, las tenebrosas tribulaciones de los hijos de Adán. ¿De dónde viene, pues, esta monstruosidad, y cuál es su causa? Porque si el alma le manda algo al cuerpo, es inmediatamente obedecida; pero si el alma misma se manda algo, encuentra una resistencia que le viene de adentro de su propia entraña.

Manda ella que la mano se mueva, y apenas se puede distinguir el mandato de la ejecución, así de fácil es la obediencia del cuerpo. Y el alma es el alma, mientras que la mano es algo del cuerpo. Pero el alma se manda a sí misma querer algo; y siendo ella una y la misma cosa, no acierta a hacer ni aun plenamente querer lo que quiere. ¡Oh monstruosidad! ¿De dónde procedes? Porque el alma, como digo, se manda a sí misma querer; no se lo mandaría, si no lo quisiera, y, sin embargo, no le resulta lo que manda y quiere.

2. Lo que sucede es que cuando la voluntad no es total, su imperio tampoco es total. En tanto impera en cuanto quiere; y lo que impera no se realiza en la medida en que no lo quiere, porque la voluntad que manda no es otra, sino ella misma. Y así, cuando no manda algo con plenitud, no se realiza lo que manda; y al contrario, si la voluntad fuera plena, ni siquiera tendría que mandar, pues ya existiría lo querido. No hay pues una monstruosidad natural en este parcial querer y no querer; se trata simplemente de la insuficiencia del ánimo, que no se yergue entero al surgimiento de la verdad, porque todavía está cargado por el peso de la costumbre. Es como si hubiera en nosotros dos voluntades, una de las cuales tiene lo que le falta a la otra.

Capítulo 10

1. Perezcan lejos de tu rostro, Señor, como se desvanecen los disertadores de vanidades y seductores de almas, esos doctrinarios que por advertir que se da en nosotros una deliberación entre voluntades contrarias deducen de ahí que tenemos dos mentes de naturaleza distinta, una buena y otra mala. Pues malos son ellos, en verdad, cuando tan mala doctrina profesan; y buenos se harán cuando vean la verdad y consientan en ella. Entonces les diría tu Apóstol: "Erais un tiempo tinieblas, pero ahora sois luz en el Señor" (Ef 5,8). Quieren ellos ser luz, pero no en el Señor, sino en sí mismos, pensando que la naturaleza del alma es la misma naturaleza de Dios. Y más densa se hace con esto su tiniebla, por cuanto con horrible arrogancia se van lejos de ti, la única luz verdadera que ilumina a todo hombre que viene a este mundo (Jn 1,9). Miren hacia él y quedarán resplandecientes, y sus rostros no se avergonzarán (Sal 33,6).

Cuando yo deliraba conmigo mismo consagrarme ya finalmente al servicio de Dios, como de tiempo atrás lo venía pensando, era yo el que quería y era yo el que no quería. Nadie sino yo era el que ni plenamente quería ni plenamente no quería. Por eso, batallaba conmigo mismo y me veía en mí mismo dividido. Esa división la padecía contra mi voluntad, pero en manera alguna demostraba que hubiera en mí otra distinta de la mía y de otra naturaleza. Esa división era el castigo de la única mente mía. Y sin embargo no era yo el causante de esa división, sino el pecado que habitaba en mí (Rom 7,17) y que era producto de otro pecado cometido con mucha mayor libertad. Era yo, simplemente, un hijo de

Adán. Si hubiera en nosotros tantas naturalezas contrarias cuantas son las voluntades que luchan entre sí, no tendríamos solamente dos naturalezas, sino muchas.

2. Si alguno pondera consigo mismo sobre si va a asistir a sus reuniones o mejor se va al teatro, los maniqueos exclaman: "Aquí se ven las dos naturalezas, la buena, que lo trae a nosotros, y la mala, que lo lleva al teatro". Yo, por mi parte, las tengo a ambas por malas, una porque me llevaría a ellos y otra porque me lleva al teatro; y ellos no tienen por buena sino la que lleva a ellos. Pero, ¿qué van a decir si alguno delibera sobre si va al teatro o viene a la iglesia de los cristianos? Su respuesta tendrá que ser dudosa. No van a conceder que es buena la voluntad de venir a nuestra Iglesia como vienen y en ellas se detienen los que han recibido sus sacramentos, pero también les parece mala la voluntad de ir al teatro. Se salen de esto diciendo que hay en el hombre dos mentes y dos naturalezas que luchan entre sí; pero entonces resulta falsa su pretensión de que una de estas voluntades es buena y la otra mala. A menos que finalmente entren en razón y concedan que cuando el hombre delibera se da el caso de que un alma que es una y la misma sea asiento de dos voluntades contrarias. Que no digan pues que cuando se sienten divididos entre dos voluntades opuestas tienen dos mentes contrarias procedentes de dos sustancias contrarias, una buena y la otra mala.

3. Pero tú, Dios verdadero, los repruebas y los refutas, porque es evidente que la deliberación de un hombre puede verse sobre dos voluntades distintas que son malas las dos. Como si alguno se pregunta si va a matar a otro con el vene-

no o mas bien con el puñal, o si va a invadir el campo de éste o más bien el de aquel otro; o si va a gastar su dinero en la lujuria o más bien guardarlo en la avaricia; o si va al circo en vez del teatro, si va a robar o a cometer un adulterio. Todas estas cosas malas pueden ser deseadas, y es malo desearlas, pero la opción se impone cuando no es posible cometer al mismo tiempo dos pecados distintos.

4. Según ellos el ánimo queda despedazado entre cuatro voluntades adversas y aun muchas más según sea el número de objetos deseables y no posibles de alcanzar al mismo tiempo; y, sin embargo, no suelen ellos hablar de una pluralidad de sustancias y de buenas voluntades. Porque lógicamente debemos decir de las voluntades buenas lo que se dice de las malas. Díganme si no: ¿Es bueno leer una carta del Apóstol? ¿Es bueno recrearse en la sobriedad de un Salmo o explicar el Evangelio? Me responderán sin dudar que todo esto es bueno. ¿Y qué si todo eso es bueno, y me deleita, y conmigo mismo delibero sobre cual de las tres cosas voy a escoger? Como se ve, también hay contrariedad entre las voluntades buenas; mientras no se carga sobre una de ellas todo el peso de una voluntad antes dividida entre opciones diversas. De igual manera, cuando el deleite superior de la eternidad combate con el deseo de los placeres inferiores de la vida, hay debajo de ese conflicto una sola alma que es asiento de voluntades contrarias, mientras no se entrega con totalidad a una de ellas. En tanto que no lo hace, se siente con grave molestia dividida. Prefiere ciertamente la verdad, pero no acierta a deshacerse de la mala inclinación.

Capitulo 11

1. Así iba yo viviendo, enfermo y atormentado y haciéndome acusaciones más acerbas que nunca y volviéndome y revolviéndome en mi cautiverio, mientras no acababa de romperse el lazo que aún me retenía, delgado ya pero todavía resistente. Y entre tanto, Señor, tú con severa misericordia seguías haciendo presión en lo más hondo de mi alma; me flagelabas con los alternos azotes del terror y la vergüenza y temor al mismo tiempo, de que no rompiéndose el tenue y último eslabón de mi cadena, quedara yo más fuertemente atado. Me decía entre mí: "Sí, ya lo voy a hacer, y será pronto". Al pronunciar la palabra me aprestaba a la ejecución, ya casi lo hacía; pero no lo hacía. Tampoco me dejaba ir hacia los anteriores pecados; y sintiéndome a la orilla de mi liberación, tomaba un respiro. Hacía entonces otro esfuerzo, y casi llegaba, pero no llegaba; ya casi lo tenía, pero no lo tenía. No podía decidirme de manera definitiva a morir a la muerte y vivir para la vida; y más poderoso era en mí lo peor, por inveterado, que lo mejor, por insólito. Y mientras más cercano veía el momento en que iba yo a ser otro hombre más crecía mi horror. Esto no me hacía recaer, no me apartaba de mi propósito, pero me hacia seguir viviendo en suspenso.

2. Lo que me retenía eran bagatelas de bagatelas, vanidades de vanidades, antiguas amigas mías que me sacudían la vestidura carnal diciéndome: "¿Con que nos vas a dejar? ¿Desde este momento, no vas a tenernos contigo por toda la eternidad? ¿Nunca más va a serte lícito esto y aquello otro?". Y en esta sola expresión, ¡cuántas cosas no me sugerían, Señor!

¡Aparte de mí para siempre tu misericordia todas esas sugerencias tan sórdidas! Ya para entonces las oía como desde lejos, como a media voz, no dándome un combate frontal, sino como musitando tras de mi espalda, como queriendo llamar mi atención para que volviera a ellas la mirada, mientras yo huía de ellas. Pero con esto sólo hacían tardo mi propósito de arrebatar mi nueva vida plantándome de un salto en donde tú me llamabas; pues mi violenta costumbre me decía: "¿Crees por ventura que vas a poder vivir sin estas cosas?".

3. Pero esto me lo decía con voz cada vez más apagada. Y para aquella parte hacia donde iba yo marchando de frente y sin embargo temblaba de alcanzar, se me aparecía la casta dignidad de la continencia, alegre, pero suave en la alegría. Me invitaba cariñosamente a venir y a no dudar; y tendía hacia mí para recibirme sus manos piadosas llenas de buenos ejemplos. En ella, vivían muchos niños y niñas, mucha juventud, gentes de toda edad y de toda condición: viudas respetables y ancianas que habían encanecido guardando su virginidad. Y vi que no había esterilidad en esta continencia, sino que, más bien, era madre fecunda de gozosa prole habida de ti, Señor, que eres su esposo. Y ella con amable burla me exhortaba diciendo: "¿No podrás tú lo que éstos y éstas han podido? Porque no lo han podido por sí solos, sino por la gracia de su Dios y Señor. Regalo de él soy, pues de él me recibieron ellos. ¿Por qué te empeñas en estar en ti mismo, que es donde no puedes estar? ¡Arrójate en él de cabeza y sin dudar, pues no se hará a un lado para que tú caigas. Arrójate en él con toda seguridad; él te recibirá y te concederá la salvación!".

Así me hablaba, pues, la continencia; y mi rubor era grande, pues todavía escuchaba el murmullo de aquellas vanidades y seguía suspenso en la vacilación. Y ella de nueva cuenta parecía decirme: "Hazte sordo a los sucios clamores de tus miembros terrenos, que deben ser mortificados, pues los deleites que te ofrecen son contrarios a la ley de tu Dios".

Toda esta controversia que se agitaba en mi corazón no era sino el batallar mío contra mí mismo. Y mientras tanto, Alipio, siempre firme a mi lado, me observaba en silencio y ponderaba cómo iría yo a salir de aquella crisis.

Capitulo 12

1. Pero cuando de mis más arcanos fondos sacó mi consideración toda la mole de mis miserias y me la plantó delante de los ojos, se levantó en mí una inmensa tempestad que desencadenó un torrente de lágrimas. Y para poderlo soltar libremente, con todas sus voces y alaridos, me aparté de Alipio; para llorar era preferible la soledad, pues aun su presencia, grata como era, la sentía yo como un estorbo. Yo era ya tuyo, y él no sé qué sintió. Pienso que algo debí decir con la voz ya cargada de llanto, y en esa situación, me levanté. Él, lleno de estupor, permaneció sentado en el mismo lugar, y yo fui a tenderme no recuerdo cómo debajo de una higuera; solté la rienda a las lágrimas, y de mis ojos salieron como sacrificio aceptable para ti ríos enteros. Y muchas cosas te dije, no en estos precisos términos, pero sí con este sentido: ¿Hasta cuándo, Señor? ¿Vas a estar enojado conmigo para siempre? ¡Olvídate ya de nuestras viejas iniquidades! (Sal 6, 3; 12,2; 128, 8). Porque me sentía aún amarrado a ellas y lan-

zaba gemidos llenos de miseria: "¿Cuándo, cuándo acabaré de decidirme? ¿Lo voy a dejar siempre para mañana? ¿Por qué no dar fin ahora mismo a la torpeza de mi vida?".

2. Esto decía con lágrimas de amarga contrición. Y mientras tanto se oyó una voz, de niño o de niña, no lo sé, que, desde la casa vecina, decía y repetía cantando: "Toma y lee, toma y lee". Al punto se mudó mi ánimo y comencé a preguntarme con fija atención si había oído alguna vez cantar a los niños por juego una letrilla semejante. Y comprimiendo el ímpetu de mis lágrimas me levanté enseguida, seguro de que en aquella voz había para mí un divino mandato de tomar el libro y leer lo primero que vieran mis ojos. Porque de Antonio acababa de oír que una lectura del Evangelio lo había amonestado, como si con las palabras le hablara, diciéndole: "Anda, vende todo lo que tienes y dalo a los pobres, con lo cual tendrás un tesoro en el cielo; y luego, ven y sígueme" (Mt 19,21). Y Antonio siguió este oráculo y se convirtió a ti.

3. Volví entonces apresuradamente al lugar en que estaba sentado Alipio, pues allí había dejado el libro del Apóstol. Lo tomé, lo abrí y leí en silencio el capítulo en que habían caído mis ojos. Decía: "Basta de excesos en la comida y en la bebida, basta de lujuria y libertinajes, no más peleas ni envidias. Por el contrario, revístanse de nuestro Señor Jesucristo y no se preocupen por satisfacer los deseos de la carne" (Rom 13,13-14). No quise leer más, ni era necesario. Porque al terminar de leer la última sentencia, una luz segurísima penetró en mi corazón disipando de golpe las tinieblas de mi duda. Cerré entonces el libro, señalando el pasaje no re-

cuerdo si con el dedo o con otra señal; y serenado ya le conté entonces a Alipio lo que me había pasado. Él me contó lo que tenía en su alma y que yo ignoraba. Quiso ver lo que yo había leído; lo vio, y fue más allá de donde yo me había detenido; y lo que seguía era: "Reciban al que es débil en la fe" (Rom 14,1). Él se aplicó estas palabras y me dijo por qué; y con esta admonición quedó confirmado en su propósito, que era bueno y congruente con la compostura de su vida, con la cual desde mucho antes me superaba y dejaba atrás. Sin turbación alguna ni tardanza se adhirió a mí. Fuimos en seguida a ver a mi madre, le contamos nuestra resolución, y se alegró; pero, cuando le relatamos con detalle cómo había sido aquello, su exultación fue triunfante. Y se puso a bendecirte a ti que eres poderoso para darnos más allá de lo que alcanzamos a pedir y a entender (Ef 3,29); porque claro veía que le estabas concediendo mucho más de lo que ella con gemidos y lágrimas acostumbraba pedirte. Y en tal forma me convertiste a ti, que no busqué ya mujer y abandoné a todas las esperanzas de este mundo. De este modo, sucedió que estuve de pie en aquella regla de fe en la cual tantos años le habías revelado que iba yo a estar. Su luto se transformó en gozo; en un gozo muy mayor que el que había deseado y mucho más casto y amado de lo que podía haber esperado de nietos habidos de mí.

Libro IX

Libro IX

Capítulo 1

1. "¡Oh Dios! Yo soy tu siervo e hijo de tu sierva. Te ofreceré un sacrificio de alabanza porque has roto mis cadenas" (Sal 115,16). "Que te alaben mi corazón y mi lengua; que mis huesos todos clamen: Señor, ¿quién hay que sea semejante a ti?" (Sal 34,10). Tú, en cambio, respóndeme: "Yo soy tu salvación" (Sal 34,3). ¿Quién era y cómo era yo? ¿Qué pecados no hice; o si no lo hice, los dije; o si no los dije los pensé? Pero tú, Señor, eres misericordioso; y tu diestra, mirando en la hondura de mi muerte, de mi corazón sacó y agotó todo un abismo de corrupción. Y esta miseria no estaba en otra cosa que en no querer yo lo que tú querías y querer en cambio lo que tú no querías.

2. ¿Dónde estuvo durante tan largos años mi libre albedrío? ¿Y de qué profundidades me sacaste para que doblara mi cerviz a tu yugo suave y aceptara sobre mis hombros tu carga ligera, ¡oh Cristo!, auxiliador y redentor mío? ¡Cuán suave me pareció desde el primer momento el carecer de las suavidades de la vanidad, las que tanto había temido perder, y que perdidas ahora, me llenaban de gozo! Porque tú, suavidad suprema y verdadera, las arrancabas de mí y, en su lugar, entrabas tú, que eres más dulce que todos los placeres superiores a la carne y a la sangre; más claro que la luz y más

interior que toda intimidad y más sublime que todo honor, pero no de ese honor, con que muchos se sienten en sí mismos encumbrados.

Ya era libre mi ánimo de toda sujeción a los cuidados de la ambición de honores y bienes; la de revolcarme en el fango y de rascarme las leprosas escamas de la concupiscencia. Ya podía cantarte como te cantan los pajarillos al amanecer; a ti, mi Señor y mi Dios, que eres mi claridad, mi riqueza y mi salvación.

Capítulo 2

1. Me pareció bien entonces, pensándolo en tu presencia, retirarme del ministerio de la elocuencia que se vende en los mercados de la locuacidad, para evitar que esos jóvenes que no piensan ni en tu ley ni en tu paz, sino solamente en las mendicidades y triquiñuelas forenses no compraran de mí las armas para sus furores e insanias. Pero no quise retirarme ostentosamente, sino con suavidad. Por fortuna faltaban ya pocos días para las vacaciones de la vendimia; decidí pues aguantar hasta la solemne clausura del curso para retirarme definitivamente y no volver a vender mi enseñanza, cuando había ya sido rescatado por ti. Mi propósito te era conocido, pero la gente lo ignoraba, a excepción de los míos. Habíamos concertado entre nosotros no divulgarlo todavía. Bien es verdad que, al empezar a salir nosotros de nuestro valle de lágrimas cantando los salmos graduales, nos habían dado saetas agudas y carbones devastadores (Sal 119,4), para vencer los halagos de lenguas engañosas que, con la apariencia de darnos buenos consejos, pudieran contrariar nuestro

propósito y su color de amistad nos comiera como una golosina. Tú nos habías flechado con tu amor, y tus palabras las llevábamos como encajadas en las entrañas; y los ejemplos de aquellos siervos tuyos que de negros habías vuelto blancos y de muertos vivos, amontonándose en nuestro pensamiento quemaban y consumían la pesada torpeza que nos inclinaba hacia lo bajo; y de tal modo nos encendían, que las palabras de disuasión que pudiéramos oír, más que apagarlo, atizarían ese fuego.

2. Sin embargo, como tu nombre ha sido ya glorificado por toda la tierra, estimé que nuestro propósito encontraría sin duda entre los tuyos motivo de alabanza y que fácilmente parecería jactancia mía el retirarme de mi profesión, notoria como era, con impaciencia y sin aguardar el tiempo de las vacaciones. Una salida ostentosa sería advertida por todos y daría mucho que hablar, como si yo vanidosamente hubiera querido hacerme notorio con una abrupta renuncia a mi actividad profesional. Pero, ¿qué se me daba a mí de que se opinara y se discutiera sobre mi acción y mis motivos y se blasfemara de nuestro bien?

Además, el exceso en el trabajo literario me había debilitado los pulmones; mi respiración era fatigosa y un constante dolor en el pecho denunciaba una lesión pulmonar que me impedía el ejercicio claro y prolongado de la voz. Esto fue al principio para mí una molestia, pues casi me obligaba a soltar la carga del profesorado cuando menos por un tiempo, por si acaso sanaba y convalecía; pero cuando nació en mí y plenamente se afirmó la voluntad de tomar para mí todo mi tiempo para ver que tú eres el Señor, comencé a alegrarme del achaque. Bien sabes tú que en eso tenía yo una excusa no mendaz que haría mi dimisión menos ofensiva para aquellos que por el encargo de sus hijos no querían dejarme en libertad.

3. Dominado por este gozo, tuve que tolerar que transcurriera ese tiempo. No sé si llegaban a ser cosa de veinte días, pero sí que me costaba mucho aguantarlos. Ya había perdido aquel incentivo del lucro que me ayudaba a soportar la pesada carga; y seguramente habría ahora quedado abrumado, de no venir la paciencia en el lugar del antiguo deseo. Cualquiera de mis hermanos, siervos tuyos, pudo pensar que con esta dilación pecaba yo, pues lleno ya mi corazón del deseo de servirte, consentía en seguir siquiera una hora sentado en la cátedra de la mentira. No lo voy a discutir. Pero, ¿acaso tú, Señor de las misericordias, no me has perdonado ya también éste entre tantos otros fúnebres y horrendos pecados míos, con la santa ablución de las aguas del bautismo?

Capítulo 3

1. Por este bien nuestro se llenaba de ansias Verecundo, a quien un vínculo irrompible le impedía unirse a nosotros en nuestro género de vida. La mujer con quien estaba casado era ya cristiana, y esto le hacía aun más imposible separarse de ella; y Verecundo, no bautizado todavía, no aceptaba ser cristiano, sino de aquella manera imposible, separándose de su mujer. Sin embargo, con gran benevolencia nos ofreció su casa de campo para que en ella viviéramos todo el tiempo que fuera nuestra voluntad. Esto, Señor, tú se lo vas a pagar en el día de la resurrección de los justos, pues le concediste

una muerte de santo. En efecto, estando ya nosotros en Roma enfermó él de gravedad, recibió el bautismo como fiel cristiano, y luego murió. Con esto tuviste misericordia no solamente de él, sino también de nosotros, pues nuestro dolor habría sido intolerable si un amigo nuestro tan noble y tan bueno hubiese muerto sin contarse entre los tuyos.

2. Gracias te sean dadas, Señor, de que somos cosa tuya; según nos lo dan a entender tus exhortaciones y tus consolaciones. Y tú, que eres buen cumplidor de tus promesas, le concederás a Verecundo un pago de aquel precio rústico en el cual pudimos, alejados de las turbulencias del siglo, reposar en ti, la amenidad de tu paraíso eternamente florido; pues le perdonaste sus pecados sobre la tierra para colocarlo en tu santo monte de leche cuajada. Pero, en aquel entonces, pasaba él por grandes angustias por no poder ser de los nuestros, al paso que Nebridio compartía nuestro gozo. No era todavía cristiano, y había caído en aquella fosa de errores del maniqueísmo, en el cual se cree que la verdadera humanidad de tu Hijo es mero fantasma. Así que no participaba aún de los misterios de tu Iglesia, pero los investigaba con sumo ardor por llegar a la verdad. Poco después de nuestra conversión y regeneración por el bautismo, se convirtió también él en fiel católico que te servía en castidad y continencia perfectas, en unión de toda su familia, que por él se había hecho cristiana. En África, a donde había ido con los suyos, te lo llevaste de este mundo.

3. Él vive ahora en el seno de Abraham, sea el que fuere el significado de esta expresión. Allí vive mi Nebridio, amigo dulcísimo a quien tú de esclavo que era convertiste en hijo

tuyo. Allí vive; pues, ¿qué otro lugar podría convenir a un alma tan buena? Vive allí, en ese lugar sobre el cual tantas cosas le había preguntado a un hombre tan inexperto como yo. Ya no aplica su oído a las palabras de mi boca, sino que con la boca de su espíritu bebe de la fuente misma que eres tú, cuanta sabiduría le concedes, en una felicidad sin fin, para su avidez insaciable. Y no pienso que se embriague de ti hasta el punto de olvidarse de mí; pues tú, Señor que así lo embriagas, siempre te acuerdas de nosotros.

Pero, en el tiempo de que vengo hablando, ambos consolábamos a Verecundo, que sin menoscabo de la amistad que nos profesaba se había entristecido por nuestra conversión; y lo animábamos a seguir con fidelidad en su estado propio, que era la vida conyugal. Aguardábamos a Nebridio hasta el momento en que él pudiera seguirnos, que iba a ser ya pronto, pues él estaba muy dispuesto a ello. Y sin darnos mucha cuenta, transcurrieron, por fin, aquellos días que me parecieron bien largos por mi vivo deseo de llegar a la libertad segura y descansada con que quería cantarte con todas mis entrañas: "Mi corazón te dice: busco tu rostro, tu rostro he de buscar, Señor Dios y Dios mío" (Sal 26,8).

Capítulo 4

1. Llegó, por fin, el día en que pude efectivamente liberarme de la profesión de la Retórica de la cual me había desligado ya antes con la voluntad. Y así lo hice. Liberaste por fin mi lengua de las ataduras de que habías ya liberado mi corazón; y yo, de camino con mis amigos hacia una quinta campestre, te bendecía.

Lo que fue mi actividad literaria en esos días en que ya estaba a tu servicio, pero todavía con las ínfulas orgullosas de la escuela como les pasa a los gladiadores en sus momentos de descanso, lo atestiguan los libros polémicos que surgieron entonces de mis conversaciones con los amigos presentes y de mis propios pensamientos en tu presencia; como también mis cartas a Nebridio, ausente por entonces.

Pero, ¿cuándo me bastará el tiempo para enumerar los beneficios que, en esa época, me hiciste, cuando tanta prisa tengo por contar otros todavía mayores? Porque la memoria me representa (y me es dulce confesártelo) los interiores estímulos con que me domaste, y cómo me aplastaste humillado hasta el suelo los montes de mis engreídos pensamientos; cómo enderezaste mis torceduras y suavizaste mis asperezas. Y cómo también a Alipio, hermano mío del corazón, tú sometiste al nombre de tu unigénito Jesucristo, nuestro salvador, que antes veía con desdén en mis escritos, pues prefería sentir en ellos el olor de los altos cedros de la escuela más bien que el de las salubres hierbecillas con que tu Iglesia mata las serpientes.

2. ¡Cuántas voces no di, Dios mío, cuando leía los salmos de David, esos cánticos fieles, melodías de piedad en las que no hay sitio para la hinchazón espiritual de un hombre todavía rudo en tu amor, catecúmeno en compañía de Alipio catecúmeno, en el descanso de aquella quinta campestre, con una madre toda unida a nosotros, que llevaba vestidos de mujer, pero tenía fortaleza de varón, con seguridad de anciana, con amor materno y cristianísima piedad! ¡Qué exclamaciones las mías con aquellos salmos que me inflamaban de

ti; cómo me enardecía su recitación; me gustaría poder recitarlos ante todo el mundo para luchar contra el orgullo del género humano! Y sin embargo, por todas partes se cantan y no hay quién se esconda a tu calor. ¡Con qué acre y dolorosa vehemencia me indignaba yo contra los maniqueos, y cuánta compasión me daba de ellos porque ignoraban estos misterios y saludables medicinas y demencialmente rechazaban el antídoto que podía curarlos! Hubiera querido que se encontraran cerca de mí sin saberlo yo, pero que pudieran oírme; y que sin verlos yo, miraran ellos mi rostro y oyeran mis voces cuando leía el cuarto salmo, y supieran lo que en mi alma se había obrado durante aquel descanso.

3. "Cuando te invoqué me escuchaste, ¡oh Dios de mi justicia! En la hora de la tribulación, ensanchaste mi pecho. ¡Ten piedad de mí y escucha mi plegaria!" Que me oyeran cantar esto sin darme yo cuenta de que me escuchaban, para que no pensaran que por ellos decía yo lo que las palabras suenan. Porque es seguro que tales cosas yo no las diría, ni de ese modo las diría, si sintiera que ellos podían verme y oírme, pues no era posible que tomaran mis palabras como yo las decía para mí mismo en tu presencia y con toda la efusiva intimidad de mis afectos. Me ericé de temor con aquella lectura, y en mí nació la esperanza en tu misericordia, ¡oh Padre mío! Y mis vivos sentimientos se volcaban de mí hacia afuera por los ojos y las voces cuando vuelto hacia nosotros tu Espíritu de bondad nos decía: "Hijos de los hombres, ¿hasta cuándo tendrán cerrado el corazón? ¿Por qué aman la vanidad y buscan la mentira?" Porque yo había amado la vanidad y buscado la mentira. Y tú, Señor, ya habías glorificado a tu

santo resucitándolo de entre los muertos y colocándolo a tu diestra (Mc 16; Hech 2); de donde desde lo alto nos enviara a tu Espíritu consolador, Espíritu de verdad. Ya nos lo había enviado, pero yo no lo sabía.

4. Lo había mandado ya, porque su glorificación había ya acontecido cuando resucitó de entre los muertos y ascendió a los cielos. Antes de ello, el Espíritu no nos había sido dado porque Cristo no había sido aun glorificado (Jn 7,39). Y el profeta clama: ¿Hasta cuándo serán pesados de corazón? ¿Por qué aman la vanidad y buscan la mentira? Pues sepan que Dios ha glorificado a su santo. Pregunta el profeta: ¿Hasta cuándo? Y exclamaba en seguida: ¡Sepan!; y yo, mientras tanto, en mi ignorancia amé la vanidad y busqué la mentira. Por eso ante estas palabras me estremecí, porque expresan lo que yo era y sabía ser. Vanidad y mentira había en aquellos fantasmas que yo había tenido por verdad; y en el dolor de mi recuerdo hice sonar el aire con graves y fuertes voces que ojalá hubieran escuchado aquellos que todavía andan en el amor de la vanidad y enredados en la mentira. Se habrían acaso conturbado y acaso vomitaran su error y clamaran a ti y tú los oyeras; porque con verdadera muerte corporal murió por redimirnos el que intercede ante ti por nosotros (Rom 8,34).

5. Y seguía leyendo: "Enójense y no quieran pecar". ¿Y cuál no era mi emoción, Dios mío, el ver que ya había yo aprendido a enojarme por mis pecados pasados con el deseo de ya no pecar? Y mi ira era justa porque no pecaba en mí ninguna tenebrosa naturaleza distinta de la mía, como dicen los que no saben airarse consigo mismos y se acumulan tesoros

de ira para el día de la ira y la revelación de tu justo juicio. Mi alma no estaba ya puesta en los bienes exteriores ni bajo la luz de este sol los buscaba con ojos carnales. Los que ponen su bien en las cosas exteriores fácilmente se desvanecen, se derraman sobre las cosas visibles y perecederas y con sus famélicos pensamientos lamen sólo sus imagenes. ¡Ojalá su hambre llegara a fatigarlos y dijeran: "¿Quién nos mostrará en donde está el bien?" Nosotros les responderíamos para que bien lo oyeran: "Sellada está, Señor, sobre nosotros la luz de tu rostro" (Sal 4,7). Porque nosotros no somos la luz que ilumina a este mundo, sino que somos iluminados para que quienes un tiempo fuimos tinieblas seamos ahora luz en ti (Ef 5,8).

6. ¡Oh, si pudieran ellos ver aquella eterna luz interior que yo había gustado y que cualquier cosa daría por hacerles conocer! ¡Si movidos por ti me trajeran su corazón mostrándolo por los ojos y me preguntaran: "¡Quién nos dirá en dónde esta el bien?" Porque yo les diría que allí mismo, adentro de mi aposento interior en donde me había enojado contra mí mismo y le había ofrecido el sacrificio de matar mi viejo yo y comenzado a meditar sobre mi renovación en la esperanza, allí mismo habías tú comenzado a serme dulce y a llenar de alegría mi corazón. Y daba voces mientras leyendo aquello por fuera, lo aceptaba y reconocía por dentro. No más quería yo acrecentarme en bienes terrenos ni devorar el tiempo para ser yo mismo devorado por las cosas temporales; pues en tu eterna simplicidad tenía ya otro trigo mejor, otro vino, mejor aceite.

7. Y con altos clamores del corazón continuaba diciendo en el siguiente verso: "¡En la paz! ¡En él mismo! En él dor-

miré y gozaré mi sueño" (Sal 4,9). Pues, ¿quién podrá resistirme cuando se cumpla lo que está escrito: "La muerte ha quedado absorbida en la victoria?" (1 Cor 15,54). Y, tú eres el mismo, el que no tiene mutación, Aquel en quien se tiene un reposo totalmente olvidado de todos los anteriores trabajos, porque no hay otro contigo.

Esta lectura me enardecía y no me venía a la mente qué pudiera yo hacer por aquellos muertos sordos de cuyo número había yo formado parte y con los cuales había ladrado amarga y ciegamente contra tus Escrituras, que son dulces de tu miel y luminosas de tu claridad. Y me enfermaba el solo pensar en estos adversarios de las Santas Escrituras.

8. ¿Cuándo podré recordar todo lo que pasó en aquellos incomparables días de vacación? Pero no he olvidado ni voy ahora a callar la aspereza de tu flagelo y la admirable celebridad de tu misericordia. Es el caso que por aquellos días me atormentaste con un fiero dolor de dientes que llegó a hacerse tan grande, que no me dejaba ni hablar. Me vino entonces al pensamiento la idea de pedir a todos los presentes que te rogaran por mí; escribí esto en una tablilla de cera y la di a leer. Y sucedió que, apenas puestas en tierra nuestras rodillas con suplicante devoción, mi dolor desapareció. ¡Y qué dolor había sido! Pero, ¿cómo se fue? Confieso, Dios y Señor mío, que el hecho me dejó espantado, pues nunca en toda mi vida había tenido yo una experiencia semejante. En lo más hondo de mi ser sentí la potencia de tu voluntad; y lleno de gozo en la fe, comencé a darte gracias. Sin embargo, esa fe no me permitía aún estar tranquilo sobre mis pecados pretéritos, que no estaban todavía redimidos por el bautismo.

Capítulo 5

Pasada la vendimia renuncié a mi profesión para que las autoridades de Milán proveyeran a sus escolares con otro maestro vendedor de palabras; en parte porque había decidido consagrarme a tu servicio, y en parte también porque mis dolores de pecho y mi dificultad para emitir la voz me hacían inepto ya para ese trabajo.

Y a aquel varón lleno de santidad que era tu obispo Ambrosio le manifesté por carta mis errores pasados y mi presente propósito, para que él me indicara cuáles eran lo libros mejores y más propios que pudiera yo leer sobre ti, y que me dejaran más apto y preparado para recibir la inmensa gracia. Él me mandó leer al profeta Isaías, estimo que por ser entre todos los profetas el que con más claridad preanuncia el evangelio y la vocación de los gentiles. Pero como no entendí nada a la primera lectura y pensé que todo el libro tendría las mismas oscuridades, diferí seguirlo leyendo mientras no me sintiera un poco más ejercitado y perito en la divina palabra.

Capítulo 6

1. Cuando llegó el tiempo en que había de dar mi nombre en solicitud del bautismo regresamos a Milán. Alipio quiso renacer en ti juntamente conmigo, y ya poseía una humildad como conviene para la recepción de tu sacramento. Siendo como era un fuerte domador de su cuerpo, hizo algo insólito: quiso pisar a pie desnudo el gélido suelo de Italia, cubierto de nieve. Con nosotros tomamos al jovencito

Adeodato, nacido carnalmente de mí y de mi pecado. Tú lo habías hecho muy bien. Tenía cerca de quince años y no obstante, aventajaba en ingenio a muchos varones graves y doctos. Reconozco tus dones, Señor y Dios mío, creador de todas las cosas y poderoso para reformar todas nuestras deformidades. Lo digo porque en ese niño no había puesto yo nada fuera de mi pecado. Y si él era nutrido por nosotros en tu santa disciplina fue porque tú, y nadie más que tú, nos lo habías inspirado.

En el libro que escribí por entonces bajo el título *De Magistro*, el muchacho habla conmigo. Bien sabes tú que los sentimientos que en el libro expresa mi interlocutor eran los suyos cuando tenía dieciseis años. Otras cosas dignas de admiración vi en él, hasta el punto de que me asustaba aquel ingenio. ¿Y quién sino tú es el artista capaz de obrar semejantes maravillas?

2. Pero su vida la arrebataste pronto de este mundo. Puedo ahora recordarlo en plena seguridad, pues nada temo ya para él de los peligros de la infancia, ni de los de la adolescencia, ni de los que acechan al hombre más tarde. Nos lo asociamos como de la misma edad que nosotros en tu gracia, para educarlo en tu sana disciplina. Fuimos bautizados, y huyó de nosotros toda preocupación por la vida pasada. Y yo en aquellos días no me saciaba de considerar con suavidad increíble lo elevados que son tus designios sobre la salvación del género humano. ¡Cuánto no me hicieron llorar tus himnos y cánticos, hondamente conmovido por la voz de tu Iglesia, que tan dulcemente suena en ellos! Al sonar en mis oídos aquellas voces, se filtraba tu verdad en mi corazón;

y de ella se encendía en mí el afecto de la piedad; me deshacía en lágrimas y era feliz con ellas.

Capítulo 7

1. No hacía largo tiempo que la Iglesia de Milán había comenzado a celebrar esta práctica de exhortación y consuelo, que se llevaba con gran efusión de afecto y gran concordia en la voces y en los corazones. Poco más de un año, Justina, madre del emperador Valentiniano que era menor de edad, había comenzado a perseguir a tu prelado Ambrosio a causa de la herejía arriana en la que ella había caído. El pueblo todo, congregado en la iglesia, permanecía con su obispo. Allí estaba también mi madre, sierva tuya, que vivía en oración y era la más solícita en la vigilancia. Y nosotros, aunque estábamos aún fríos y no tocados por el calor de tu Espíritu, nos sentíamos impresionados por la consternación atónita y turbada de toda la ciudad. Fue entonces cuando, para evitar que el pueblo se fatigara por la ansiedad y el tedio, se acordó cantar himnos a la manera de la regiones orientales. El uso ha continuado hasta hoy y ha sido imitado en todas partes por las comunidades cristianas.

2. Por aquellos días le revelaste a tu obispo Ambrosio en una visión el lugar en que yacían incorruptos los cuerpos de tus mártires Gervasio y Protasio, que tú tenías guardados como un tesoro durante tan largos años en secreto lugar, para sacarlo de allí en el momento oportuno y reprimir la rabia mujeril de una emperatriz. Fueron pues exhumados los venerables cuerpos; y mientras los llevaban con los debidos

honores a la Basílica Ambrosiana, no solamente quedaron liberados algunos posesos por espíritus inmundos, sino que los mismos demonios rindieron testimonio. Y sucedió que un ciudadano ciego de años atrás y conocidísimo en Milán cuando oyó el bullicio del pueblo y se enteró de su causa, pidió que lo llevaran allá; y cuando hubo llegado, solicitó que se le permitiera tocar con su sudario las andas de aquellos santos "cuya muerte fue preciosa ante tus ojos" (Sal 115,15). Apenas lo hizo, se aplicó el sudario y se le abrieron instantáneamente los ojos. Voló por los aires la fama de este suceso, que fue celebrado con fervorosa alegría; y el ánimo de aquella mujer enemiga, aun cuando no tocado por la sanidad de la fe, sí fue comprimido en su furor. Gracias te sean dadas, Señor. ¿De dónde y por dónde encaminaste mi recuerdo para que te confesara estas cosas tan grandes, que me había olvidado relatar? Y sin embargo, en esos días en que "tanta era la fragancia de tus ungüentos" (Cant 1,3), no corríamos a ti. Por eso con más abundancia fluían mis lágrimas oyendo aquellos tus himnos, que me hacían suspirar por ti y respirar tanto aire cuanto podía caber en una casa de paja.

Capítulo 8

1. "Tú, que haces habitar en la misma casa corazones que laten al unísono" (Sal 67,7), asociaste con nosotros a Evodio, joven de nuestro mismo municipio, que servía como comisario en la administración imperial. Él se había convertido y bautizado antes que nosotros y abandonó la milicia secular para alistarse en la tuya. Habitábamos juntos,

en santa comunidad de vida, y juntos también navegamos de regreso a África. Y sucedió que cuando estábamos en Ostia, a las bocas del Tíber, falleció mi madre. Muchas cosas de ella paso por alto, pues tengo premura. Tú, Dios mío, recibe mis confesiones y mi gratitud por beneficios innumerables que dejo en el silencio. Pero no voy a omitir lo que mi mente concibe de aquella sierva tuya que me dio a luz en la carne para esta vida temporal, y me engendró en su corazón para que renaciese a la vida eterna. Los dones que en ella veo no fueron de ella, sino tuyos, pues ella no se hizo ni se educó a sí misma. La creaste tú, y ni su padre ni su madre sabían cómo iba a ser más tarde. La educó en tu temor la regla de tu Hijo único en el seno de una familia fiel y buen miembro de tu Iglesia.

2. No alababa ella tanto la diligencia que ponía su madre en hacerla disciplinada cuanto la de una criada, anciana ya entonces y decrépita, que había portado en sus hombros a su padre cuando era niño, al modo como suelen hacerlo las nodrizas con los pequeñuelos. Por eso y por la ancianidad y sus excelentes costumbres era tenida en mucha estima por los señores de aquella casa cristiana, y con suma diligencia cuidaba a las hijas que ellos le encomendaban; y cuando era preciso para mantenerlas en el orden sabía usar de una vehemente severidad atemperada por la prudencia. Porque fuera de las horas en que comían con sus padres en una mesa frugal, no les permitía beber agua, aunque se murieran de sed. Con esto quería precaver la adquisición de una mala costumbre, y con frecuencia les decía estas sensatas palabras: "Ahora bebéis agua porque el vino no está a vuestro alcance;

pero, cuando ya casadas tengáis en la mano la llave de la bodega, el agua ya no os gustará y acabará por prevalecer en vosotras la costumbre del vino".

3. Con este criterio y este modo de ejercer su autoridad frenaba, desde temprano, los impulsos naturales de las niñas para formarlas en la templanza y en la moderación, de modo que llegara a no gustarles lo que no les convenía.

Pero con todo, me contó mi madre que se le había logrado meter la afición por el vino. Como era una doncella temperante, la mandaban sus padres a sacar el vino de la cuba. Metía ella en la cuba el jarro; y antes de verter el vino en la botella, con rápidos labios le daba un pequeño sorbito, lo que le permitía su paladar no avezado a la bebida. No la movía a eso un gusto claro por el vino, sino más bien, la curiosidad y esa propensión al exceso que era propia de su edad, esa edad que burbujea con gestos e impulsos que la grave autoridad de los mayores suele reprimir en los niños.

4. Era natural que con la práctica cotidiana fuera aumentando el tamaño de los sorbos; y como "quien se descuida en las cosas pequeñas, poco a poco, va cayendo" (Ecli 19,1), mi madre adquirió insensiblemente la costumbre de beber con avidez vasos llenos de vino puro. ¿En dónde estaba la anciana sagaz y vigilante con sus severas prohibiciones? ¿Y qué remedio podía valer contra una enfermedad oculta, si no nos vigilaras tú con tu medicinal providencia? Pero tú lo hiciste. Cuando su padre y su madre y su aya estaban ausentes, tú estabas presente; tú que nos creaste y nos llamas y muchas buenas cosas sueles hacer por intermedio de nuestros mayores. ¿Qué fue lo que hiciste para sanarla? Te valiste

de otra alma que dijera un reproche áspero y agudo como el cuchillo del médico; y de un solo tajo cortaste lo que se estaba pudriendo.

5. Había una criada que solía acompañarla a la bodega a sacar el vino. Y un día, estando sola con ella se sintió con libertad, como a veces les sucede a las criadas, de disputar con su joven señora y le echó en cara su vicio con un reproche durísimo. Llena de ira la insultó y la trató de borracha. Esto fue estando ambas solas, pues quizá la criada se sintió ella misma en peligro por no haberla denunciado oportunamente a sus padres. Pero tú, Señor, que gobiernas a los habitantes del cielo y de la tierra; y que conforme a tus designios dominas la furia del torrente y desvías el flujo turbulento de los siglos, quisiste entonces a un alma con la insania de otra. Por esto nadie debe atreverse a pensar que se debe a su eficacia el que alguien amonestado por él realmente se corrija.

Capítulo 9

1. Educada pues en sobriedad y honestidad; y más sometida a sus padres por ti que a ti por sus padres, cuando llegó a la plenitud de la edad núbil fue entregada a un marido al cual sirvió como a su Señor y trató de ganárselo para ti con el buen ejemplo de unas costumbres con que tú la embellecías, haciéndola, para su marido, admirable, amable y respetable.

Éste le era desleal, pero ella soportaba sus infidelidades conyugales con tal paciencia, que nunca tuvo con él un altercado por ese motivo. Nutría la esperanza de que tú un día le hicieras misericordia, y que con el don de la fe le hicieras también el don de la fidelidad. Por otra parte, él era extremo en el afecto pero también fulmíneo en la ira. Pero ella tenía la prudencia de no enfrentársele cuando estaba enojado, no con obras ni con palabras; y así, pasado el desahogo de la cólera y ya quieto y sosegado, aprovechaba ella la primera oportunidad para explicarle lo que había hecho, si él se había excedido en la cólera.

2. Menos violentos que el suyo eran los maridos de algunas de sus amigas; y sin embargo, éstas con frecuencia se mostraban con el rostro afeado por los golpes recibidos y se quejaban entre sí de la brutalidad de sus maridos. Ella como de broma las amonestaba sobre los desmanes de la lengua y les recordaba lo que habían leído en las llamadas "cartillas matrimoniales", el documento contractual de su matrimonio, en las que se dice que la esposa no debe nunca encocorarse ni disputar con su marido.

Y las amigas, sabedoras de lo feroz que era el marido de Mónica, se admiraban de cómo podía sobrellevarlo hasta el punto de que no hubiera el menor indicio de que Patricio le hubiera puesto alguna vez las manos encima o hubiera tenido con ella alguna reyerta doméstica. Y cuando le preguntaban cuál era su secreto ella contestaba lo que arriba dije. Algunas seguían su consejo y se alegraban de ello; otras no, y seguían padeciendo.

3. También logró vencer a base de paciencia, mansedumbre y obsequiosidad la animadversión de su suegra, que a los principios de estar ella casada, se le había puesto contraria por chismes de algunas maliciosas criadas; y de tal manera, la conquistó, que la suegra manifestó a su hijo las maledicen-

cias de las criadas que la habían indispuesto con su nuera, y le pidió que hiciera en ellas un escarmiento. Patricio, tanto por obsequiar los deseos de su madre cuanto por proveer a la paz y concordia entre los suyos, hizo azotar a las criadas. Y la señora anunció que tal sería la paga de quien en adelante se atreviese a reincidir, y así pudieron ambas vivir en amistoso trato mutuo.

Es que también este don habías hecho tú, Dios mío y misericordia mía, a aquella sierva tuya en cuyo seno me formaste; el don de poner en paz cuanto podía a las almas discordes. Porque ella escuchaba de una parte y de otra las más amargas recriminaciones de esas que se dicen y cuasi se eructan con la violencia del odio cuando en una acerba conversación se murmura de una enemiga que no esta presente. Pero ella escuchaba, y a ninguna le decía de la otra, la ausente, sino lo que podía reconciliarlas.

4. Este bien no me parecería tan grande, si no tuviese yo la triste experiencia de tantas gentes que (por no sé qué horrendo contagio de pecados que cunde ahora por todas partes) no sólo van a contar a los que están enemistados las enemigas palabras de sus enemigos, sino que, además, añaden cosas que éstos no dijeron; siendo así que cuando un hombre tiene realmente humanidad se cuida mucho de no estimular entre los demás las enemistades con la maledicencia, cuando no le es posible apagarlas hablando bien de los ausentes, como lo hacía mi madre bajo tu magisterio en la escuela de su corazón.

Finalmente, en los días postreros de su marido lo había conquistado para ti; y convertido ya a la fe no había ella tenido que llorar lo que tuvo que aguantarle cuando era un infiel. Fue servidora de tus servidores. Quien la conocía encontraba en ella mucho que alabar; y en ella te alababa y te honraba a ti; pues sus buenas obras le hacían sentir que ella tenía tu presencia en su corazón. Había cumplido bien sus deberes para con sus padres, había sido esposa de un solo marido; siempre llevó su casa con piedad y los buenos frutos de su conversación daban de ella alto testimonio.

Había educado a sus hijos, y tantas veces los había dado a luz cuantas veía que se desviaban de ti. Y por último, a todos nosotros, que por tu gracia nos llamamos hijos tuyos y después de la gracia del bautismo vivíamos en fraternal comunidad, nos cuidaba y atendía como si fuera la madre de todos; y a todos nos sirvió como si hubiera sido hija de todos.

Capítulo 10

1. Cercano ya el día sabido de ti pero ignorado de nosotros en que ella iba a emigrar de este mundo, con tus procedimientos secretos hiciste que, en cierta ocasión, estuviéramos solos ella y yo asomados a una ventana que daba al huerto interior de la casa en que morábamos, en aquel lugar de Ostia Tiberina, quieto y retirado de la bulla de la gente, en donde tras las fatigas de un largo viaje nos preparábamos a navegar rumbo a África. Conversábamos pues los dos solos, y la conversación fue dulcísima. “Olvidando lo pasado para solo pensar en lo venidero” (Flp 3,13), discurríamos juntos, a la luz siempre presente que eres tú, sobre cómo puede ser la vida futura y eterna de los santos, esa que “ni el ojo vio ni el oído oyó ni la mente del hombre se puede imaginar” (1

Cor 2,9). Nuestros corazones ansiaban abrevar en los raudales de tu fuente, de "esa fuente que está en ti" (Sal 35,10), para que de ella rociados, de manera proporcionada a nuestra capacidad, pudiéramos pensar y algo entender sobre tan alta materia.

2. La conversación derivó hacia el tema de que la delectación de los sentidos corporales, por grande y luminosa que pueda ser, no es digna, no digamos de comparación, pero ni siquiera de mención frente a la dulzura y la alegría de la vida futura; y este pensamiento nos levantaba con increíble ardor de afectos hacia el Dios mismo. Pasamos revista, grado por grado, a todas las cosas corpóreas, el sol mismo y la luna y las estrellas que lucen sobre la tierra. Y subimos todavía más con el pensamiento interior, hablando de ti y admirando tus obras.

Consideramos luego lo que es el alma humana y pasamos más allá, a la región de la abundancia indeficiente en donde apacientas a Israel con el eterno alimento de la verdad, y en donde la vida es la sabiduría por la que todo fue hecho; lo mismo las cosas que ya pasaron que las que están por venir. Pero la sabiduría no es hecha; es como fue, es como será. Aunque hablando con propiedad no cabe decir de ella que fue o que será, pues simplemente es; eternamente es. En cambio, el haber sido o el haber de ser no son eternidad. Y mientras así hablábamos de ella y por ella suspirábamos, la alcanzamos en alguna medida por el ímpetu del corazón. Dejamos allá arriba prendidas las primicias del espíritu y volvimos luego a bajar a esta región en donde nuestra boca hace ruido y las palabras comienzan y se van. ¿Qué hay, Señor, que sea semejante a tu Verbo, que permanece siempre sin envejecer y por el cual se renuevan todas las cosas?

3. Y decíamos: si sucede que para alguno guarde silencio el tumulto de la carne y para él callen las fantasías de la tierra, de las aguas y del aire; si para él calla el cielo y guarda silencio su propia alma pasando por encima de sí misma y sin pensar para nada en sí; y si enmudecen los sueños y toda revelación imaginaria y calla toda lengua y todo signo y todo cuanto existe por un momento y luego desaparece; a éste, si quiere escucharlas, todas estas cosas le gritan: "No nos hicimos nosotras, nos hizo el que permanece por toda la eternidad". Y si dicho esto y entregado su mensaje excitando el oído para que escuche al que todo lo creó callan todas las cosas; y si luego el creador mismo habla, no por medio de las cosas, sino directamente él mismo, de modo que su palabra no nos llegue al oído de carne por la voz de la lengua, ni por sonido de nube ni por alguna enigmática semejanza, sucederá que al que amamos en las cosas lo escucharemos ya sin las cosas. Ahora nos ponemos en tensión hacia él, y con rápido pensamiento alcanzamos la eterna sabiduría que está por encima de todo. Y si esta percepción continúa, retiradas ya bien lejos todas las visiones de tipo inferior; y si esta visión única arrebata y absorbe y esconde a su espectador en un abismo de interiores gozos, esto será la vida eterna. Será algo parecido a aquel momento supremo de inteligencia que nos arrancó tan hondos suspiros.

¿No es acaso esto lo que significa la expresión evangélica "entra en el gozo de tu Señor" (Mt 25,21)? Pero, ¿cuándo sucederá? Acaso no antes del último día, cuando "todos resucitemos pero no todos seremos transformados" (1 Cor 15,51).

Esto fue lo que dijimos, si no con estas palabras, sí, ciertamente, con el mismo sentido. Bien sabes Señor, cuán vil nos pareció aquel día, cuando de estas cosas hablábamos, el mundo con todas sus delectaciones. Y fue entonces cuando dijo mi madre: "Hijo mío, por lo que a mí me toca, nada me deleita ya sobre la tierra. No sé por qué y para qué estoy aún aquí, agotadas como están para mí todas las esperanzas de este siglo. Una sola cosa me movía a desear un poco más de vida, y era que quería verte cristiano y católico antes de morir. Esto me lo ha concedido el Señor mucho más allá de mis esperanzas pues veo que también has despreciado el mundo para servir a Dios. ¿Qué sigo, pues, haciendo aquí?".

Capítulo 11

1. A estas palabras suyas no recuerdo bien qué cosa respondí; pero pasados apenas cinco días de eso cayó ella enferma con grandes fiebres. Uno de esos días tuvo un desvanecimiento, perdió los sentidos y no reconocía a los que la rodeaban. Acudimos todos. Pero pronto recupero ella la conciencia y mirando a los circundantes entre los cuales estábamos mi hermano y yo, dijo, como quien pregunta: "¿En dónde estaba?". Y luego, viéndonos sumidos en una asombrada tristeza, continuó: "¿Aquí sepultaran a su madre?". Yo callaba y refrenaba las lágrimas; pero mi hermano dijo algo sobre que sería más de desear que no muriese, sino en la patria. Al oír esto ella se puso ansiosa y lo flechaba con la mirada en reproche por pensar tales cosas. Me miró a mí y

me dijo: "¿Ves lo que dice?". Y en seguida, dirigiéndose a los dos, reiteró: "Pongan mi cuerpo en el lugar que sea, me es indiferente. No quiero que los preocupe el cuidado por mi sepultura. Sólo les ruego que me recuerden siempre ante el altar del Señor".

2. Y habiendo expresado este último deseo con las palabras que pudo concertar, se hundió en el silencio, y la enfermedad se agravó sobre ella. Yo, mientras tanto, pensaba en tus dones, ¡oh Dios invisible!; en esas gracias que pones en lo íntimo de los corazones de tus fieles y que tan admirables frutos producen. Lleno de gozo te daba las gracias recordando la gran preocupación que ella había siempre mostrado por las condiciones de su sepultura, pues de tiempo atrás la había preparado para yacer junto al cuerpo de su esposo. Habían vivido en grande y estable concordia; y ella, según suelen pensar las gentes que son muy humanas y con escasa capacidad para lo divino, quería añadir a esa felicidad el que los hombres la recordaran y supieran como, tras una larga peregrinación trasmarina, le había sido concedido que los cuerpos de ambos esposos fueran cubiertos por la misma tierra.

3. Ignoro en qué tiempo comenzó este pensamiento vano a ceder bajo la plenitud de tu gracia, y me dejaba admirado y alegre el que hubiera manifestado ese pensamiento y deseo. Aunque es verdad que, en aquel coloquio nuestro a la ventana, cuando había dicho: "¿Qué estoy ya haciendo aquí?", no había manifestado deseo alguno de morir en su tierra natal. Más tarde supe también, cuando ya estábamos en Ostia, que hablando ella con maternal confianza, durante una ausencia

mía, con algunos de mis amigos, les había dicho que los bienes de este mundo son del todo despreciables. Y como ellos se asombrasen de aquella fortaleza que tú ponías en una mujer y le preguntaran si no temía dejar su cuerpo tan lejos de su ciudad natal, ella respondió: "Nada está lejos de Dios, y no hay peligro de que Él no reconozca mis huesos para resucitarme en el último día".

Y fue así como al noveno día de su enfermedad y al año quincuagésimo sexto de su vida y al trigésimo tercero de la mía, salió de su cuerpo aquella alma pía y religiosa.

Capítulo 12

1. Mientras yo le cerraba los ojos invadía mi pecho una tristeza sin fondo de la cual se formaba un torrente que quería salir por los ojos; pero un violento imperio de mi voluntad absorbía el torrente, y mis ojos permanecían secos; sin embargo, la batalla era agotadora. Cuando mi madre exhaló el último suspiro, Adeodato rompió a llorar a gritos, pero reprendido por nosotros, calló. No de otra manera callaba también en mí aquella ternura juvenil que quería expresarse con lágrimas y que yo reprimía con recia voluntad. Es que no nos parecía decoroso celebrar aquel fallecimiento con gemidos lacrimosos que sólo tienen sentido cuando hay que deplorar una grande miseria en los que mueren, o cuando se ve en la muerte una total extinción de la vida. Pero mi madre ni moría miserablemente ni moría totalmente. De esto nos aseguraban su limpia vida, su fe sin fingimientos y otras muy ciertas razones.

2. ¿Qué era pues lo que tan grave dolor me daba sino la herida recién abierta por el brusco y repentino desgarrón de una convivencia dulcísima y querida? Yo me sentía dichoso por el testimonio que ella dio de mí en su última enfermedad; pues mientras yo le prestaba cariñosos cuidados, ella me llamaba *hijo bueno y piadoso*; y con grande y amoroso, afecto me recordaba que nunca había oído de mi boca ninguna palabra dura o injuriosa. Pero qué comparación podía haber, Señor y creador nuestro, entre los honores respetuosos que yo le rendía y la servidumbre a la que ella se había sujetado por mí? Porque su muerte me dejaba desamparado de sus grandes consuelos y con el alma herida; mi vida misma quedaba despedazada, porque era una sola vida formada con la vida de los dos.

3. Cuando Adeodato hubo dejado de llorar, tomó Evodio el salterio y comenzó a cantar un salmo al que contestábamos todos: "Cantaré, Señor, tus juicios y misericordias" (Sal 100,1). Y al enterarse de lo que estaba pasando, se congregaron muchos hermanos en la fe y muchas piadosas mujeres; y mientras los encargados del sepelio cumplían su oficio, me retiré yo de allí a un lugar en que podía decorosamente hablar con los amigos que no querían dejarme solo. Yo les decía cosas apropiadas a la situación; y con el aliento de esas verdades se mitigaban un tanto aquellos vivos tormentos interiores que tú conocías, pero ellos ignoraban. Me escuchaban hablar con toda su atención, y pensaban que yo era insensible al dolor, por el sosiego con que les hablaba. Pero yo, a tu oído, donde no podían ellos escuchar, me reprochaba la molicie de mi afecto y frenaba los ímpetus del

sufrimiento. Su empuje cedía un poco, pero luego volvía a la carga, aunque no me hacía llegar a la efusión de lágrimas ni a la alteración del rostro. Y porque profundamente me disgustaba el que tanta influencia tuvieran en mí esos accidentes de la vida, que están en el orden y necesariamente tienen que acontecer porque se derivan de nuestra humana condición, con otro tipo de dolor me dolía de mi dolor, y me agobiaba una doble tristeza.

4. Se sacó pues el féretro, y lo llevamos a enterrar. Y yo fui y volví sin una lágrima. Ni siquiera lloré en el momento de las preces que elevamos a ti cuando, puesto el cadáver a la orilla del sepulcro según la costumbre de allí, te ofrecimos el sacrificio de nuestra redención. Pero durante el día entero, me oprimió una pesada y oculta tristeza; y con la mente turbada te pedía, al modo que me era posible, que aliviaras mi dolor. Pero tú no quisiste; y pienso que fue con el objeto de que mi memoria retuviera para siempre, con tu enseñanza, cuán fuertes son los vínculos de la costumbre aun para las almas que ya no se apacientan con palabras falaces.

Tuve también por conveniente ir a los baños, pues, según había oído decir, los griegos les pusieron el nombre de *balanéion* porque decían que el baño ahuyentaba del alma la congoja. Así pues, Padre de los huérfanos, también esto te confesaré ahora: fui a los baños, pero salí de ellos como había entrado. El baño no me hizo exudar la amargura de mi corazón.

5. Luego me dormí, y al despertar, encontré mi dolor no poco mitigado. Y estando yo solo en mi lecho recordaba los

versos de tu Ambrosio, tan llenos de verdad: porque tú eres "el Dios creador de todas las cosas, que gobiernas los cielos; tú vistes el día con el decoro de la luz y bendices la noche con el regalo del sueño para que los miembros cansados se rehagan para la cotidiana tarea; para que alivie la mente fatigada y disipe los lutos de la ansiedad".

Poco a poco, me fueron volviendo los antiguos sentimientos para con tu sierva; piadosa y santa delante de ti y para nosotros tierna y moderada, de cuyo dulce trato me vi repentinamente privado. Y entonces sí que quise llorar en tu presencia, por ella, y por mí. Solté la rienda a las contenidas lágrimas para que corrieran a su gusto por el cauce de mi corazón, y en las lágrimas descansé, porque las veías tú y no un hombre cualquiera que interpreta presuntuosamente mi llanto.

6. Y ahora, Señor, te lo confieso todo en este libro; que lo lea el que quiera, y que lo interprete como quiera. Y si encuentra que hubo algún pecado en que llorara yo por menos de una hora a mi madre muerta ante mis ojos, a la que tantos años me había llorado porque yo viviera en tu presencia, que no se burle; sino más bien, si es grande su caridad, que llore él mismo por mis pecados ante ti, que eres el Padre de todos los hermanos de tu Cristo.

Capítulo 13

1. Y ahora, Señor, curado ya de aquella herida en la que podía reprochárseme un afecto todavía demasiado humano y carnal, derramo ante ti lágrimas de muy otro género, que

manan de un espíritu sacudido por la consideración de los peligros que corre toda alma que "muere en Adán" (1 Cor 15,22). Es cierto que ella, vivificada en Cristo mucho antes de morir había llevado una vida que movía a alabar y bendecir tu nombre a causa de su fe, y de sus costumbres irreprochables. Pero no me atrevo a asegurar que después de su regeneración por las aguas del bautismo no haya salido de su boca ninguna palabra contraria a tu ley. Es palabra verdadera de tu Hijo ésta: "Si alguno llamare tonto a su hermano será reo de los fuegos del infierno" (Mt 5,22). Y, ¡ay de los hombres más virtuosos si tú, prescindiendo de tu misericordia, te pones a escudriñar sus vidas. Pero como no eres amigo de escudriñar los delitos con todo el rigor de tu justicia, nosotros nutrimos la confiada esperanza de que serás para nosotros benévolo e indulgente. Por otra parte: si alguno se pone a contar todos sus méritos, ¿qué hace sino contar tus dones? ¡Ojalá que los hombres se conocieran; y que "quien se gloría que se gloríe en el Señor" (2 Cor 10,7).

2. En consecuencia, Dios mío, mi alabanza y mi vida, dejando de lado sus buenas obras por las cuales te doy alegremente las gracias, ahora te pido piedad para los pecados de mi madre; escúchame por aquel médico de nuestras heridas que pendió en un madero y sentado ahora a tu diestra intercede por nosotros. Sé que ella obró misericordia y que de todo corazón perdonó a sus deudores; perdónale pues ahora sus deudas para contigo, si es que alguna contrajo en tantos años como vivió después de haber recibido el agua de la salud. Perdónala, Señor, te lo suplico; no la llames a juicio (Sal 142,2), o que "tu juicio sea exaltado por la mi-

sericordia" (Sant 2,13), pues tus palabras son verdaderas y tú prometiste misericordia a los que son misericordiosos. Y si lo fueron, es que tú se lo diste; tú, que "te apiadas de aquellos de quienes te quieres apiadar y te muestras misericordioso para aquellos a quienes concediste que fueran misericordiosos" (Roma 9,15). Segurísimo estoy de que ya está concedido lo que te estoy pidiendo, pero acepta la ofrenda de mi plegaria.

3. Porque ella cuando sintió la muerte no pensó en que su cuerpo fuera suntuosamente sepultado ni embalsamado con aromas; no deseó que se le alzara un monumento ni se preocupó de ser inhumada en su tierra natal. Nada de eso nos mandó, y su único deseo fue el que la recordáramos ante tu altar, en el que ella sirvió sin faltar una sola vez cuando sabía que en alguna parte se iba a ofrecer la víctima Santa por cuya inmolación "fue anulado el decreto que nos era contrario" (Col 2,14) y fue dominado el enemigo que lleva cuenta de nuestros pecados para enrostrarnos con ellos, pero nada puede en aquel por quien lo vencemos.

¿Quién le devolverá la sangre inocente que vertió por nosotros? ¿Quién lo resarcirá del precio que pagó por comprarnos al enemigo? A este Sacramento de redención ligó su alma tu sierva con el vínculo de la fe. Que nadie le quite tu protección; que no se interpongan el león ni el dragón, ni por la fuerza ni por la insidia; porque ella no va a responder que nada te debe, ya que si tal dijere refutaría y la tendría consigo el mañoso acusador. Dirá, en cambio, que sus pecados le han sido perdonados por aquel Señor, al que nadie puede devolver lo que pagó por nosotros sin obligación.

Descanse pues en paz con su marido único, pues ni antes ni después de él casó con otro; con el marido a quien sirvió y a quien como fruto de su paciencia ganó para ti. Y tú, Señor y Dios mío, inspira a mis hermanos, hijos tuyos y señores míos a quienes sirvo con la voz, con la pluma, y con todo el corazón; inspira a quienes esto leyeren que se acuerden ante tu altar de tu sierva Mónica y de Patricio, el que fue su esposo; pues por la obra de carne de los dos me trajiste a esta vida de un modo que no conozco. Que se acuerden de los que fueron mis padres en esta vida transitoria y de los que son mis hermanos en la santa Madre Iglesia Católica, siendo tú nuestro Padre común; y también de mis compatriotas en la Jerusalén eterna por la cual suspira tu pueblo peregrino desde la partida hasta el retorno; para que lo que mi madre me pidió en su último deseo le sea dado con creces por la oración de muchos, lo mismo que por estas mis confesiones y mis asiduas plegarias.

LIBRO X

Libro X

Capítulo 1

¡Oh Dios que todo lo sabes! Haz que yo te conozca como tú me conoces a mí. ¡Oh fuerza de mi alma! Penetra en ella y adáptala a ti para que la poseas sin mancha y sin arruga. Ésta es mi esperanza y por eso hablo; en ella me gozo cuando mi gozo es sano. Las demás cosas de esta vida son tanto menos dignas de ser lloradas cuanto más se las suele llorar, y tanto más dignas de llorarse cuanto menos se llora por ellas. Mas "he aquí que tú amas la verdad" (Sal 50,8); y quien obra según ella viene a la luz. Yo quiero obrarla en mi corazón y en tu presencia con una confesión muy íntima, pero quiero también hacerla por escrito delante de muchos testigos.

Capítulo 2

1. ¿Qué podría yo tener que te fuera oculto, Señor, a ti ante cuya mirada están desnudos y patentes los abismos de la conciencia humana? Aunque yo no quisiera confesarlo tú lo sabrías. Si pensara en esconderme de ti, te quedarías oculto para mí, pero no yo para ti. Pero ahora, cuando mis gemidos dan testimonio de lo desagradable que soy para mí mismo, tú resplandeces y me agradas, y yo te amo y te deseo. Me avergüenzo de mí mismo y me rechazo para elegirte a ti y no agradar ni a ti ni a mí, sino por ti.

2. En tu presencia, pues, Señor, me manifiesto tal cual soy; y los frutos de esa confesión ya los he dicho.

Porque esta confesión no la hago con las voces y las palabras de la carne, sino con voces del alma y clamores del pensamiento que tu oído percibe. Cuando soy malo, mi confesión ante ti consiste en el desagrado que a mí mismo me causó; y cuando soy bueno, mi confesión está en no atribuirme a mí mismo la piedad; porque tú, Señor, bendices al justo, pero sólo después de haberlo justificado del pecado que tenía. Entonces, Señor, la confesión que hago en tu presencia es, al mismo tiempo, silenciosa y no silenciosa, pues mientras cesa el sonido, clama el corazón. Nada de bueno les digo a los hombres que no me hayas dicho antes.

Capítulo 3

1. "¿Qué me importan los hombres y qué interés puedo tener en que oigan mis confesiones como si fueran ellos los que me pueden sanar?". Porque la gente suele ser curiosa por conocer las vidas ajenas y perezosa para corregir la suya propia. ¿Para qué quieren que les diga quién soy los que no quieren oír de ti quienes son ellos? Y, ¿cómo sabrán que digo la verdad cuando hablo de mí mismo, si "nadie sabe lo que pasa en el hombre, sino en el espíritu del hombre que en él está"? (1 Cor 2,11). En cambio, si de tus labios oyen quiénes son, no podrán decir que tú mientes. Ahora bien: el conocimiento de sí mismo viene de tu voz que le dice al hombre quién es. Y nadie puede sin mentira conocerse y decir que es falso lo que de sí conoció. Pero como "la caridad todo lo

cree" (1 Cor 13,7) cuando menos en aquellos que por ella se sienten ligados, también me confieso a ti de modo que me oigan los hombres a quienes no puedo demostrar que mi confesión es verdadera. Me creerán cuando menos los que tengan abiertos para mí los oídos de la caridad.

2. Con todo, Señor mío y médico de mis intimidades, hazme ver claro cuál puede ser el fruto de mi empeño. Pues el relato de estos pretéritos pecados míos que tú ya perdonaste cambiando mi alma por la fe y con tu sacramento y haciéndola feliz en ti, si llega a ser conocido excitará los corazones para que no sigan dormidos en la desesperación diciendo: "¡No puedo!"; sino que se despierte en ellos el amor por tu misericordia y la dulzura de tu gracia; ella fortalece a los débiles haciendo que tomen conciencia de su propia debilidad.

Por otra parte, las almas buenas se deleitan oyendo hablar de los pecados que otros ya dominaron; y lo que les gusta en ellos no son los males que hubo, sino los males que ya no hay.

3. Dime pues, Señor mío, a quien diariamente se confiesa mi conciencia, más segura en la esperanza de tu misericordia que de su propia inocencia; dime pues qué utilidad van a sacar de mis confesiones los que lean este libro cuando vean que digo no solamente lo que fui, sino también lo que soy ahora que las escribo. La utilidad de confesar lo que fui ya la he comprendido y ya la he dicho, pero muchos que me conocieron o que no me conocen y algo han oído decir acerca de mí quieren saber cómo soy ahora. Su oído no ausculta mi corazón, en cuya más honda intimidad soy lo que soy;

por eso quieren que yo confiese quién soy allá por adentro, donde ni el ojo ni el oído ni la mente pueden penetrar. Están dispuestos a creerme lo que les digo; pero, ¿lo podrán entender? La caridad que tienen y que los hace buenos les dice que no les miento, y es su caridad la que me cree en ellos.

Capítulo 4

1. Pero, ¿cuál es el provecho que ellos piensan sacar? Acaso piensan en felicitarme, porque con tu gracia me he acercado a ti; o quizá te rogarán que me socorras viendo cómo me retarda todavía mi propio peso. En cualquier caso, todo lo voy a decir, porque no será poco el fruto, si muchos te bendicen por lo que has hecho conmigo, o que muchos te rueguen por mí.

Que mis hermanos aman en mí lo que nos mandas amar y que se duelan por mí en lo que tú nos dices que debe doler. Haga esto el espíritu de fraternidad, no el de extranjería; no los hijos de los extraños "cuya boca habla vanidades y cuya mano teje engaños" (Sal 143,8). Hágalo aquel espíritu verdaderamente fraterno que cuando aprueba algo en mí, se goza conmigo, y cuando algo me tiene que reprobar se duele conmigo; y esto porque en la aprobación y en la desaprobación me mira con amor. Es a esta clase de hermanos a quienes me voy a abrir, para que respiren por mis bienes y suspiren de mis males. Lo que tengo de bueno tuyo es, tú me lo diste y en mí lo estableciste; lo que tengo de malo es todo mío, es mi culpa y los castigos de tu justicia. Respiren pues de lo uno y suspiren por lo otro. Y que en tu presencia se levanten como incienso los himnos y los suspiros desde el incensario que son los corazones de mis hermanos.

2. Y tú, Señor, deleitándote en la fragancia de tu templo santo, "apiádate de mí según tu misericordia (Sal 50,3), por el honor de tu nombre; y sin abandonar lo que en mí tienes comenzado lleva a consumación lo que aún tengo de imperfecto.

Éste será el fruto de mis *Confesiones*. Mostrar no ya lo que fui, sino lo que ya soy. Conviene que todo esto lo confiese no solo en tu presencia con una secreta exultación mezclada de un temor y una esperanza igualmente secreta, sino también ante los hijos de los hombres que participan conmigo en la misma fe y son mis asociados en la alegría como también en la mortalidad; conciudadanos míos que peregrinan conmigo, unos antes que yo y otros después, pero todos ellos compañeros míos de camino en mi viaje terrenal.

3. Estos son tus siervos, hermanos míos a quienes tú quisiste hacer hijos tuyos y señores míos, y a quienes me has mandado servir si es que quiero vivir contigo y de ti. Pero no sería suficiente si tu Verbo me lo mandara de palabra sin precederme con el ejemplo. Y lo mandado lo hago yo con las palabras y acciones bajo la sombra de tus alas; pero el peligro sería grande, si mi alma no estuviera bajo tus alas y sujeta a ti que tan bien conoces mi flaqueza. Soy un pequeñuelo, pero tengo un Padre siempre vivo y un tutor cabalmente digno de confianza: tú mismo, que me engendraste y me defiendes. Tú, mi Dios omnipotente, eres todo mi bien; tú, que estás conmigo desde antes de que yo estuviera contigo. A esos hermanos míos a quienes me mandas servir, voy a

declararles no ya lo que fui, sino lo que ya he llegado a ser y aún soy. Óiganme pues de esta manera, pues yo no me juzgo a mí mismo.

Capítulo 5

1. El que me juzga, Señor, eres tú; pues aun cuando "nadie sabe lo que hay en el hombre sino en el espíritu que en él está" (1 Cor 2,11), algo hay siempre en el hombre que ni su propio espíritu conoce; pero tú lo creaste y por eso sabes todo lo que hay en él. Y yo, que en tu presencia me desprecio y me tengo como polvo y ceniza, sé de ti algo que no sé de mí mismo. Ciertamente "ahora no te vemos cara a cara, sino como un espejo y a través de un enigma" (1 Cor 13,12); y por eso, mientras sea peregrino en este mundo estaré siempre más cerca de mí que de ti. Con todo, sé muy bien que eres absolutamente inviolable; al paso que yo de mí mismo no sé cuáles tentaciones puedo vencer y cuáles no.

2. Mi esperanza se funda en que tú "eres fiel y no permitirás que seamos tentados mas allá de nuestras fuerzas, sino que junto a la tentación nos darás la fuerza para superarla" (1 Cor 10,13). Debo pues confesar tanto lo que sé cuanto lo que ignoro de mí. Lo que sé, lo sé porque tú me lo iluminas; y lo que de mí ignoro seguiré sin saberlo hasta que mis tinieblas se vuelvan como el mediodía en tu presencia.

Capítulo 6

1. Cierto estoy y ninguna duda me cabe, Señor, de que te amo. Con el dardo de tu palabra heriste mi corazón, y te

amé. El cielo y la tierra con todo lo que contienen me dicen que te ame; y a todos se lo dicen tan claro que si no te aman, no pueden disculparse. Tú compadecerás más altamente a quien ya compadeciste y le concederás tu misericordia a quien ya se la concediste, porque si así no fuera los cielos y la tierra cantarían tus alabanzas ante un mundo de sordos. ¿Y qué es lo que amo cuando te amo a ti?

No ciertamente una belleza corporal, ni las complacencias del tiempo; no el candor de la luz, alimento de los ojos, ni la dulzura de las más melodiosas cantilenas. Tampoco la fragancia embalsamada de las flores y los perfumes, ni el maná, ni la miel, ni los miembros hechos para el abrazo carnal.

2. Nada de esto es lo que amo cuando amo a mi Dios; y, sin embargo, al amarlo amo alguna luz y voz, algún alimento y olor, alguna manera de abrazo; porque mi Dios es luz y voz, manjar y olor, alimento y abrazo del hombre interior que hay en mí. Allí refulge para mi alma una luz que no cabe en un lugar, y suenan voces que no se lleva el tiempo; lugar donde hay aromas que no se disipan en el aire y sabores que no se menoscaban por el comer el alimento. Allí la unión es tan firme que no es posible el hastío. Todo esto es lo que amo cuando amo a mi Dios.

¿Y qué es amar a Dios? Le pregunté a la tierra, y me dijo: "No soy Dios"; y todas las cosas que hay en ella confesaron lo mismo. Interrogué al mar y a los abismos y a los reptiles y otros seres animados, y me respondieron: "No somos tu Dios, busca por encima de nosotros". Pregunté entonces a las suaves brisas; y el aire con sus habitantes me dijeron:

"Anaxímenes se engaña, no somos Dios". Pregunté luego al sol, a la luna y a las estrellas, y a coro me dijeron: "No somos el Dios que andas buscando".

3. Y a todas las cosas que están en torno de las puertas de mis sentidos les dije: "Todas vosotras han proclamado que no son mi Dios; bien está. Pero, ¿qué me pueden decir acerca de él?" Y todas respondieron clamando en alta voz: "Él nos hizo". Yo las interrogaba con mi contemplación; ellas me contestaban con su hermosura.

Entonces me volví a mí mismo y me pregunté: "¿Y tú, quién eres?". Y contesté: "Soy un hombre, y tengo un cuerpo que mira al exterior y un alma que está en mi interior". ¿En cuál de los dos debí buscar a mi Dios, a quien anduve buscando con mi cuerpo por la tierra y por el cielo hasta donde pudieron llegar investigando los rayos de mis ojos? Pero la parte mejor del hombre es, a no dudarlo, la parte interior. Y a mí como a presidente que había de juzgar de su mensaje sobre el cielo y la tierra con todo lo que contienen, me anunciaban mis sentidos corporales: "No somos Dios, sino que él nos creo". El hombre interior en mí fue quien conoció esto a través del servicio del hombre exterior, y sus sentidos.

4. De esta manera, pues, interrogué a toda la ingente máquina del mundo, y su respuesta siempre fue: "No soy Dios, él me hizo".

5. Y bien: ¿no es verdad, acaso, que todo hombre que goza de la integridad de sus sentidos puede percibir por su medio el testimonio de toda esta belleza? ¿Por qué, enton-

ces, no todos hablan de la misma manera? Los animales, los grandes y los pequeños, ven la belleza del mundo pero no la pueden interrogar porque carecen de una razón que pueda juzgar sobre el testimonio de sus sentidos. Pero los hombres sí pueden hacer interrogantes y "conocer al Dios invisible partiendo de la inteligencia de las cosas visibles" (Rom 1,20). Pero un amor desordenado a las criaturas los mantiene sujetos a ellas; y así sometidos no pueden juzgar. Las cosas del mundo no responden, sino cuando es un juez quien las interroga, y no cambian nunca su voz, que es su hermosura. Si alguno se limita a mirarlas, mientras otro las mira y pasa a interrogarlas, el uno y el otro no las ven de la misma manera; aunque las cosas les ofrecen a ambos el mismo aspecto y apariencia, para el uno quedan mudas y para el otro son elocuentes. Más todavía: las cosas les hablan lo mismo a todos los hombres; pero sólo las entienden los que comparan el anuncio venido de afuera con la luz interior de la verdad. Porque la verdad que alumbra mi razón me dice que mi Dios no es el cielo ni la tierra, ni cuerpo ninguno. Y prosigue: "Tú misma, alma mía, eres cosa mejor que tu cuerpo, porque tú lo haces vegetar en toda su mole y le das la vida que ningún cuerpo puede dar a otro. Y tu Dios a ti misma te da la vida, y es vida de tu vida".

Capítulo 7

1. ¿Qué es pues lo que amo cuando amo a mi Dios? ¿Quién es él, que domina por encima de mi alma? Es por mi alma por donde podré subir hacia él. Iré mas allá de la fuerza

con que ella se adhiere a mi cuerpo y lo llena de vitalidad en toda su estructura.

Pero no es por medio de esa fuerza como lo puedo encontrar, pues si tal fuerza fuera suficiente, lo encontrarían también el caballo y el mulo, que tienen esa fuerza que vitaliza sus cuerpos, pero carecen de entendimiento.

2. Pero otra fuerza tengo en mí que no solamente vivifica el cuerpo que Dios me fabricó, sino que también lo hace sensible según el modo como Dios lo dispuso, mandándole al ojo que no oiga y al oído que no vea, sino que yo vea por el ojo y oiga por el oído.

Capítulo 8

1. Iré pues también más allá de esta fuerza de mi naturaleza para ascender hasta el Dios que me la dio. Y con esto llego a los campos amplísimos y a los vastos palacios de la memoria, en donde están guardados inmensos tesoros de imágenes de todas esas cosas que no entran por los sentidos.

En la memoria, está también atesorado todo cuanto elabora nuestro pensamiento aumentando o disminuyendo o alterando de maneras varias lo que aportaron los sentidos; y también todo aquello que, en cualquier forma, se le encomendó y ella tiene en custodia cuando no lo ha velado el peso del olvido. Y cuando a ella recurro para pedirle algo, a veces, el recuerdo espontáneamente se presenta, pero, en otras ocasiones, tarda en venir, como si llegara de secretos y remotos receptáculos. A veces, los recuerdos se presentan mientras yo busco otra cosa y se me plantan en medio, como diciendo: "¿Somos nosotros lo que andas buscando?". Yo aparto entonces de la mente esas imágenes como con la mano y suprimo su recuerdo hasta que salga de en medio de la nube y se me presente con claridad el recuerdo que busco. Otros recuerdos hay que se presentan en serie y según el debido orden, por manera que los anteriores ceden el lugar a los posteriores y se van de nuevo a la memoria, en donde quedan guardados hasta que yo los evoque. Esto es lo que sucede cuando recito algo de memoria.

2. Es en ella en donde se conservan con entera distinción y según su propia especie todas las imágenes que entraron a mi conocimiento cada una por su propia puerta: por los ojos, la luz y todos los colores y las formas de los cuerpos; por los oídos toda la gama de las recepciones sonoras; por la entrada de la nariz, los olores, y los sabores, por la entrada de la boca y el paladar. También se guardan allí los recuerdos de toda percepción habida por la sensibilidad difusa en todo el cuerpo. Recuerdos de lo blando y de lo duro, lo suave y lo áspero, lo caliente y lo frío, lo pesado y lo leve tanto por fuera cuanto por dentro del cuerpo mismo. Todo se conserva en un vasto y misterioso depósito, a donde cada cosa confluye por su propia puerta y en el cual descansa según su orden aguardando que la mente evoque su recuerdo para hablar de ella. No son, empero, las cosas mismas las que tienen acceso a la memoria, sino nada más que sus imágenes, que quedan allí prontas para acudir por misteriosos caminos y laberintos al llamado del pensamiento.

3. ¿Y quién podrá jamás explicar cómo se forman todas esas imágenes, aun cuando bien se sepa cuál de los sentidos

fue la puerta por donde entró la percepción para ir a esconderse en el secreto depósito interior?

Lo cierto es que estando yo a oscuras y en silencio, puedo, si quiero, evocar de la memoria el recuerdo de los colores, y que perfectamente distingo lo blanco de lo negro y de los demás matices; y mientras esto hago no se ve perturbada por una invasión de recuerdos sonoros, que están también ellos allí, pero aparte y como guardados en otra habitación. Pero también ellos están listos para acudir con prontitud a mi llamado, si yo los quiero llamar.

De manera igual: con la lengua quieta y la garganta cerrada puedo cantar a mi placer sin que se interpongan las imágenes visuales. Allí están, ciertamente, pero no se presentan mientras yo estoy entretenido con el tesoro de imágenes que me llegó por el oído. Es así como puedo recordar según mi voluntad todo cuanto penetró en mi interior por la puerta de los demás sentidos para irse a guardar. Por eso puedo, sin oler nada, distinguir interiormente la fragancia del lirio, del aroma de la violeta; disfruto de la miel sin gustarla y distingo sin tocarlos lo liso de lo áspero. Y todo esto lo hago con el solo recuerdo, en el aula ingente de la memoria.

4. Dentro de ella, dispongo plenamente del cielo, de la tierra y el mar con todo lo que de ellos pude sentir, con la sola excepción de lo que he llegado a olvidar. Allí me encuentro conmigo mismo y recuerdo qué hice, cuándo y cómo lo hice, y qué afectos fueron los míos mientras lo estaba haciendo. Allí está todo lo que conocí por propia experiencia y también lo que otros me dijeron y yo encomendé a la memoria. Y de este mismo vastísimo arsenal tomo las

imágenes de las cosas por mí experimentadas o aceptadas sobre la fe de otros; las pongo en relación con lo pretérito, y sobre esta base, medito acerca de mis acciones futuras y los acontecimientos por venir como si ya fueran presentes. Voy a hacer esto o aquello, me digo en el vasto espacio de mi alma, tan llena con las imágenes de tantas cosas grandes; y me pregunto qué de todo eso es lo que realmente va a acontecer. ¡Ojalá sea esto o aquello! ¡No permita Dios que tal cosa suceda! Todo esto me digo. Y mientras me lo digo, tengo presentes las cosas en que estoy pensando, salidas del tesoro inmenso de la memoria, de donde no saldrían, si allí no estuvieran.

5. ¡Cuán grande es, Señor, la potencia que tú pusiste en la memoria y qué ilimitada su capacidad! ¿Quién podría tocar su fondo? Es ella una facultad de mi alma que se deriva de mi propia naturaleza, y yo no puedo abarcarla toda, ni conocer totalmente lo que yo mismo soy. ¿Será, acaso, porque el alma es demasiado estrecha para contenerse a sí misma y por eso no pude saber bien qué es y en dónde está? ¿Acaso no está en sí misma, sino fuera de sí misma? ¿Por qué, pues, no se puede entender? De todo esto nace en mí una enorme admiración y me deja atónito.

6. Salen los hombres a admirar la majestad de las cumbres, el caudaloso flujo de los ríos, el imponente vaivén de las olas; se admiran ante la inmensidad del océano y el callado fulgor de las estrellas; sí, pero de sí mismos se olvidan, y ninguna admiración les causa lo que son y tienen. Porque cuando yo todas estas cosas decía, no las veía con los ojos; y, sin embargo, nada podría decir de ellas si los montes, los

ríos y las estrellas que había visto, si el océano en que había creído no los tuviera presentes, salidas del caudal de mi memoria con la inmensidad de sus dimensiones, como si en realidad las viera.

Y sin embargo, no absorbí físicamente las cosas al verlas. No las tengo conmigo, sino solamente sus imágenes; y sé bien por cuál de mis sentidos entró en mí cada cosa.

Capítulo 9

Pero estas inmensidades no son lo único que cabe en la amplísima capacidad de mi memoria, pues en ella se conservan todos los conocimientos adquiridos en el estudio de las artes liberales que no han sido olvidadas todavía, y están como bajo custodia en un lugar todavía más interior, aunque éste no es, en realidad, un lugar. En esta memoria, no tengo ni lugares ni imágenes, sino que en ella poseo las realidades mismas. Porque la idea de lo que es la literatura y el arte de disputar y el discernimiento de los diversos géneros en que se dividen las cuestiones; y todo cuanto de eso he llegado a saber lo conservo en la memoria de un modo tal que no queda fuera de mí aquello cuyas imágenes conservo. No es esto como un sonido que suena y pasa; como la voz, que afecta al oído dejando en él un vestigio que luego se recuerda cuando el sonido de la voz ya pasó. Ni es como el olor, que se desvanece en el viento dejando en el olfato una impresión y en la fantasía una imagen que luego podemos evocar. Tampoco es esto como el alimento, que en el vientre no tiene ya sabor, y sin embargo, todavía lo tiene en la memoria; ni como algo que corporalmente se tocó y que apartado ya de nosotros podemos, sin embargo, recordar e imaginar. Las cosas mismas no tienen acceso a la memoria, pero sus imágenes están en ella presentes y prontas a aparecer al llamado de la evocación para regresar luego al interior receptáculo de donde las sacó un imperio de la voluntad.

Capítulo 10

1. Cuando se me dice que son tres las cuestiones que sobre las cosas se pueden proponer: si algo existe, qué es y cómo es, tengo ciertamente la imagen de los sonidos con que tales palabras se formaron; entraron por mis oídos, pero ya se desvanecieron. Por lo que mira a las cosas que tales sonidos significaron, es indudable que no pueden ser alcanzadas por los sentidos exteriores, y nunca las he visto sino en mi propia mente. Lo que luego encomendé al depósito de mi memoria no fueron, sin embargo, sus imágenes, sino las cosas mismas. Por dónde entraron en mí sólo ellas lo dirán, si acaso pueden; porque yo he pasado en revista todas las puertas de mis sentidos carnales y no encuentro por cuál de ellas pudieron pasar.

2. Me dice el ojo: "Si tienen color, entonces fui yo quien te las anunció". El oído me dice: "Si son algo sonoro, yo te las pasé", y asimismo las narices afirman: "Si son olorosas, por nosotras pasaron". Y el gusto me dice: "Si no tienen sabor no me preguntes a mí, nada sé de ellas" Y el tacto, a su vez: "Si no tienen masa corporal, yo no las pude tocar; y si no las toqué tampoco te las pude indicar".

3. ¿De dónde pues vinieron esas ideas y cómo penetraron en mi memoria? Yo no lo sé. Lo que sí me consta es que cuando las aprendí no las acepté por la palabra de alguien, sino porque en mi propio espíritu las vi, las reconocí por verdaderas y las puse en el depósito de mi memoria para utilizarlas luego cuando fuera necesario.

Se impone entonces la consecuencia de que ya las poseía desde el principio, pero no estaban aún presentes en mi conciencia. Y si en la conciencia no estaban, ¿en dónde estaban? ¿Y por qué cuando mis maestros me las propusieron, dije luego: "Así es, esto es verdad"? Estimo que no por otro motivo, sino porque ya estaban dichas ideas en el ámbito y continente de mi memoria, aunque en una región más remota y como encerradas en misteriosísimas cavernas de donde sin el estímulo venido de otro no podían salir y yo no las podía pensar.

Capítulo 11

1. Se nos impone entonces la conclusión de que todas esas nociones que no nos llegaron por el ministerio de imágenes sensoriales, sino que aprendemos por dentro, en la mente, como son en sí mismas y sin ayuda de imágenes no son sino el material que, disperso y desordenado, estaba ya contenido en los ámbitos de la memoria. Nosotros al pensar las recogemos, con la atención las ponemos en orden y las mandamos luego a la misma memoria, en donde antes yacían ocultas, dispersas y descuidadas. Allí las tenemos a la mano, y ellas vienen con facilidad al conjuro de una atención que se hace familiar.

2. ¡Y cuántas son ahora las nociones de este género que ya encontré y tengo al alcance de la mano, que es lo que se entiende por *aprender* y *saber*! Nociones que, si me descuido en evocarlas con cierta frecuencia se vuelven a sumergir en el antro y se van hasta sus más remotas honduras, de modo que el entendimiento se ve obligado a reconquistarlas como si fueran un nuevo descubrimiento. Pero allí las encuentra de nuevo pues no tienen otra guarida; pero tiene que *recogerlas* (*cógere*) de su dispersión, no es otra cosa lo que se entiende por *cogitare* (*pensar*). Porque del verbo *cógere* (obligar, coaccionar) se deriva el frecuentativo *cogitare*. Sin embargo, la palabra *cogitare* la ha reservado el uso común para indicar esa *recogida* o *recolección* de ideas que tiene lugar en el ánimo y que es lo que se llama *pensar, excogitar*.

Capítulo 12

1. La memoria guarda también las ideas de los números y de las dimensiones con todas sus innumerables leyes. Este tipo de nociones no pudieron llegar a ella por el conducto de los sentidos exteriores, pues no son ni coloreadas, ni sonoras, ni olorosas, ni gustativas, ni tangibles. Oigo ciertamente cómo suenan las palabras que los significan, pero los números son una cosa y los sonidos otra. Las palabras no suenan lo mismo en latín que en griego, pero los conceptos mismos no son ni latinos ni griegos ni pertenecen a lenguaje alguno.

2. He visto, por ejemplo, las líneas que trazan los artesanos, que son a veces finísimas como los hilos de una tela de araña; pero el concepto de la línea no es la imagen que me

transmitió mi ojo carnal. Cualquiera las puede conocer en su interior sin que haya en el pensamiento cuerpo alguno. Por los sentidos conoceremos también los números cuando contamos las cosas; pero los números que contamos no son aquello con que los contamos, y por eso tienen más ser. Ríase de que tales cosas digo el que por sí mismo no las vea; pero yo tendré compasión de su risa.

Capítulo 13

También recuerdo la manera cómo aprendí todo cuanto tengo en la memoria, lo mismo que en ella guardo muchas objeciones que contra tales evidencias se han propuesto. Las objeciones eran falsas, pero no lo es el recuerdo que de ellas conservo ni el discernimiento entre lo verdadero y lo falso. Pero veo también que mi actual discernimiento de las cosas no coincide exactamente con el que en otros tiempos hacía, cuando con tanta frecuencia pensaba en ellas. Muchas veces las entendí; y lo que ahora de ellas entiendo lo mando a la memoria para poder más tarde recordar que lo entendí. También recuerdo que he recordado, y que, en muchas ocasiones, no pude recordar lo que quería. Todo esto cabe en los ámbitos de la memoria.

Capítulo 14

1. También se guardan en ella los afectos pasados, aunque de una manera acomodada a la naturaleza de la memoria y muy diferente de lo que los afectos eran cuando se tenían actualmente en el ánimo. En momentos de tristeza, recuerdo

haber estado alegre, lo mismo que en momentos de alegría, recuerdo mis pasadas tristezas. De igual manera, me represento mis temores pasados en momentos en que nada temo, y mis deseos de otros tiempos en momentos en que nada deseo. Incluso hay ocasiones en que recuerdo con alegría mis pasadas tristezas o con tristezas mis pasadas alegrías. La memoria es así.

2. Que tales cosas sucedan con las impresiones físicas del cuerpo no es de admirar, ya que el cuerpo es una cosa y otra cosa es el alma; así, nada tiene de extraño el que podamos recordar con placer algún dolor corporal, ya que el alma misma es la memoria. Pues, ¿no es cierto que cuando queremos que alguien conserve bien en la memoria alguna cosa le decimos: "Pon esto en tu ánimo"? ¿Y cuando algo se nos olvida solemos decir también: "Lo tuve en mi ánimo, pero ya se me escapó"? Y así, a la memoria la llamamos ánimo, alma.

Pero, ¿cómo, entonces, si así son las cosas, puede suceder que cuando recordamos con alegría alguna tristeza del pasado el alma tenga la alegría y la memoria la tristeza; pero en forma tal, que el alma está alegre por la alegría que tiene y la memoria no está triste por la tristeza que recuerda? ¿Será acaso porque la memoria no es cosa del alma? Pero esto no es algo que se pueda decir. Concluiremos, entonces, que la memoria es como el vientre del alma, y que la alegría y la tristeza van a parar en la memoria como los alimentos dulces o amargos van a dar al vientre, en donde están, pero ya sin sabor. Esta comparación puede parecer ridícula, pero la analogía es evidente.

3. Es de la memoria de donde saco la afirmación de que son cuatro los afectos del alma: a saber, el deseo, el miedo, la alegría y la tristeza y todo lo que sobre estos temas puedo disputar dividiendo y definiendo cada cosa según su especie y dentro de su propio género. En ella, encuentro lo que debo decir, y de ella lo saco a la luz; y sin embargo ninguna de la nociones que recuerdo me perturba cuando las rememoro; y aun antes de recordarlas yo y hablar de ellas, allí estaban ya presentes y prontas para la evocación.

Es del todo posible que así como los alimentos salen del estómago a la boca de ciertos animales por el rumiar, asimismo salgan de la memoria los recuerdos a la boca del pensamiento. ¿Por qué, entonces, el que habla no siente en la boca de su pensamiento cuando recuerda las cosas ni la dulzura de la alegría ni el amargor de la tristeza? ¿Será acaso que se trata de cosas del todo disímiles porque no son en todo semejantes? Lo cierto es que nadie querría voluntariamente recordar ni hablar de las cosas, si cuantas veces se mencionan la tristeza o el miedo, el recuerdo nos pusiera actualmente miedosos o tristes. Y con todo, de nada podríamos hablar si en la memoria no tuviéramos no solamente el recuerdo del sonido de las voces y las demás imágenes transmitidas por los sentidos, sino también la noción misma de la cosas cuyo conocimiento adquirimos sin que nos entrara por ninguna de las puertas sensoriales que nos abren al exterior. Lo que pasa es que el alma misma, conociéndolas por la experiencia de sus propios afectos, las mandó a la memoria; o que ésta espontáneamente las retuvo sin que se las recomendaran.

Capítulo 15

1. ¿Quién podrá pretender que es fácil saber si estos conocimientos se adquieren o no por medio de imágenes? Porque cuando nombro al sol o nombro una piedra que está lejos de mí, estando ellos ausentes del sentido, tengo, sin embargo, presentes y a la mano sus imágenes en la memoria.

Pero cuando hablo de un dolor corporal en un momento en que nada me duele, lo hago porque tengo en la memoria su imagen; pues de otra manera no podría en la conversación distinguirlo del placer.

2. De igual manera: cuando estando yo sano hablo de la salud, la realidad de la salud la tengo, pero el conocimiento de que la tengo me sería imposible, si no tuviera en la memoria la imagen de la salud. También los enfermos, que no la tienen, pueden saber que de ella se habla porque tienen en su memoria la imagen de los sonidos que forman la palabra *salud*.

Y cuando nombro los números que nos sirven para contar tengo en la memoria los números mismos y no solamente sus imágenes. Evoco la imagen del sol y he aquí que la tengo en la memoria; y lo que evoco no es la imagen de otra imagen, sino ella misma, que está allí pronta para acudir a mi llamado. Y cuando nombro a la memoria misma reconozco muy bien lo que estoy nombrando. Y ¿en dónde lo puedo reconocer sino en la memoria misma? Y la memoria está presente en sí misma no por obra de una imagen, sino por su propia realidad.

Capítulo 16

1. ¿Y qué es lo que pasa cuando nombro el olvido? Pues reconozco perfectamente bien lo que nombro y no lo podría nombrar si no lo recordara. Lo que digo no es un simple sonido, sino la cosa que éste significa; y tal reconocimiento sería imposible, si no pudiera recordar el sonido. Entonces: cuando me acuerdo de la memoria misma, es ella la que se está presente; pero cuando me acuerdo de un olvido tengo simultáneamente presentes el olvido y la memoria, pues ella es la que me recuerda el olvido que tuve. Pero, ¿qué otra cosa es el olvido sino una privación, un eclipse de la memoria? ¿Y cómo puede este olvido estar presente para que yo lo recuerde si cuando lo tengo encima me es imposible recordar? Y dado que no podemos recordar sino lo que está en nuestra memoria, ¿cómo podríamos recordar un olvido si no lo tuviéramos en ella? Ni siquiera podríamos reconocer los sonidos que los significan. De todo esto se desprende que la memoria retiene también el olvido. En ella está para que podamos recordarlo, pero cuando se nos hace presente, entonces, lo olvidamos. En consecuencia, deberemos decir que cuando nos acordamos del olvido éste se halla presente en la memoria no por sí mismo, sino por una imagen suya; pues si por sí mismo estuviera presente su presencia no nos haría recordar, sino olvidar.

2. Pero, ¿quién podrá resolver este misterio y saber cómo son las cosas? Yo, mi Señor, me fatigo en mi interior con este problema; me he convertido para mí mismo en una tierra de dificultades y de muchos sudores. Porque ahora

no me preocupa la investigación de los espacios del cielo ni pienso en medir la distancia entre las estrellas ni quiero saber las leyes del equilibrio de la tierra, sino quién soy yo mismo, yo, mi alma, que anda en busca del misterio de la memoria. Porque nada tiene de asombroso el que me resulten distantes e inalcanzables las cosas que no son yo; pero yo mismo soy lo que tengo más cercano a mí, y sin embargo no consigo comprender el misterio de la memoria, sin la cual no podría ni siquiera pronunciar mi propio nombre. ¿Qué puedo decir, cuando es del todo cierto que no está en mi memoria aquello que recuerdo? ¿O diré acaso que el olvido está presente en mi memoria precisamente para impedirme olvidar? Ambos extremos son falsos, tan absurdo el uno como el otro.

3. Queda entonces la tercera explicación, la de que el olvido está en la memoria no por su realidad misma, sino por una imagen suya que nos permite recordar que olvidamos. Pero también en esto hay dificultades; porque no puede haber en la memoria una imagen impresa si no hubo antes una realidad que la imprimiera. Es así, por ejemplo, como me acuerdo de Cartago y de todos los lugares en que me he encontrado, así recuerdo los rostros de los hombres y todo cuanto me han anunciado los sentidos, incluso la salud del cuerpo o el dolor. Porque todas estas cosas un día me estuvieron presentes pudo mi memoria sacar de ellas imágenes que luego, ausentes las cosas, me las representaran y pudiera mi espíritu pasarles revista. Pero la dificultad está en que si no es por él mismo, sino por una imagen suya como recuerdo el olvido, es preciso admitir que el olvido mismo,

en su realidad, estuvo ahí para imprimir su imagen. Pero, ¿cómo podría el olvido imprimir en la memoria una imagen suya cuando lo que tiene de propio es borrar de ella lo que ella tenía?

Todo esto es incomprensible e inexplicable. Pero sea de un modo o sea de otro, estoy absolutamente cierto de que puedo recordar el olvido, ese olvido que todo lo borra en la memoria del hombre.

Capítulo 17

1. Grande es pues, Señor, la potencia de la memoria con esa su profunda e infinita multiplicidad que me infunde pavor. Esto es el alma, esto soy yo. Pero, ¿qué soy, Dios mío, y cuál es mi esencia? Una vida variada y multiforme, inmensa y prodigiosa. Es admirable el ver cómo en los amplios espacios y antros e innumerables cavernas de la memoria se guardan en infinito número tantos géneros de cosas ya sea por imágenes, como pasa con los cuerpos, o ya por su inmediata presencia, como acontece con los conocimientos de las artes liberales; o bien por medio de no sé qué nociones o notaciones, como es el caso de los afectos del ánimo, que están en la memoria aun cuando el alma no los está actualmente padeciendo, y que en el alma está todo cuanto en la memoria se contiene. Por todo este inmenso panorama voy discurriendo y como volando de cosa en cosa; penetro hasta donde puedo, pero no le veo el fin. Tanta así es la potencia de la memoria, la potencia de la vida en el hombre; en este ser que vive, pero está condenado a morir.

2. ¿Qué voy pues a hacer, Dios mío, mi vida verdadera? Deberé trascender esta maravillosa fuerza que es la memoria; la dejaré atrás, si es que quiero llegar a tu dulcísima luz. ¿Y qué me dices tú? Mira cómo subiendo por mi alma hacia ti, que estás tan por encima de ella voy a superar, dejándola atrás, esta facultad mía llamada memoria con el anhelo de alcanzarte por donde te podemos alcanzar y abrazarme a ti por donde el abrazo es posible. Pues la memoria la tienen también las bestias y las aves; sin ella no podrían regresar a sus cubiles o a sus nidos ni reconocerían ninguna de tantas cosas a las que están acostumbradas con un acostumbramiento que de ella les viene.

Dejaré pues atrás la memoria, para alcanzar a aquel que me hizo distinto de los brutos y los volátiles y superior a ellos por la inteligencia. Quede pues atrás la memoria. ¿Y en dónde te voy a encontrar, ¡oh Dios!, suavidad segura y buenísima? ¿En dónde te voy a encontrar?

Capítulo 18

1. Suponiendo que yo te encontrara fuera de mi memoria, no me acordaría de ti; pero, por otra parte, ¿cómo podría en verdad encontrarte si no te recuerdo? Hubo una vez una mujer que perdió una dracma y la buscó y la encontró a la luz de una candela; y ciertamente no la hubiera encontrado, si no la recordara; ni habiéndola encontrado la pudiera reconocer.

Yo también recuerdo haber buscado y encontrado muchas cosas que se me habían perdido; pero ¿cómo pude saberlo? Lo sé porque, mientras yo buscaba, alguien me decía:

¿es esto, es esto otro?, yo contestaba siempre que no, hasta que me mostraban lo que andaba buscando. Y seguro que de no recordar con precisión lo que hubiera perdido no lo hubiera podido reconocer aunque me lo pusieran delante de los ojos. Esto es lo que sucede siempre cuando buscamos y encontramos las cosas perdidas.

2. Sin embargo, cuando algún objeto desaparece de la vista pero no de la memoria, que es lo que pasa con los cuerpos visibles, se conserva su imagen y se lo busca hasta volverlo a ver; y cuando ya fue hallado se lo reconoce por su conveniencia con la imagen interior. Y nunca decimos haber hallado lo que perdimos mientras no lo reconocemos, si no lo recordamos. Lo que se pierde para el ojo queda en la memoria.

Capítulo 19

Y cuando la memoria misma pierde algo por el olvido y lo andamos buscando para recordarlo, ¿en dónde lo podemos hallar sino en la memoria misma? Y si ella nos ofrece un recuerdo de cosa distinta lo rechazamos mientras no se presenta el recuerdo que queremos; y cuando ya lo tenemos decimos: "Eso era"; lo cual no diríamos, si no lo reconociéramos, ni lo reconoceríamos, si no lo recordáramos. Es cierto que lo habíamos olvidado, pero la pérdida no había sido total; y la parte que conservábamos todavía andaba a la busca de la otra. De alguna manera, sentía la memoria que no estaba manejando todo el volumen de recuerdos que solía; y como cojeando por la falta de la parte que le amputó el olvido, deseaba recuperar su integridad.

Es como cuando hemos olvidado el nombre de alguna persona bien conocida, y queremos recordarlo, ya sea que ella esté presente o simplemente que estemos pensando en ella: los nombres que en falso nos ocurren son rechazados al punto, porque no tenemos la costumbre de asociarlos con esa persona; y esto nos pasa hasta que se nos presenta el nombre verdadero y la memoria, al reconocerlo, recobra su equilibrio. Pero aun entonces, ¿de dónde sale el nombre olvidado sino de la memoria misma? Y también cuando otro nos recuerda lo que habíamos olvidado lo reconocemos al punto; no se lo creemos por su palabra como noticia nueva, sino que lo aprobamos como cosa conocida. Sólo cuando una cosa está completamente ausente del ánimo no la podemos recordar aunque nos la recuerden; y cuando recordamos que hemos olvidado es porque el olvido no fue total. Lo totalmente olvidado ni siquiera lo podemos buscar.

Capítulo 20

1. ¿Cómo pues, Señor, te he de buscar? Porque cuando te busco como a mi Dios, lo que busco es la vida feliz. Haz que así te busque siempre, para que viva mi alma. Porque así como mi cuerpo vive de mi alma, así también mi alma vive de ti. ¿De qué manera, pues, busco yo la vida feliz? Porque no podré poseerla mientras no diga: "Ahí esta", diciendo que está en donde realmente está.

¿Y cómo la busco? ¿Acaso como se busca algo olvidado pero no totalmente perdido? ¿O tal vez como cuando deseo conocer algo que no conozco, que nunca supe; o si alguna vez lo supe quedó totalmente borrado del recuerdo hasta el punto de no poder ni siquiera recordar que lo olvidé? ¿No es verdad que lo que todos desean y buscan es la vida feliz y que no existe hombre alguno que no la desee? Pero, ¿en dónde la conocieron para desearla así? ¿En dónde la vieron y se encendieron de amor por ella? Porque nadie desea lo que no conoce. Pero, ¿cómo supieron de ella?

Existe, sin embargo, otra manera de poseer la felicidad; y quienes la siguen son, en cierta manera, felices: son aquellos que viven en la esperanza de la felicidad. Es cierto que éstos conocen la beatitud en una medida inferior a la de los que actualmente la poseen; mas están en mejor situación que los que ni la tienen ni esperan tenerla algún día. Pero aun éstos nutren el deseo de la felicidad, y no hay duda de ello; y el deseo mismo sería imposible, si, de ningún modo, tuvieran la noción de la beatitud.

2. No sé cómo llegaron a ello, pero es seguro que tienen de ella alguna noción. Y me pregunto si la tienen en la memoria, pues ello significaría que los hombres, en algún tiempo, fuimos felices. No discutiré ahora si lo fuimos cada uno en lo personal o si solamente lo fuimos en aquel hombre que fue el primero en pecar, por el cual todos nacemos en la miseria y en el cual morimos todos. Pero de cierto no la desearíamos, si no la conociéramos. El nombre lo hemos oído todos; todos confesamos nuestro deseo de ser felices. Y lo que nos agrada no es el sonido de la voz, pues un griego que oye la palabra castellana *felicidad* no se alegra por ello, ignorante como es de lo que la palabra significa;

pero a nosotros sí que nos causa deleite. El sentiría el mismo placer que nosotros si se le hablara de ella en griego, pues la felicidad no es ni latina ni griega, sino que a ella aspiran latinos y griegos, y, más, todos los hombres, sin que importe la lengua en que hablan. Es pues la felicidad algo conocido para todos los hombres; y si se les preguntara si quieren o no ser felices todos responderían a una que sí. Y esto sería imposible si el significado de la palabra *felicidad* no estuviera en la mente de todos.

Capítulo 21

1. ¿Se dirá acaso que el recuerdo de la felicidad es como el recuerdo que de Cartago tiene una persona que estuvo allí? No. Porque la felicidad no es un cuerpo que se que pueda percibir por los sentidos. ¿O diremos que se recuerda al modo como se recuerdan los números? Tampoco, pues quien ya conoce los números no necesita saber más sobre ellos, al paso que nosotros todos deseamos llegar a la vida feliz porque la amamos, y la amamos porque de ella tenemos noticia. Es posible, sin embargo, preguntar todavía si pensamos en la felicidad como cuando recordamos la elocuencia; pero la respuesta, una vez más, es que no, aun cuando al oír esta palabra recordamos siempre la cosa por ella significada. Los que todavía no son elocuentes pero aspiran a serlo demuestran con este deseo que se deleitaron en la elocuencia de otros, percibida por los sentidos; pues si no se gozaran en el conocimiento que les llegó del exterior tampoco desearían tener eso en que se deleitaron. Pero la felicidad misma que otros pueden tener no la percibimos por los sentidos.

2. ¿O será, acaso, que recordamos la vida feliz al mundo como recordamos la alegría? Esto sí puede ser. Porque mis alegrías pasadas las recuerdo estando triste, así como muchas veces en que me siento miserable me acuerdo de anteriores alegrías. Pero estas alegrías nunca las tuve por los sentidos corporales; nunca las vi ni las oí; nunca las olí ni las gusté ni las toqué; sino que tuve su experiencia en el alma misma cuando me sentí alegre, su recuerdo quedó impreso en mi memoria, y de ella la evoco cuando quiero. Unas veces lo hago con menosprecio, otras con añoranza, según la calidad de las cosas que, en otro tiempo, fueron para mí motivo de gozo. Pero también hubo ocasiones en que tuve contentamiento por cosas torpes cuyo recuerdo ahora me causa vergüenza y repugnancia.

Así pues, ¿cuándo y en dónde tuve la experiencia de la vida bienaventurada para poder de este modo recordarla con amor y deseo? Y no soy solamente yo ni un grupo reducido quien desea la vida feliz, sino el mundo entero. Y nadie podría desear con tan firme voluntad lo que no conociera con cierta noticia.

3. ¿Qué es lo que hay en el fondo de todo esto? Porque si a dos personas se les pregunta si quieren ir a la guerra, es posible que una diga que sí y la otra conteste que no; pero interrogadas sobre si quieren ser felices responderán a una que sí. El uno busca la felicidad en la guerra y el otro la pone en no ir a la guerra. Es verdad que unos ponen la felicidad en esto y otros en aquello; pero el deseo de ser felices es del todo universal; todos quieren gozar y como gozo conciben la felicidad. Y diversas como son las maneras de concebirla,

todos se esfuerzan por llegar a ella. Por otra parte, el gozo es algo que está en la experiencia de todos; por eso saben de qué se trata cuando la oyen nombrar.

Capítulo 22

¡Lejos de mí, Señor; lejos del corazón de este siervo tuyo, que se confiesa a ti, el pensar que en un gozo cualquiera es posible alcanzar la felicidad! Porque hay una alegría que se niega a los impíos y se concede a los que te sirven de buen grado y cuya felicidad eres tú mismo. La vida feliz consiste en gozar de ti, por ti y para ti; eso es, y no otra cosa. Y los que esto no piensan andan buscando un bien que no es el verdadero bien ni puede brindarnos el gozo verdadero. Pero con todo y eso, su voluntad permanece orientada hacia una imagen de la alegría.

Capítulo 23

1. Pero lo cierto es que no todos quieren, en realidad, ser felices. No todos quieren gozar de ti, que eres la fuente de la felicidad. Los que no quieren gozar de ti, en realidad, no quieren ser dichosos. ¿Podemos decir que todos lo quieren? Porque "los deseos de la carne son contrarios al espíritu, y los deseos del espíritu se oponen a los deseos de la carne" (Gal 5,17), los hombres no hacen lo que quisieran hacer y caen en lo que simplemente pueden, y con ello se contentan. Pero es que no quieren con la vehemencia que les permitiría poder.

Si se les pregunta a los hombres qué es lo que prefieren: si gozarse en la verdad o gozarse en la falsedad, todos a una dirán que quieren gozarse en la verdad; y esto lo dicen con la misma firmeza con que afirman querer la felicidad. Es que la felicidad consiste en gozarse en la verdad, "y la verdad eres tú, mi Dios, luz de mi mente y salud de mi alma" (Sal 26,1). Esta vida feliz; ésta, que consiste en el gozo por la verdad, la quieren todos. Lo digo porque muchos hombres he conocido que querían engañar, pero no sé de uno solo que quiera ser engañado. La verdad la aman, ya que no quieren ser engañados. Y, ¿dónde podrían conocer la vida beata si nada supieran de la verdad? Entonces: si aman la vida beata, que no es otra cosa que el gozo en la verdad, es preciso concluir que a ella, en el fondo, se dirige su amor. Y, ¿cómo podrían amarla si ninguna noticia de ella guardara su memoria?

2. ¿Por qué, entonces, no gozan de ella? ¿Por qué no son felices? ¿Acaso ponen en las cosas que los hacen miserables un empeño mayor que el tenue recuerdo de lo que los haría dichosos? Es que "todavía hay poca luz en los hombres" (Jn 12,35). Deben andar, ponerse en movimiento para que no los sobrecojan las tinieblas.

¿Cómo se explica el que la verdad engendre odios, y que se tenga por enemigo al siervo tuyo que la predica, siendo así que la felicidad está en el gozo de la verdad? La explicación es una: los hombres dicen amar la verdad, pero quieren a toda costa que sea verdad aquello que les interesa. A la verdad verdadera la odian por el amor que tienen a esas cosas que pusieron en lugar de ella. Aman la verdad cuando les resplandece, pero no cuando los reprende. Están en la situación de quien se halla dispuesto a engañar pero no admite ser engañado. Aman la verdad cuando se les manifiesta con evidencia pero no cuando ella los pone en evidencia. Así es, así es el corazón humano. Ciego y enfermo, torpe e indecente, quiere ocultarse pero que a él nada se le oculte. En consecuencia, su castigo consiste en que él no puede ocultarse a la verdad, mientras que la verdad sí se le oculta a él. Y con todo, en esta miseria prefiere gozarse en la verdad y no en la mentira. Y sólo llegará a ser feliz cuando sin estorbos ni interferencias sea capaz de gozarse en aquella verdad por la cual son verdaderas todas las cosas.

Capítulo 24

¡Mira, Dios mío, cuánto me he extendido en hablar de la memoria, pues fuera de ella te busqué, y no te pude hallar! Pues no hay nada de ti que no pueda recordar, a partir de haberte conocido. Pero es que, habiéndote encontrado, no puedo olvidarme de ti. Encontré a mi Dios donde encontré la verdad, pues mi Dios es la verdad; y una vez conocida no puedo olvidarla. Es así como desde mi primer contacto contigo permaneces en mi memoria y en ella te encuentro cuando te recuerdo y me deleito en ti. Santas delicias son éstas, que, mirando a mi mucha miseria, me concedió tu misericordia.

Capítulo 25

¿Pero en cuál lugar de mi memoria estás presente, Señor? ¿Qué morada, qué santuario te has construido en ella? Tú me has concedido la dignidad de habitar en mi memoria, pero yo me pregunto por la secreta morada de tu presencia. Dejé primero de lado aquellas partes de la memoria que no son comunes con las bestias cuando de ti me acordé; pues a ti no es posible hallarte entre las imágenes corporales. Vine luego al lugar de la memoria en que se guardan los afectos y los sentimientos, pero tampoco allí te encontré. Pasé luego a la sede del espíritu, que puede recordarse a sí mismo y tiene, en consecuencia, asiento en la memoria; pero allí tampoco estabas. Porque así como no eres ni imagen de cosa corporal ni afecto del alma viviente al modo de la alegría y la tristeza, el deseo o el miedo, la remembranza y todo el resto, así tampoco eres tú el alma misma, sino su Dios y Señor.

Todas estas cosas son mudables; tú, en cambio, permaneces inmutable sobre el vaivén de las cosas, pero te dignas habitar en mi memoria, en la cual tuve noticia de ti. ¿Para qué, pues, me preocupo por saber en qué lugar de ella estás, como si en la memoria hubiese realmente lugares? Lo cierto es que habitas en mí, y que te recuerdo siempre, desde que te conocí; y en la memoria te hallo cuando me acuerdo de ti.

Capítulo 26

¿En dónde pues te encontré para conocerte? Porque en mi memoria no estabas antes de que te conociera. ¿En dónde pues te pude hallar para conocerte sino en ti mismo y por encima de mí? Nosotros los hombres nos acercamos a ti o nos alejamos de ti; pero, entre nosotros y tú, no existe un espacio que nos separe. Tú eres la Verdad, que en todas partes tiene su asiento para escuchar a quienes la consultan sobre toda clase de cosas diferentes; y a todos les das respuesta clara, aunque no todos capten claramente tu respuesta. Porque los hombres te consultan sobre lo que quieren oír, pero no siempre quieren oír lo que tú les respondes. Y el buen siervo tuyo es aquel que no se empeña en oírte decir lo que a él le gustaría, sino que está sinceramente dispuesto a oír lo que tú le digas.

Capítulo 27

¡Tarde te amé, belleza siempre antigua y siempre nueva! Tarde te amé. Tú estabas dentro de mí, pero yo andaba fuera de mí mismo, y allá afuera te andaba buscando. Me lanzaba todo deforme entre las hermosuras que tú creaste. Tú estabas conmigo, pero yo no estaba contigo; me retenían lejos de ti cosas que no existirían, si no existieran en ti. Pero tú me llamaste, y más tarde me gritaste, hasta romper finalmente mi sordera. Con tu fulgor espléndido pusiste en fuga mi ceguera. Tu fragancia penetró en mi respiración y ahora suspiro por ti. Gusté tu sabor y por eso ahora tengo más hambre y más sed de ese gusto. Me tocaste, y con tu tacto me encendiste en tu Paz.

Capítulo 28

1. Cuando llegue a adherirme a ti con todas las fuerzas de mi ser no tendré ya ni dolores ni trabajos; mi vida será en verdad vital y toda penetrada de ti. Mas por ahora, como todavía no me llenas tú que aligeras la carga de aquellos a quienes llenas de ti, soy para mí mismo una carga pesada.

Dentro de mi alma, batallan deplorables alegrías con tristezas de las que debería alegrarme, y no sé hacia dónde se cargará la victoria. ¡Ay! ¡Ten, Señor, misericordia de mí! Mis malas tristezas contienden con mis buenas alegrías sin que yo sepa quién va a ganar la batalla; pero bien ves que no te escondo mis llagas. Tú eres el médico, yo soy el enfermo. Yo soy miserable, y tú eres misericordioso. Y, "¿acaso no es la vida del hombre sobre la tierra una continua tentación?" (Jb 7,1).

2. ¿A quién pueden gustarle las molestias y las dificultades? Tú nos mandas soportarlas pero no nos mandas amarlas. Nadie ama lo que tolera aun cuando ame la tolerancia, que es una virtud. Pero si se alegra de tenerla, mucho más le gustaría no tener nada que tolerar. Yo deseo la prosperidad en los tiempos adversos y temo la adversidad en los días prósperos. ¿Existe acaso entre estos dos extremos un lugar intermedio en donde la vida humana no sea una continua tentación? ¡Ay de las prosperidades de este siglo! Una y mil veces, porque el temor a la adversidad acaba con la alegría. Y ¡ay! También, mil veces ¡ay! de las adversidades de este mundo, pues se nos agigantan por el deseo de la prosperidad. Y como la adversidad es por sí misma dura y la paciencia puede a cada momento naufragar, ¿no hay motivo sobrado para decir que la vida del hombre sobre la tierra es una larga tentación sin momento de reposo?

Capítulo 29

En ninguna parte, pongo mi confianza, Señor, sino en la inmensidad de tu misericordia. Dame lo que me mandas y mándame lo que quieras. Y tú me mandas la continencia. "Y sabiendo yo -dijo alguien- que nadie puede ser continente, si Dios no se lo concede, comprendí que era una sabiduría el mero hecho de saber de dónde procede este don" (Sab 8,21). Pues la continencia nos recoge y nos reduce a la unidad que perdimos por derramarnos sobre la multitud de las cosas. Menos te ama el que ama otra cosa junto contigo en lugar de amarla por ti. ¡Oh Amor, que siempre ardes y nunca te apagas! ¡Enciéndeme, Dios mío, que eres Amor!

Entonces, tú me mandas la continencia. ¡Dame pues lo que me pides, y pídeme lo que quieras!

Capítulo 30

1. Es indudable que me mandas que contenga la concupiscencia de la carne, la concupiscencia de los ojos y la ambición de este siglo. Prohíbes la fornicación. El matrimonio lo permites, pero advirtiéndonos que no hay algo mejor. Y porque lo permitiste yo lo tomé antes de convertirme en dispensador de tu sacramento. Pero en mi memoria, de la cual tanto he venido hablando, quedan vivas aún las imágenes de tales cosas, que en ella se grabaron a fuego por la fuerza de mi costumbre. Cuando se me representan estando despierto carecen de fuerza; pero, durante el sueño, se viene sobre mí con una vivacidad que llega no solamente al deleite, sino al consentimiento en la ilusión de los hechos. Y tanto así puede en mi alma y en mi carne la ilusión de tales imágenes, que en el sueño me parecen más reales que las realidades mismas cuando las veo despierto. ¿Es acaso

que entonces no soy yo mismo, Señor? ¡Tanta así es la diferencia entre mí y yo mismo, cuando duermo y cuando me despierto!

2. ¿En dónde está entonces la razón, esa facultad que resiste a tales sugestiones y hace que el ánimo permanezca impávido cuando tiene delante la realidad de tales cosas? ¿Acaso se apaga cuando se nos cierran los ojos y se nos adormecen los miembros del cuerpo? Pero, ¿cómo se explica entonces que, en ciertas ocasiones, podamos recordar en el sueño nuestros propósitos de castidad y resistir a los impulsos lascivos? De todos modos: es tan grande la diferencia entre la vigilia y el sueño, que cuando durante él nos dejamos llevar de la mala fantasía podamos al despertar encontrar intacta la paz de nuestra conciencia, seguros de no haber sido los autores responsables de lo que en nosotros pasó y que muchos lamentamos. Pero tu mano, Señor omnipotente, es poderosa para sanar todas las languideces de mi alma suprimiendo con una mayor abundancia de tu gracia todos esos movimientos lascivos que ensucian mi sueño.

3. Tendrás pues que aumentar en mí los dones de tu gracia para que mi alma me siga en mi vuelo hacia ti, totalmente desprendida del engrudo de la concupiscencia, de modo que no se rebele ya más contra sí misma, y, durante mi sueño, no solamente no llegue a cometer con las imágenes animales torpezas que llegan hasta el flujo carnal, sino que no tenga en ellas el menor consentimiento.

Tú, que eres todopoderoso y puedes concedernos tus dones más allá de cuanto te pedimos y somos capaces de entender (Ef 3,20), puedes hacerme capaz de comprimir con mi albedrío la más mínima delectación prohibida, de modo que mi sueño sea casto durante la vida entera y aun en el vigor de la edad que tengo. Pero ya lo he dicho, Señor mío buenísimo, lo que aún me queda de estos males. Me gozo lleno de temor en los dones que me has dado, y harto me duelo de no estar aún consumado en la virtud; pero me anima la esperanza de que tu misericordia me lleve hasta la Paz plenaria que en ti van a tener mi hombre interior y mi hombre exterior cuando "la muerte sea absorbida en la victoria" (1 Cor 15,54).

Capítulo 31

1. Otra malicia tiene también cada día, y ojalá fuera la única. Porque la ruina cotidiana del cuerpo la restauramos comiendo y bebiendo, y esto durará hasta que tú destruyas los alimentos y a quien los consume, matando radicalmente mi indigencia con una maravillosa saciedad; y revistas mi cuerpo corruptible en una eterna incorruptibilidad.

Pero hoy por hoy esta necesidad me es placentera y tengo que luchar contra ella con ayunos, para que no me sujete. Con frecuencia reduzco mi cuerpo a la servidumbre, pero mis dolores ceden ante el placer. Quiero decir con esto que el hambre y la sed son una forma de dolor; queman y matan como la fiebre cuando no interviene la medicina de los alimentos. Pero tal medicina la tenemos siempre a la mano con la consolación de tus dones. La tierra, el agua y el cielo están para servirnos, y por eso a las calamidades las llamamos delicias. Y tú me has enseñado que debo acudir a los alimentos como si fueran medicamentos.

2. Porque cuando de la molestia del hambre paso a la quietud de la saciedad, en el camino me acechan los lazos de la concupiscencia. El paso mismo de la necesidad a la hartura es en sí un placer; y no hay otro lugar por donde pudiéramos pasar fuera de aquel al que la naturaleza nos obliga. La razón de comer y de beber es el sustento del cuerpo en salud; pero a este válido motivo se agrega luego el placer como peligroso compañero que con frecuencia toma la delantera pretendiendo que por él haga yo lo que digo que quiero hacer por razón de mi salud. Estos dos motivos tienen una medida muy diferente, pues lo que basta para mantener el cuerpo en salud no es suficiente para las exigencias del placer; y a menudo, resulta difícil discernir si es la salud la que pide un suplemento de alimentación o si es el placer el que hipócritamente nos solicita con la falacia de la salud. En tal incertidumbre, se complace nuestra alma, pues en ella encuentra base para excusarse; y se alegra de no saber a punto fijo lo que es necesario para la salud, pues en esa vaguedad se abriga y se disimula el placer.

3. Con tales tentaciones tengo que luchar a diario e invoco tu misericordia para que me valga; someto a ti todos mis actos pues en esta materia no tengo todavía un consejo firme. Oigo tu voz que con imperio me dice: "No se hagan pesados vuestros corazones con la intemperancia y la embriaguez" (Lc 21,34). La embriaguez nunca la he padecido y espero que nunca, por tu misericordia, la voy a tener. Pero la intemperancia no pocas veces se llega, pisando despacio, a este siervo tuyo; que tu misericordia la aleje de mí. Porque "nadie puede ser continente si tú no le das la continencia" (Sab 8,21).

Muchas cosas son las que nos das cuando te las pedimos; y otras que nos vienen sin haberlas pedido, de ti las recibimos; así como eres tú quien nos concede que luego lo reconozcamos así. Yo conozco ebrios a quienes tú hiciste sobrios; entonces a ti se te deben que sean sobrios, los que nunca fueron ebrios; así como a ti te deben el ser ahora sobrios los que en otro tiempo no lo fueron. Y don tuyo es también que los unos y los otros reconozcan que a ti te lo deben.

4. Otra voz tuya oí: "No vayas en pos de tus concupiscencias y resiste a tu propia voluntad" (Ecli 18,30). Y aquella otra, que por gracia tuya me es tan querida: "No por mucho comer tendremos abundancia, ni por comer menos pasaremos necesidad" (1 Cor 8,8). Que es como decir que ni comer me hará rico, ni no comer menesteroso. También me llegó esta otra palabra tuya: "He aprendido a contentarme con lo que tengo. Sé lo que es tener abundancia y lo que es pasar necesidad. Todo lo puedo en aquel que me conforta" (Flp 4,12-13). Así se expresa no el polvo que somos, sino aquel buen soldado de los celestes ejércitos.

Pero recuerda, Señor, que también somos polvo, y que del polvo formaste al hombre; ese hombre que "pereció pero fue vuelto a encontrar" (Lc 15,32).

Tampoco podía por sí mismo nada aquel (san Pablo) que movido por tu inspiración dijo esas palabras que tanto amo: "Todo lo puedo en aquel que me conforta". Confórtame pues también a mí, para que yo también pueda. Dame lo que me mandas y mándame lo que quieras; como a Pablo, que confiesa haberlo recibido todo de ti, y que "cuando se gloría, se gloría en el Señor" (1 Cor 1,31). Pero otra palabra tuya dice: "Aparta de mí las concupiscencias del vientre" (Ecli 23,6).

La conclusión de todo esto, Dios mío, es que tú nos das lo que nos mandas hacer. Tú, Padre bondadoso, me has enseñado que "todo es limpio para los que son limpios" (Tit 1,15); pero también me enseñas que es malo para el hombre causar escándalo por lo que come. Que "toda criatura tuya es buena, y que ninguna ha de ser rechazada cuando se toma en la acción de gracias" (1 Tim 4,4). Otra palabra tuya es que "nadie debe juzgarnos por lo que comemos o bebemos" (Col 2,16); y que "el que come no debe despreciar al que no come, así como este no debe juzgar al que come" (Rom 14,3). Alabanzas y gracias a ti, mi Dios y mi maestro que llamas a las puertas de mi oído a ilustrar mi corazón, ya que por eso he llegado a entender estas cosas. Líbrame de toda tentación.

5. Lo que yo temo no es la impureza de los manjares, sino la impureza de mis apetitos. Sé que a Noé le fue permitido el uso de todo tipo de carne comestible, y que Elías comió carne para reparar sus fuerzas. Juan, en su admirable abstinencia, no se manchó por comer las langostas del desierto, al paso que Esaú fue seducido por la atracción de un platillo de lentejas. Sé que David se reprochó a sí mismo por su desmedido deseo de beber agua, y que nuestro Señor fue tentado no por la carne, sino por el pan. Y el pueblo israelita fue reprendido en el desierto no por su deseo de comer carne, sino porque murmuró contra el Señor. Y así yo también, enfrentado a tales tentaciones batallo cada día contra el inmoderado apetito de comer y beber.

No veo que sea el caso de cortar por lo sano con algo y no volver más a ello, como pude hacerlo con el trato carnal; sino que más bien las riendas del apetito deben ser gobernadas con un temperamento que apriete o afloje según la necesidad. ¿Y quién hay, Señor mío, que de cuando en cuando no se resbale más allá de lo que es realmente necesario? Si alguno hay, ese es grande; que glorifique tu nombre. Yo no soy así, soy un hombre pecador. Pero también yo te glorifico; y por mis pecados interceda ante ti el que venció a este mundo y me ha contado entre los miembros enfermos de su cuerpo. "Tus ojos ven lo que aún tengo de imperfecto, y todos seremos inscritos en tu libro" (Sal 138,16).

Capítulo 32

De la seducción de los buenos olores no me preocupo gran cosa. Cuando no los hay no los busco y cuando los tengo a la mano no lo rehuyo, aun cuando me siento dispuesto a carecer de ellos para siempre. Esto es, al menos, lo que me parece, pero acaso me engaño; porque siempre están ahí esas lamentables tinieblas que dificultan el discernimiento.

Aun cuando mi alma se interrogue honestamente sobre el alcance de sus propias fuerzas, no debe dar demasiado crédito a su estimación. Las realidades que hay en el alma con frecuencia están escondidas y solamente se manifiestan en la conducta. Nadie debe pues sentirse seguro en esta vida que no es sino una continuada tentación. El que de peor que era consiguió hacerse mejor puede también de lo mejor que es volverse peor, como antes era. La única esperanza que tenemos, la única seguridad y firme promesa, está solamente en tu misericordia.

Capítulo 33

1. Con mayor tenacidad me habían subyugado los placeres del oído. Tú, sin embargo, rompiste también estas cadenas y me pusiste en libertad. Confieso que ahora consiento en las melodías a las que da vida tu santa palabra, cuando con suave voz y de artístico modo se cantan; pero no en forma tal que en ellas me quedé preso, sino que de ellas pueda cuando quiera, alzar el vuelo. Ellas, con las sentencias que les prestan vida buscan en mi pecho un lugar conveniente, y yo no siempre se lo puedo dar; pues creo que, en ocasiones, les concedo más honor que el conveniente. Es cuando siento que las santas palabras me mueven con mayor religiosidad al ardor de los piadosos que no me moverían así si de otra manera las cantasen. Y es que todos los afectos del alma, en su gran diversidad, tienen su modo de expresarse con la voz y con el canto, que con no sé qué familiar y misteriosa afinidad excita en ellos los afectos piadosos.

2. Pero la delectación física, que nunca debe subsistir a la razón, raras veces me seduce cuando el sentido no sigue pacientemente en pos de la razón, sino que habiendo sido admitido en vista de ella, el sentido se le quiere adelantar y conducirla. En esto peco sin darme cuenta, pero luego lo advierto. En otras ocasiones, peco por exceso de severidad. Un inmoderado deseo de defenderme de estos engaños me induciría a apartar de mis oídos y aun de la práctica de la

Iglesia las suaves y sedantes melodías con que se canta el salterio de David. Más seguro me parece lo que, en varias ocasiones, he oído decir de Atanasio, obispo de Alejandría, que mandaba al lector modular los salmos solamente con una ligera inflexión de la voz, de manera que más que un canto pareciera una recitación.

3. Pero con todo: cuando recuerdo las lágrimas que derramé por el canto de la Iglesia en los primeros días de mi renacida fe; y cuando veo que aún ahora me siento conmovido no por el canto, sino por la sustancia de las cosas que se cantan cuando se cantan con limpia voz y adecuada modulación, tengo que reconocer de nuevo la utilidad de esta institución. Y de esta manera, voy fluctuando entre los peligros de la delectación y la experiencia de los saludables efectos del canto; y me veo inclinado a no proferir una sentencia de condenación, sino más bien a aprobar la costumbre de la Iglesia, que mediante la delectación de los sentidos quiere ayudar a los ánimos más débiles para que surja en ellos el afecto de la piedad.

Sin embargo, como todavía me acontece que, en ocasiones, me mueva más el canto mismo que las cosas en él cantadas, me confieso pecador y digno de una penitencia; y cuando tal siento, prefiero no escuchar al cantor.

Este es el estado en que me encuentro. Llorad conmigo y llorad por mí todos los que en el corazón, de donde proceden las obras, tenéis algo bueno. Porque si no lo tenéis, nada de cuanto digo os conmoverá. Pero tú, Señor y Dios mío, pon en mí tus ojos, óyeme, compadéceme y sáname. Porque ante tus ojos me he convertido en un problema, con tanta miseria.

Capítulo 34

1. Para concluir con las tentaciones de la concupiscencia de la carne, no queda ya sino considerar el deleite que me viene por los ojos. Oigan mi confesión los piadosos y fraternales oídos de tu templo místico, pues tales tentaciones me agitan todavía mientras con gemidos busco y deseo revestirme con la vestidura de mi morada celestial.

A lo largo del día, estando yo en vela, me tocan y no me dan ningún reposo como el que, a veces, me da alguna callada música que suena mientras todo en torno mío está quieto y silencioso. Y la reina de los colores, la luz que se derrama sobre todo cuanto vemos, en dondequiera que yo esté me halaga de mil maneras, aun cuando me encuentre ocupado en otra cosa y no le preste atención. Se me insinúa con tal vehemencia, que si viniera súbitamente a faltar la buscaría yo luego; y si por largo tiempo me veo de ella privado, mi alma se entristece.

2. ¡Oh luz aquella, la que vela el anciano Tobías cuando con los ojos ciegos enseñaba a su hijo el camino de la vida y se le adelantaba en él sin desviarse, con los pasos de la caridad! Como aquella luz que vela Isaac cuando con los ojos ya cerrados por la ancianidad bendecía a su hijo sin reconocerlo, pero mereció reconocerlo en el momento en que lo bendijo. Lo mismo, aquella luz que tuvo interiormente Jacob: un esplendor en su corazón le hizo ver el pueblo futuro que había de salir de sus nietos habidos de José cuando éste se los presentó para que los bendijera. Pues Jacob, movido por un místico impulso interior, cruzó sus manos para bendecir

a sus nietos no como José se lo decía, sino como él interiormente sentía que era lo justo.

Ésta es la luz, la verdadera y única luz en la cual se unifican cuantos la ven y la aman. Pero esta otra luz natural de la que vengo hablando condimenta la vida de los ciegos amadores del mundo con seductora y peligrosa suavidad. Los que, a partir de ella, aciertan a conocerte y alabarte la incorporan al himno que te cantan sin que ella los retenga en su sueño. De estos quiero yo ser.

3. Resisto a las seducciones de la vista para evitar que mis pies se vean impedidos en mi camino; y levanto hacia ti una mirada invisible para que los libres del lazo. Y cuando me enredan tú me los desembarazas. Aunque yo con frecuencia caigo en toda clase de insidias tú nunca dejas de librarme de ellas, pues escrito está que "no te dormirás ni dormirás tú, que cuidas a Israel" (Sal 120,4). ¡Cuán innumerables son los atractivos que, por medio del arte, han puesto los hombres en los vestidos, el calzado, los vasos en pintura y en toda clase de objetos fabricados! Y con todo esto sobrepasan la justa medida de la moderación en el uso de estas cosas necesarias, que quedan así privadas de su piadosa significación. Los hombres salen hacia fuera de sí mismos en pos de las cosas que fabricaron y dejan allá adentro abandonado al Señor que los hizo; y con esto destruyen lo que el Creador hizo en ellos.

Pero yo, ¡oh mi Dios y mi gloria! También de esto saco motivo de cantarte un himno y un sacrificio de alabanza, a ti, que me santificas; porque las bellezas que nacidas del alma ponen las manos de los artistas en las obras que hacen proceden de aquella belleza que está por encima de las almas y por la cual suspiro de día y de noche. Mas los creadores y los ardientes seguidores de las bellezas externas sacan de la belleza suprema las normas de la apreciación de lo bello, pero no el justo modo de usar de esas bellezas. Ahí está la norma, pero ellos no la ven; pues si la vieran, no irían más lejos y guardarían su potencia para ti en vez de dilapidarla en enervantes delicias. Y yo, que tales verdades puedo ver y discernir, no dejo por ello de enredar mis pies en los lazos de esas hermosuras. Mas tú me los liberas, y tu misericordia está presente siempre ante mis ojos. Yo me dejo miserablemente prender, pero tú misericordiosamente me desatas, a veces, sin que yo lo sienta, cuando mi caída no es completa, pero, a veces, también con un doloroso tirón, cuando ya estaba yo bien amarrado.

Capítulo 35

1. A todo esto se añaden nuevas y variadas formas de tentación que entrañan múltiples peligros, pues, además de la concupiscencia de la carne que hay en todas las delectaciones de los sentidos y los placeres por servir a los cuales perecen los que de ti se alejan, hay en el alma humana un vano y curioso deseo que se ampara bajo el nombre de conocimiento y ciencia; y que no busca el deleite sensual en sí, sino más bien es un deseo de experimentar por medio de los sentidos. Y por tener su asiento en la natural tendencia a saber; y porque la vista es entre todos los sentidos por los cuales nos entra el conocimiento el principal, ha sido llamado en las divinas Escrituras "concupiscencia de los ojos" (1 Jn 2,16). Porque a

los ojos pertenece propiamente la función de ver, aun cuando también la usamos de los demás sentidos cuando de ellos nos valemos para conocer algo. Nunca decimos "oye cómo luce", ni "huele cómo resplandece", ni "gusta cómo brilla", ni "palpa cómo refulge", pues todas estas operaciones pertenecen a la función de ver. Pero también solemos decir "mira cómo suena", "mira qué sabor tiene". "ve qué tan duro". Cuando los demás sentidos exploran algo para que lo conozcamos tienen alguna analogía con la función de la vista; por eso la experiencia general que se tiene por los sentidos recibe el nombre de *concupiscencia de los ojos.*

2. De esto se deduce con toda evidencia la parte que le toca al placer y la que le corresponde a la curiosidad en las actividades de los sentidos. Porque el placer va en pos de lo que es hermoso, de lo que suena bien, de lo sabroso y de lo suave; al paso que la curiosidad se ocupa también de las cosas contrarias no para sentir una molestia, sino para satisfacer con la experiencia el deseo de conocer y aprender. ¿Qué placer puede darse en la vista de un cadáver destrozado, que inspira horror? Y sin embargo, cuando hay un cadáver por ahí tirado, las gentes se congregan para palidecer y contristarse. Y luego temen volver a verlo durante el sueño, como si alguien los hubiera obligado a verlo cuando estaban despiertos, o como si hubieran ido a verlo atraídos por alguna fama de su hermosura. Y esto mismo pasa con los demás sentidos, y es demasiado largo para insistir en ello.

Para satisfacer este morbo de la curiosidad se exhiben en los espectáculos toda suerte de monstruosidades. La curiosidad nos lleva luego a la investigación de los secretos de la naturaleza en todos esos fenómenos que no dependen de nosotros y cuyo conocimiento para nada nos sirve, y, sin embargo, buscamos por el mero deseo de saber. Y es la curiosidad también la que cuando se pervierte impulsa a los hombres a buscar lo escondido mediante las artes de la magia. Y hasta en el seno mismo de la verdadera religión nos mueve la curiosidad a tentar a Dios, cuando se le piden signos y prodigios no tanto por el deseo de la salud cuanto por experimentar su acción.

3. ¡Cuántas cosas corté y rechacé de mi corazón, por gracia tuya, Dios mío, en esta inmensa selva tan llena de insidias y peligros! Y sin embargo, siendo tantas como son las cosas con su estruendo nos llenan la vida, ¿cuándo podré atreverme a decir, cuándo, que no presto mi atención ni tengo parte en la vanidad de todas las cosas que se me ofrecen en espectáculo? Es cierto que ya no siento la fascinación del teatro ni me ocupo del curso de los astros, ni busca mi alma respuestas venidas de las sombras, y que me causan horror los ritos sacrílegos. Sí. Pero, ¡con cuántas sugerencias y maquinaciones trata mi enemigo de inducirme a que te pida un signo, siendo así que sólo te debo un servicio sencillo y humilde!

4. Yo te ruego, Señor, por el amor de nuestro rey Jesucristo y de Jerusalén nuestra celestial patria simple y casta, que así como anda ahora muy lejos de mí el consentimiento de todas estas vanidades, así se mantenga siempre lejos, y más lejos cada día. Muy distinta es la finalidad que me propongo cuando te pido por la salud de alguien; pues tú me concedes y siempre concederás el acomodarme con gusto a todo lo que quieras hacer, sea ello lo que fuere.

Pero, ¿quién podría enumerar las incontables ocasiones en que la curiosidad nos tienta en cosas menudísimas y despreciables, y cuántas veces caemos en ellas? ¿Y cuántas veces sucede que aceptamos conversaciones vanas; al principio por condescendencia y para no lastimar a quienes hablan con nosotros, pero luego, paulatinamente, entramos en ellas con gusto? Ya nunca voy al circo para ver a los perros persiguiendo a las liebres; pero cuando voy de camino y sucede que tenga lugar una de estas cacerías, su vista me distrae y me aparta acaso de algún grave pensamiento. Es verdad que no llego a desviar la ruta que sigue mi caballo, pero sí se me deshace la atención del alma a pensamientos superiores. Y si con esta flaqueza que tengo tú no me amonestaras para dejar de ver eso y levantarme a ti con algún buen pensamiento, allí me quedaría como tonto viendo la caza.

5. ¿Y qué diré de la atención con que estando en casa sentado veo una lagartija saltar sobre una mosca, o una araña enredándola en su tela? Se trata aquí de animales pequeños, pero el interés de la caza es el mismo. No negaré que pronto paso a alabarte, Señor admirable y creador de todas las cosas; pero de tu alabanza me había distraído primero. Y después de todo, una cosa es levantarse presto y otra no haber caído. De todas estas cosas vanas está llena mi existencia, y la única esperanza con que cuento la tengo puesta en tu infinita misericordia. Y como el corazón humano presta abrigo a tantas frivolidades y a tanta caterva de vanidades, nuestras oraciones mismas se ven con frecuencia perturbadas y aun interrumpidas; y así, cuando estamos dirigiendo a ti las voces

de nuestro corazón, esa cosa tan grande se ve cortada por un alud de pensamientos banales.

Capítulo 36

1. ¿Habrá que estimar todo eso como despreciables bagatelas? ¿Y qué otra cosa nos puede llevar a la esperanza sino tu misericordia, que tan claramente manifestaste cuando me llevaste a la conversión? Tú sabes bien hasta qué punto ha llegado mi transformación; pues comenzaste por librarme de la pasión de la venganza para tener luego misericordia de mis demás iniquidades y sanes mis muchas dolencias, redimas mi vida de la corrupción, y, finalmente me concedas la corona de la piedad y de la misericordia, saciando así todos mis deseos de bien. Con tu santo temor doblegaste mi soberbia, amansando mi cerviz para tu yugo. Ahora lo llevo ya y lo encuentro liviano, como tú dijiste que era; y comprendo que lo era bien antes, cuando yo tanto lo temía.

2. Dime, Señor: tú el único que domina sin arrogancia porque eres el único Dios verdadero y no tienes otro Señor que te domine; dime pues si también puede cesar a lo largo de toda mi vida este tercer género de tentación que consiste en el afán de ser amado y temido de los hombres, no por otro motivo sino porque de ello se produce en nosotros un halago que no es verdadero gozo. Es vida miserable y fea jactancia de la cual resulta que no podemos ni amarte ni temerte con limpieza. Y por eso tú "a los soberbios los resistes y a los humildes les das tu gracia" (Sant 4,6). Descargas el

trueno sobre las ambiciones de este mundo y los montes se sacuden en sus fundamentos.

Y como nosotros, por el hecho de vivir en convivencia social, tenemos necesidad de ser amados y temidos por los hombres, el enemigo mortal de nuestra vida feliz nos rodea con sus lazos, diciéndonos: "Vas bien, vas muy bien", para que al aceptar esta sugerencia seamos en ella encarcelados y divorciemos de tu verdad nuestra alegría para ponerla en la falacia de los hombres. De este modo, quiere tenernos consigo, hechos ya a su imagen y semejanza. No nos quiere para tener con nosotros una concordia en el amor, sino para darnos consorcio en sus tormentos; él, que escogió poner su sede en el Aquilón o para que nosotros, pretendiendo imitarte de una manera torcida te sirvamos mal, en el frío y las tinieblas.

3. Pero nosotros, Señor, somos tu pequeña grey, poséenos. Extiende sobre nosotros tus alas para que nos salvemos a su cobijo. Sé tú nuestra gloria para que seamos amados por tu causa y tu palabra sea temida en nosotros.

El que quiere ser alabado por los hombres mientras tú lo vituperas no será defendido por ellos cuando tú lo juzgues, ni se escapará de ti si lo condenas. Y aun cuando no sea un pecador el que nutre el deseo de ser alabado; y aunque no obre malas acciones y sea por ello bendecido, lo que en él se alaba y bendice es un don que tú le diste. Y si él goza más en la alabanza recibida que no en el don tuyo que la merece, será por ti vituperado mientras recibe alabanzas humanas. Y en ese caso mejor es el que alaba que no el alabado, pues al primero le gustó un don de Dios que vio en otro hombre, al paso que éste prefirió los dones del hombre al don de Dios.

Capítulo 37

1. Tales tentaciones nos acechan cada día; Señor, ¡somos siempre tentados! La lengua humana es una fragua que nunca descansa. Y una vez más, también en esto nos mandas la continencia: danos pues lo que nos mandas y mándanos lo que quieras, Tú conoces bien los gemidos de mi alma y los ríos de lágrimas que corren de mis ojos por este motivo. No entiendo con facilidad hasta qué punto estoy libre de esa peste y temo que haya en mí malicias recónditas que yo no veo pero tú sí. En otro género de tentaciones, puedo interrogarme y alguna capacidad tengo para explorar mis interioridades, pero no en éste. Veo cuánto he conseguido ya en el dominio de los deleites de la carne y de la curiosidad por conocer cosas inútiles; puedo tener a raya mis deseos cuando de tales placeres carezco y también dominar con la voluntad mis sentimientos cuando los tengo presentes, y cuando me faltan me es posible ponderar hasta qué punto me es gravoso no tenerlos.

En cuanto a las riquezas que se buscan en orden a satisfacer alguna de esas concupiscencias o las tres juntas, el alma con sólo examinarse no puede saber si las desprecia como es debido cuando las tiene, pero puede salir de la duda de un modo simple: abandonándolas.

2. Mas para que nadie nos alabe y sepamos a qué atenernos sobre nuestra situación no es en modo alguno indispen-

sable que vivamos mal, con una conducta tan depravada que hayan de aborrecernos todos los que nos conocen. ¿Qué demencia mayor que ésta podríamos pensar? Pero si los elogios suelen (y deben) acompañar las buenas acciones de una vida honesta ello no significa que hayamos de dejar la buena vida para evitar los elogios. En cuanto a mí, nunca sé bien si sobrellevo de buen grado o de mala gana la carencia de algo, sino cuando, en realidad, llega a faltarme. ¿Qué es, entonces, Señor mío, lo que sobre este género de tentaciones te puedo confesar? Nada, fuera de admitir que la alabanza me gusta, pero más que ella me agrada la verdad. Porque si me pusieran a escoger entre ser un loco furioso o un hombre errado en todo pero alabado por la gente o más bien estar firme y cierto en la verdad en medio del menosprecio de todos, bien sé lo que escogería.

3. Es cierto que no me gustaría que el elogio de la boca ajena aumentara en mí el gozo por haber hecho alguna acción; pero he de confesar que de hecho lo aumenta, y que el vituperio lo disminuye. Cuando me siento perturbado por esta miseria se me insinúa la excusa de que tú bien sabes cuánto vale lo bueno que hice pero con todo, me quedo en la incertidumbre.

Como tú nos mandas no sólo la continencia con que atemperamos el natural amor a las cosas, sino también la justicia que nos lleva a amarlas según lo que merecemos, y como no tan sólo quisiste que te amaramos a ti, sino también a nuestro prójimo, es frecuente que sienta alegría por el provecho o la esperanza de alguno cuando por haber entendido bien lo que le dije me alaba de ello; así como me contrista el que me reprendan por algo que no entendieron o por algo que es cosa buena.

Mas tampoco es raro que me entristezcan las alabanzas dirigidas a algo que tengo pero me disgusta, o cuando el elogio se me hace por cosas menores que son estimadas en más de lo que valen.

4. Pero, una vez más: ¿de dónde puedo saber si este afecto nace en mí porque no quiero que sobre mí se engañe el que alaba; y no porque me mueva un genuino interés por él, sino solamente porque el halago que recibo es más grande cuando veo que lo que a mí de mí mismo me agrada le agrada también a otro? Porque me parece no recibir alabanza alguna cuando no elogian lo que yo estimo en mí mismo, o cuando me elogian por algo que yo tengo en menos. Y siendo así las cosas, ¿cómo no voy a estar incierto de mí mismo? A la luz de la verdad que eres tú, veo claro que las alabanzas no deben moverme por mí sino sólo por el provecho del prójimo. Y no sé si es así. Yo me conozco mal, tú me conoces bien.

5. Entonces, Señor, te suplico que tú mismo me hagas ver lo que debo confesar sobre lo que en mí encuentro de llagado a los buenos hermanos que van a rogarte por mí. Debo interrogarme con mayor diligencia. ¿Por qué, si es verdad que las alabanzas me mueven por el bien de mi prójimo voy encontrando que si otro es vituperado con injusticia esto me afecta menos que cuando el vituperado soy yo? ¿Por qué me hiere más la injuria dirigida a mí que el agravio hecho a otro con igual injusticia delante de mí? La explicación está, creo, en que yo mismo me seduzco y no obro con verdad delante de ti con el corazón ni con la lengua. ¿Qué otra puede haber?

Aleja, Señor, de mí esta insania. Que mi boca no profiera espesa alabanza pecadora que cargue mi cabeza.

"Mendigo y pobre soy" (Sal 108,22); y soy mejor cuando disgustado de mí mismo gimo ocultamente buscando tu misericordia, hasta que tú remedies mi insuficiencia y mis imperfecciones, y me hagas llegar a esa paz que el hombre arrogante no puede conocer.

Capítulo 38

Otra tentación hay en las palabras que proceden de la boca y en los hechos que son conocidos de los demás, debido al amor de los elogios. Este amor se concentra en alguna privada excelencia para la cual se buscan mendigadas alabanzas. Y cuando veo esto en mí y me lo reprendo la tentación se hace presente en el hecho mismo de reprendérmela. No es nada raro que el hombre se glorie de su desdén por la vana gloria, sin darse cuenta de que, en realidad, no la desprecia, pues se gloría de despreciarla.

Capítulo 39

Otra tentación de este mismo género se da en el afecto interior con que algunos se complacen en sí mismos, en forma tal que no les importa ser agradables o desagradables para los demás y nunca hacen nada por agradarles. Éstos, mientras más se complacen en sí mismos, tanto más te desplazan a ti; o porque se complacen en algo que no es bueno como si fuera bueno, o en algo que es tuyo como si fuera suyo; o también, en dones que reconocen como tuyos pero que pretenden haber merecido. Otras veces, reconociendo que han recibido algo de ti por pura gracia, no consienten en que también lo tengan los demás, sino que se lo envidian. Tú sabes, Señor, cómo tiembla mi corazón ante todos estos peligros y trabajos. Pero veo que tú eres más rápido para sanar mis heridas que mi enemigo para infligírmelas.

Capítulo 40

1. ¿En dónde, verdad suma, no has estado conmigo enseñándome de qué me debo precaver y qué es lo que debo apetecer, cuando te manifestaba yo mis pensamientos más interiores y pedía tu consejo? Pasé en revista, como pude hacerlo con mis sentidos, a todo el mundo exterior. Penetré luego en los múltiples y vastísimos recesos de mi memoria, llenos de incontables abundancias y me sentí pasmado y sobrecogido al contemplarlas.

Con tu luz pude discernirlas y encontré que ninguna de ellas eres tú. Y no fui yo, aunque todas las revisté, quien las descubrió. Me esforcé por distinguirlas y por situarlas a todas según su dignidad, interrogando lo que me venía por el anuncio de los sentidos y sintiendo que otras cosas iban mezcladas conmigo. Discutí a los sentidos mismos que me las anunciaban; manipulé unas, guardé en la memoria otras, y expulsé de ella a otras más.

2. Y yo mismo que hacía tal operación; o mejor decir, con la fuerza que en mí la llevaba al cabo, entendí que no eras tú. Tú eres la luz permanente a quien yo preguntaba sobre las cosas si son, qué son y cuál es la importancia que tienen. Y

te escuchaba en tus enseñanzas y en tus mandamientos, y eso hago con frecuencia todavía. En esto hallo gran contentamiento, y en este placer me refugio cuantas veces puedo desligarme de las necesidades de la vida cotidiana. Pero en ninguna de esas cosas que vuelvo y revuelvo y sobre las cuales te pido consejo, hallo lugar seguro en que mi alma descanse. Tú eres el reposo en donde se recogen mis sentimientos dispersos. ¡Que nada mío se retire de ti!

Algunas veces, allá muy adentro de mí, me haces entrar en un afecto de dulzura inusitada; tal que si llegara a su plenitud no entiendo cómo podría llamarse vida lo que no es esa vida. Pero vuelvo luego a caer en la pesadez de mis trabajos; me absorben de nuevo las ocupaciones acostumbradas. Mucho es lo que lloro, pero estoy en ellas retenido, tan pesado así es el fardo de la costumbre. Estar aquí, lo puedo, pero no lo quiero. Estar allá, lo quiero, pero no puedo; y así, en ambas partes soy miserable.

Capítulo 41

He considerado pues las languideces de mi alma en la triple concupiscencia y he invocado tu nombre para mi salvación. Desde mi corazón lleno de llagas vi tu esplendor; y en mi deslumbramiento dije: "¿Quién podrá jamás llegar a él?". "He sido desechado de tus ojos y de tu presencia" (Sal 30,23). Tú eres la verdad que sobre todas las cosas domina, y yo en mi avaricia no te quise perder; pero quise poseer la mentira juntamente contigo al modo de quien está dispuesto a mentir pero no hasta el grado de no saber él mismo cuál es la verdad. Era entonces inevitable que te perdiera, pues tú no admites ser poseído en la vecindad de la mentira.

Capítulo 42

1. ¿A quién podía yo encontrar que me reconciliara contigo? ¿Lo podían acaso los ángeles? Pero, ¿con qué suplicamos y con qué sacramentamos? Esto lo han intentado según sé no pocos que deseando reconciliarse contigo no lo podían conseguir. De eso fueron cayendo en el deseo de curiosas vanidades y acabaron por quedar presos en toda clase de ilusiones. Engreídos con solemnes doctrinas, en vez de golpearse con humildad el pecho lo hinchaban, y así se concitaron por la semejanza que con ellas tenían en la soberbia del corazón, "a las potestades del aire" (Ef 2,2), que los engañaron con el mentido poder de los ritos mágicos. Los citados buscaban un mediador que los purificara, pero no lo había. El que estaba ahí era el demonio, como falso ángel de luz. Y no poco atractivo tenía para su mundana soberbia el hecho de que el demonio no tenga figura corporal.

2. ¡Ellos eran pecadores mortales, mientras tú eres santo e inmortal! Y contigo querían reconciliarse. *Un mediador entre Dios y los hombres* (1 Tim 2,5) debe ser en algo semejante a Dios y en algo semejante a los hombres; pues si en todo fuera como los hombres andaría muy lejos de los hombres y no podría ser mediador. ¡Falaz mediador ese por cuyas artes, permitiéndolo tú, merece la soberbia ser engañada! Tal mediador no tiene de común con los hombres sino el pecado. Y no teniendo, en realidad, un cuerpo material finge tener en

común con Dios la inmortalidad. Pero como "el salario del pecado es la muerte" (Rom 6,23), el diablo, compartiendo con nosotros el pecado, comparte también la muerte.

Capítulo 43

1. El verdadero mediador que en tu secreta misericordia manifestaste a los humildes y enviaste para que con su ejemplo nos enseñara la humildad; ese mediador entre Dios y los hombres que es el Hombre Jesucristo apareció mediando entre los pecadores mortales y el Santo inmortal. Él fue mortal como los hombres e inmortal como Dios. Y así como la vida y la paz son el estipendio de una justicia unida con Dios, así pudo él destruir en los impíos justificados la muerte que quiso tener con ellos en común. De esta manera, se mostró a los santos de la Antigua Ley para que fueran salvos por la fe en su pasión futura así como nosotros somos salvos por la fe en su pasión ya consumada.

Cristo es nuestro mediador en cuanto hombre; pues en cuanto Verbo no es intermedio entre nosotros y Dios, siendo él mismo igual al Padre y en unidad con el Espíritu Santo, un solo y único Dios.

2. ¡Cuánto nos has amado, Padre bueno, que "a tu propio Hijo unigénito no perdonaste sino que lo entregaste por nosotros, impíos que éramos!" (Rom 8,32). ¡Y cuál fue tu manera de amarnos! Nos diste a tu Hijo, quien no tuvo por usurpación el ser igual a ti, pero se convirtió en servidor hasta la muerte, y muerte de cruz. Él fue el único libre entre los muertos, que tuvo potestad para dar su vida y la tuvo

también para recuperarla. Él fue para ti y para nosotros vencedor y víctima, y fue vencedor porque fue víctima. Fue para nosotros sacerdote y sacrificio, y fue sacerdote porque fue sacrificio. Nos convirtió para ti de siervos en hijos naciendo de ti y sirviéndonos a nosotros. Razón me sobra para fundar en él una sólida esperanza, seguro como estoy de que tú vas a sanar mis dolencias por aquel que está sentado a tu diestra para interceder por nosotros (Rom 8,34). Si no fuera por él me hundiría en la desesperación. Porque si muchas y graves son mis dolencias, mayor todavía es la medicina que me das. Podríamos los hombres pensar que tu Verbo era remoto y ajeno a todo contacto con nosotros si él no se hubiera hecho carne para habitar entre nosotros.

3. Aterrado por el espectáculo de mis pecados y miserias había yo agitado en mí el pensamiento de huir hacia la soledad, pero tú no me dejaste. Me hiciste ver que Cristo murió por todos, a fin de que los que viven no vivan ya para sí mismos, sino para aquel que murió por ellos (2 Cor 5,15). Para vivir, entonces, arrojaré en ti todos mis cuidados y meditaré en las maravillas de tu ley (Sal 118,18). Cúrame y enséñame tú, que conoces mi inexperiencia y mis debilidades; por tu Hijo Único, en el cual se encuentran todos los tesoros de la ciencia y la sabiduría, y que me redimió con su Sangre. Que no me calumnien los soberbios; porque yo medito en el precio de mi rescate, lo como, lo bebo y lo distribuyo. Pobre como soy, de él quiero saciarme en compañía de los que comen y tienen hartura, alaban al Señor y lo buscan (Sal 21,27).

LIBRO XI

Libro XI

Capítulo 1

¿Acaso ignoras tú , Señor, siendo tuya la eternidad, lo que yo te puedo decir; o conoces en el tiempo lo que acontece en el tiempo? ¿Por qué pues te he venido contando tantas cosas con todos sus pormenores? Ciertamente no porque tú tengas necesidad de que yo te las diga para saberlas; pero mi amor a ti se enciende conforme te las cuento. Pienso, además, en todos los que van a leer este libro. Es preciso que todos a una digamos que "grande es el Señor y dignísimo de toda alabanza" (Sal 47,2). Lo dije y lo repito, es tu amor el que me mueve a todo esto.

Nosotros hacemos oración, y la verdad nos dice que nuestro Padre sabe lo que necesitamos aun antes de que se lo pidamos (Mt 6,8). Entonces, lo que puedo hacer es manifestarte mi amor y confesarte mis muchas miserias y tus grandes misericordias para conmigo, para que termines la obra de mi liberación, puesto que ya la has comenzado, y deje yo de ser miserable en mí mismo para empezar a ser feliz en ti.

Nos has llamado a ser pobres de espíritu, mansos, llorosos, hambrientos y sedientos de tu justicia, misericordiosos, pacíficos y limpios de corazón. Y yo te he venido contando todo lo que he podido y querido porque tú fuiste el primero en querer estas confesiones mías; tú, Señor buenísimo, cuya misericordia abarca los siglos.

Capítulo 2

1. ¿Cómo podré por medio de la pluma enunciar todas tus exhortaciones, tus terrores, tus consuelos y las acciones de tu providencia con las que me has venido trayendo a predicar tu palabra y a dispensar tus misterios a tu pueblo? Si alcanzo a relatar todo eso, preciosas me serán todas las gotas de tiempo. Mucho hace ya que me consume el ardor por meditar tu ley y según ella confesarte mi ciencia y mi inexperiencia que han sido preámbulos de tu iluminación y reliquias de antiguas tinieblas mías, que me durarán hasta que mi flaqueza sea devorada por tu fortaleza. Quiero consagrar a este empeño todas las horas que me dejen libres los indispensables cuidados de la salud corporal y las necesidades de mi alma juntamente con todos esos servicios que debemos a nuestros hermanos o que les prestamos aun sin debérselos.

2. Señor y Dios mío, escucha mi oración y que tu misericordia atienda a mi deseo, que no arde solamente por mí sino también, con fraterna caridad, por el bien de mis hermanos. Tú penetras en mi corazón y sabes que digo verdad; y es para ti un sacrificio aceptable el servicio de mi lengua y de mi pensamiento. Dame pues lo que tú mismo quieres que te ofrezca. Porque yo soy pobre e indigente mientras que tú eres rico para quienes te invocan; y seguro tú mismo de cuidados, cuidas de nosotros. Circuncida en mi interior y en mi exterior mis labios de toda temeridad y mentira. Que mis

castas delicias estén puestas en tus santas Escrituras. Haz que no me engañe al leerlas ni engañe a otros al explicarlas. Atiende, Señor, y compadécete, tú que eres la luz de los ciegos y la fortaleza de los débiles pero también la luz de los que ven y la fuerza de los fuertes. Escucha los clamores que mi alma levanta desde sus profundidades; pues, ¿a dónde iríamos si tú no oyeras lo que dicen los abismos? Tuyo es el día, tuya es la noche, y los instantes de nuestro tiempo vuelan a tu albedrío; concédeme pues la holgura necesaria para meditar en los secretos de tu ley y no cierres su puerta a quienes la pulsan.

3. Pues no en balde y para nada quisiste que se escribieran tantas páginas tan densas de misterios. La Escritura es como una vasta selva a donde acuden y se amparan los ciervos, caminan y se apacientan, sestean y rumian. Descúbreme, Señor, la verdad que hay en sus páginas y llévame a perfección. Tu voz es para mí una alegría superior a la de todos los deleites. Dame eso que amo porque tú me concediste amarlo; no descuides tus propios dones ni te olvides de la hierba sedienta.

Confesaré pues en tu presencia todo lo que encuentre en tus libros; oiré sus voces de alabanza, beberé de ti y meditaré en las maravillas de tu ley desde el principio en que hiciste el cielo y la tierra hasta el fin que es el reino perpetuo de su santa ciudad. Ten pues, Señor, misericordia de mí y escucha mi deseo; porque no es un deseo terrestre de oro y de plata o de preciosas gemas; no es deseo de suntuosas vestiduras ni de honores y potestades o de placeres de la carne. Tampoco es deseo de subvenir a las necesidades corporales de nuestra peregrinación sobre la tierra, pues todo eso se nos da como añadidura cuando buscamos tu reino y tu justicia. Mira, Señor mío, de dónde procede mi deseo. Los impíos me cuentan sus deleites, pero ninguno de ellos es comparable a la delicia de tu ley. Mi deseo viene de ahí.

4. Mira, Padre santo, ve y aprueba; que tu misericordia se complazca en darme la gracia de que al pulsarlas yo se me abran las puertas de tu palabra. Te lo pido por nuestro Señor Jesucristo, Hijo tuyo que se sienta a tu diestra e Hijo del hombre también, al que pusiste y confirmaste como mediador entre ti y nosotros; por medio del cual nos buscaste cuando nosotros no lo buscábamos, y nos buscaste para que te buscáramos. Jesucristo, tu Verbo, por quien hiciste todas las cosas, y entre ellas a mí. Jesucristo, Hijo tuyo unigénito, mediante el cual llamaste al pueblo creyente, del cual soy miembro también yo, con una vocación de hijos adoptivos tuyos. Por él, que sentado a tu diestra intercede siempre por nosotros y en el cual están todos los tesoros de la ciencia y la sabiduría, por él te suplico. Es a él a quien yo busco en todos tus libros. Moisés escribió sobre él, pero es él mismo la verdad, el que dice lo que escribió Moisés.

Capítulo 3

1. Oiré pues y entenderé cómo allá, al principio, hiciste el cielo y la tierra. Moisés escribió esto y se fue, pasó de este mundo a ti. No lo tengo presente; pero si lo tuviera, le rogaría que me explicara mejor estas cosas, prestándole yo todo mi oído conforme las palabras salieran de sus labios. Pero si

me hablara en hebreo, mis sentidos nada captarían y nada quedaría impreso en mi mente. Sólo entendería a Moisés, si me hablara en latín.

2. Pero, ¿cómo podría yo saber que era verdad lo que me dijera? O en caso de saberlo, ¿lo podría saber por él mismo? Es posible que sí. Allá muy adentro, en las intimidades de mi pensamiento, donde la verdad no es ni griega ni latina ni hebrea ni bárbara, me lo diría ella misma sin sonido de sílabas; y entonces, bien seguro, diría yo con confianza a tu siervo: "Lo que dices es verdad". Pero como no puedo interrogarlo a él, te ruego a ti, Verdad que lo llenaste, que perdones mis pecados; y que habiendo concedido a aquel siervo tuyo decir estas cosas me concedas a mí que pueda entenderlas.

Capítulo 4

Ahí están el cielo y la tierra, que con sus cambios y variaciones proclaman que fueron hechos; pues si hay algo que existe sin haber sido hecho, no tiene ahora nada que antes no tuviera, y en consecuencia, no admite cambio ni variación alguna. Y todas las cosas proclaman en alta voz que fueron creadas; existimos porque fuimos hechas. Antes de existir no existíamos para poder darnos el ser; la voz de quienes lo dicen es la evidencia misma. Tú fuiste, Señor, quien creó todas las cosas; tú eres la hermosura, y por eso ellas son hermosas; eres bueno, puesto que ellas lo son; existes, pues existen. Y no son ni bellas ni buenas ni existentes como lo eres tú, su creador, comparadas con el cual no son ni bellas ni buenas ni son. Gracias a ti sabemos esto, pero con una ciencia que comparada con la tuya es pura ignorancia.

Capítulo 5

1. "En el principio creó Dios el cielo y la tierra" (Gn 1,1). ¿Pero cómo lo hiciste, de qué grandiosa máquina sacaste el cielo y la tierra? Ciertamente no fue al modo como el artífice da forma a un cuerpo valiéndose de otro cuerpo para imponerle, según el albedrío de su alma, una forma que él concibió con el ojo interior de su mente. ¿Y cómo podría hacer esto si tú no hubieras puesto antes la materia que recibe de él esa forma? Porque el artista da forma a una cosa ya existente y en plena posesión de su propio ser, ya sea tierra o piedra o madera, oro u otra materia cualquiera. ¿Y cómo podría todo eso existir sin que tú le dieras la existencia? Tú, tú le das al artesano un cuerpo en el cual pones un alma que dirige la acción de los miembros. Tú hiciste la materia que le sirve para hacer algo; y a él mismo le diste el ingenio con que conoce su arte y la capacidad de ver interiormente lo que ha de realizar por fuera. Tú le diste los sentidos corporales que interpretando la visión interior de su alma, la trasladan a la materia y le hagan ver al alma lo que realizaron para que ella, allá por dentro, consulte a la verdad que preside la obra y sepa si fue bien hecha. ¡Que te alaben, Señor, todas las cosas que creaste!

2. Pero una vez más: ¿cómo hiciste, Señor, el cielo y la tierra? Ciertamente no en el cielo mismo y en la tierra, ni en el aire ni en la aguas, pues el aire y el agua pertenecen al cielo y a la tierra. Tampoco en el mundo universo pudiste crear el

universo mundo, pues no había en dónde lo hicieras antes de que lo hicieras. Ni tenías en la mano algo de donde lo formaras; y, ¿de dónde podía haber algo que tú no hubieras hecho, para que de ese algo formaras otra cosa? ¿Qué cosa hay que no exista sino porque existes tú? Pero tú hablaste, y el mundo, obediente, vino al ser. Con tu sola palabra lo creaste.

Capítulo 6

1. Pero, ¿cómo fue esa palabra con la que creaste el mundo? Fue acaso como aquella voz con que desde el fondo de una nube dijiste: "Éste es mi Hijo amado, escúchenlo" (Mt 3,17). Pero esa voz vino y pasó, comenzó y terminó; las sílabas sonaron y se desvanecieron, la segunda detrás de la primera, la tercera después de la segunda, y así todas las demás, por orden; y acabada la última sobrevino el silencio. De lo cual aparece bien por lo claro que allí hubo el ministerio de alguna criatura tuya temporal que estuvo al servicio de tu eterna voluntad. Esa palabra tuya se dio en el tiempo y a través del oído externo llego al oído interior de la mente de los que la oyeron cuando estaban con su atención dirigida hacia tu eterno Verbo. La mente, a su vez, en el silencio interior, comparó aquellas palabras que sonaban en el tiempo con tu eterna palabra, y dijo: "No es lo mismo, es algo del todo diferente"; porque estas palabras están por debajo de mí, huyen y ya no son, al paso que el Verbo de Dios está por encima de mí y eternamente permanece.

2. Así pues: si cuando mandaste que existieran el cielo y la tierra lo dijiste con ese tipo de palabras que suenan y pasan,

es que antes de que hubiera cielo y tierra, existía una criatura temporal cuyas vibraciones, sucesivas en el tiempo, pudieran formar una voz y esta voz era también cosa del tiempo. Pero es imposible admitir que hubiera cuerpo alguno antes de que existiera el cielo y la tierra. O si alguno hubo, a ese lo habías tú hecho, pero no con palabra transitoria que con transitorios sonidos dijera: "Hágase el cielo y la tierra". Y en tal hipótesis, fuera lo que fuera aquello con lo que produjiste esa voz, eso mismo no existiría, si tú no lo hubieras hecho. Y si tenía que haber un cuerpo mediante el cual tales palabras dijeras, ¿con qué otra palabra lo hiciste existir?

Capítulo 7

1. Con todo esto nos vemos obligados a pensar que en ti, que eres Dios, hay una Palabra que también es Dios, que eternamente es pronunciada por ti y en la cual eternamente dices todas las cosas. En esa Palabra, no cesa lo que ya se dijo para dejar lugar a lo que sigue, sino que en ella todo se dice con eterna simultaneidad. Si así no fuera, tendríamos de nuevo el tiempo y la mutabilidad. Confieso que he llegado a saber esto, y te doy las gracias por habérmelo hecho saber. Y juntamente conmigo lo sabrá y lo bendecirá todo hombre que no sea negado para la cierta verdad.

2. Es pues del todo seguro, Señor, que, en la medida en que algo no es ya lo que era y comienza a ser lo que no era, en ese tanto, muere y nace. Pero nada hay en tu Verbo que ceda o que suceda, porque él es la verdad eterna e inmortal. Y por eso con tu Verbo, que es contigo coeterno y sempi-

terno, dices todo lo que dices y se hace lo que dices que se haga. Tú no haces las cosas sino diciéndolas, y sin embargo, no son simultáneas en el ser ni eternamente duraderas las cosas que diciéndolas pones en la existencia.

Capítulo 8

1. Pero, ¿por qué? Te ruego que me lo digas, Señor y Dios mío. Veo bien lo uno y lo otro, pero no sé cómo expresarlo, sino acaso diciendo que todo lo que comienza a ser y luego deja de ser empieza a ser y deja de ser en el momento en que tu razón eterna, en la cual nada tiene ni principio ni fin, ve que deben empezar o acabar. Ella es tu Verbo, el principio, que habla en nosotros. Fue así como valiéndose de nuestra carne habló en el Evangelio con palabras sensibles que sonaron en el oído de los hombres para que ellos las creyeran; para que interiormente fueran buscadas y encontradas en la eterna verdad, allá adentro, en donde el maestro bueno y único enseña a todos sus discípulos. Es allí, Señor, donde oigo tu voz que me dice que tu Verbo nos habla y nos enseña; a diferencia de quienes hablan sin enseñar.

2. Pero, ¿quién, fuera de la verdad estable, es capaz de enseñarnos? Las maravillas de tu creación nos amonestan y nos encaminan a la estable verdad; firmes ante ella y escuchándola, verdaderamente aprendemos y nuestro gozo es grande por la voz del esposo que nos devuelve al principio del que procedemos. Y digo principio, pues si no permaneciera inmutable, no podríamos regresar a él después de habernos extraviado. Pero cuando volvemos de algún error regresamos a

la verdad por el conocimiento. Y para que conozcamos nos enseña. Él, que es el principio y habla con nosotros.

Capítulo 9

1. En este principio, Señor, que es tu Verbo, tu Hijo, tu sabiduría, tu potencia y tu verdad, hiciste el cielo y la tierra: maravillosa Palabra en el decir, maravillosa en el obrar. ¿Quién podrá comprender esto y expresarlo? ¿Qué otra cosa sino ella es lo que luce en mí y hiere mi corazón sin lastimarlo llenándolo de temor y de ardor? Una especie de horror me invade cuando me siento tan desemejante a él; pero un inmenso amor me colma, por lo que reconozco en mí como semejante a él.

2. Es la sabiduría misma, ella es, la que a intervalos brilla rompiendo mi nublado; pero éste supera de nuevo mi debilidad y me vuelve a cubrir con la mole de mis miserias. Porque de tal manera ha venido a menos mi vigor a causa de ellas, que no soporto mi propio bien mientras tú, Señor, que tan propicio has sido para con mis pecados, no me sanes de mi debilidad. Tú redimirás mi vida de la corrupción y me darás la corona de la piedad y la misericordia saciando con tus bienes todos mis deseos; y mi juventud se renovará como la del águila. Por la esperanza fuimos salvos, y aguardamos en la paciencia el cumplimiento de tus promesas. Oiga quien pueda tus exhortaciones interiores; que yo, confiado en tu palabra, clamaré: ¡Cuán magnificas son tus obras, Señor! Todas ellas vienen de tu sabiduría, que es el principio en que hiciste el cielo y la tierra.

Capítulo 10

Hay una especie de senectud intelectual en los que nos dicen: "¿Qué es lo que hacía Dios antes de crear el cielo y la tierra? Porque si estaba ocioso e inactivo, ¿por qué no continuó así, sino que un buen día hizo algo que no había hecho antes? Y si se produjo en Dios un movimiento nuevo y una nueva voluntad de crear un mundo que antes no había creado, ¿cómo hablar de eternidad cuando hay de por medio semejante cambio?

Y además: la voluntad de Dios no es una criatura, sino algo interior a toda creación, ya que la creación sería impensable, si no hubiera en Dios una antecedente voluntad de crear. Y la voluntad pertenece a la sustancia misma de Dios. En consecuencia, si en la sustancia de Dios apareciera, un día, algo que no había en ella antes, con toda razón le negaríamos el atributo de la eternidad. Mas, por otra parte, si Dios tiene una eterna voluntad de crear las cosas del mundo, ¿cómo es que las criaturas no son eternas como la voluntad que las creó?".

Ésta es la objeción que ponen.

Capítulo 11

Pero los que así razonan lo hacen porque no han entendido aún lo que eres tú, sabiduría divina y luz de las inteligencias; no aciertan a ver cómo se hace lo que en ti y por ti se hace. En vano pretenden tener el sabor de la eternidad, y su mente, volando como mariposa entre lo pasado y lo futuro, nada consigue.

Para conseguir algo sería preciso detenerse un poco y recibir y fijar en la mente un relámpago de esa eternidad siempre estable para poderla comparar, con el tiempo inestable. Quien esta fortuna tuviera, encontraría luego que la comparación es imposible; porque un tiempo largo sólo es largo porque se compone de una sucesión de movimientos transeúntes que no tienen duración simultáneamente. Vería claro que en la eternidad nada pasa, todo es presente, mientras el tiempo es esencialmente fugitivo. Vería que lo pretérito es empujado hacia atrás por lo venidero; y que éste, a su vez, dimana de lo pretérito. Y vería que todo, lo que ya pasó y lo que va a pasar, es creado y fluye por obra de aquel que es un eterno presente. ¿Quién pues gobernará la ligereza del corazón del hombre para que se detenga y vea cómo es la eternidad misma sea ni pasada ni futura?

¿Podrán acaso mi mano y la lengua con que hablo conseguir una cosa tan grande?

Capítulo 12

Así pues: a los que preguntan qué hacía Dios antes de la creación del cielo y de la tierra no voy a responder lo que se cuenta que de broma y eludiendo la brava dificultad contestó cierta vez alguno, diciendo que antes de crear el mundo se ocupaba Dios de preparar un infierno para los que pretenden escrutar las cuestiones más altas y misteriosas. Yo no respondo eso, porque una cosa es reír y otra cosa es entender. Cuando ignoro algo prefiero confesar que no lo sé antes que herir con una burla a quien hizo una pregunta difícil, ganándome la alabanza de una risa ligera por haber dado una respuesta engañosa.

Pero a ti, Señor y creador del cielo y de la tierra con cuanto en ellos se contiene, a ti sí te lo digo con toda osadía: antes de que hicieras el cielo y la tierra no hacías nada. Porque si algo hacías no se comprende cómo de esa actividad no se producía criatura alguna. Ojalá consiga yo llegar a saber tantas cosas como ansío saber, con la misma certidumbre con que sé que nada hacías antes de que por vez primera hicieras algo.

Capítulo 13

1. Pero si alguien con volandera fantasía quiere vagar entre las imágenes de pasados tiempos y se admira de que tú, creador y artífice de tan maravillosas obras te hayas abstenido por tan largos e incontables siglos de crear el mundo que luego creaste, ese tal debe despertar de su sueño y poner atención a que vanamente se admira.

Pues, ¿de dónde podían esos siglos incontables preceder y fluir cuando no los habías hecho tú, el autor y fundador de todos los tiempos? ¿O qué siglos podía haber que tú no hubieras hecho; y cómo podían fluir si no existían? Pues siendo tú el autor de todos los tiempos, ¿cómo, si hubo algún tiempo antes de la creación del mundo, se dice que tú cesaste de obrar? Porque ese tiempo antecedente lo habrías hecho tú, y no podían correr los tiempos antes de que tú hicieras el tiempo. Y además: si ningún tiempo había antes de la creación del cielo y de la tierra, ¿cómo se puede preguntar qué hacías entonces? Porque la palabra entonces supone la existencia del tiempo. Pero tú eres anterior a todos los tiempos, y eso significa que no antecedes al tiempo en el tiempo.

2. La verdad es que tú antecedes todos los tiempos pretéritos y superas los venideros con la excelsitud de una eternidad siempre presente. Los que eran futuros y luego vinieron, pasaron a añadirse a los pretéritos; mientras que "tú eres siempre el mismo y tus años no se acaban" (Sal 101,28). Tus años ni vienen ni van; los nuestros sí, y de este modo tiene que ser para que todos ellos puedan venir. Tus años son subsistentes, y por eso, simultáneos e imperecederos, al paso que los años del hombre habrán sido cuando ya hayan dejado de ser. Tus años son un solo día; y este día tuyo no es cada día, sino, simplemente, HOY; un hoy que no tiene mañana y que no tuvo ayer. Tu día de hoy es la eternidad. Por eso engendraste a una persona coeterna contigo cuando dijiste: "Tú eres mi Hijo, yo te engendré hoy" (Sal 2,7). Tú hiciste todos los tiempos y existes antes de ellos, y no pudo haber tiempo alguno antes del tiempo.

Capítulo 14

1. No hubo pues tiempo alguno en que algo no hicieras, porque tú hiciste el tiempo; y ningún tiempo es coeterno contigo, pues tú eres permanente, y el tiempo no sería tiempo si no fuera fugitivo.

¿Quién podrá explicar con claridad y concisión lo que es el tiempo? ¿Quién podrá comprender en su pensamiento para poder luego decir sobre él una palabra? Y sin embargo, nada en nuestro lenguaje nos es tan conocido y familiar como él; entendemos muy bien lo que decimos o lo que nos dicen hablando del tiempo.

2. Pero, ¿qué es él en sí? Cuando nadie me lo pregunta, lo sé; pero si me lo preguntan y quiero explicarlo, no lo sé. No obstante, me es posible decir confiadamente que si nada pasara no habría tiempos futuros.

Pero estos dos tiempos, el pretérito y el futuro, ¿cómo son, si el pasado ya no existe y el futuro todavía no llega? En cuanto al presente: si siempre lo fuera no se resbalaría hacia el pasado, y ya no sería tiempo, sino eternidad. Y si el presente es tiempo porque se resbala hacia el pretérito, ¿cómo podemos decir que el tiempo *es*, cuando la razón de que sea tiempo es que va a dejar de ser? En realidad, cuando decimos que el tiempo existe queremos decir que tiende a dejar de existir.

Capítulo 15

1. Y sin embargo, solemos hablar de tiempos largos y de tiempos cortos, aunque solamente lo decimos hablando del pasado y del futuro. Llamamos largo al tiempo cuando es, digamos, de más de cien años, así como un futuro mayor de cien años también nos parece largo. Diez días, en cambio, tanto hacia el pasado como hacia el futuro, nos parece tiempo breve. Pero se presenta la cuestión: ¿cómo puede ser largo o breve lo que nada es? Porque el pasado ya no existe y el futuro todavía no llega. La conclusión es, entonces, la de

que el pasado no es, pero sí fue largo; y que el futuro tampoco es, pero será largo también él.

¡Señor, mi Dios y mi luz! ¿No es verdad que también en esto tu verdad se ríe del hombre? Pues, ¿cuándo fue largo un tiempo pasado: cuando ya había pasado o cuando todavía era presente? Pudo ser largo solamente cuando existía algo que pudiera serlo; pero entonces el pasado no había pasado aún; y una vez pasado no podía ser largo, porque nada era. No es, entonces, correcto decir que el pretérito fue largo, pues ya pretérito, nada era. Aquel presente fue largo; pero pasó a pretérito dejando de ser.

2. Consideremos ahora, alma mía, si el tiempo presente puede ser largo. A ti ha sido concedido percibir las demoras y tardanzas y aun medirlas. ¿Qué me vas a responder sobre si es largo un presente de cien años?

Deberás considerar, en primer término, si es posible que cien años sean algo presente y formen un presente de cien años. Porque el primero de ellos será presente mientras dura, y los otros noventa y nueve, futuros. Y cuando sobreviene el segundo año, el primero ya se fue y los otros son todavía futuros. ¿Cómo puede, entonces, hablarse de un presente de cien años?

Por otra parte: cualquiera de los años intermedios en este lapso de cien tiene por detrás los años ya corridos y por delante los que faltan de correr; y así, no podemos hablar de un presente de cien años. A su vez, el año en que vivimos no es todo él simultáneamente presente, ya que los años se componen de meses. Podemos hablar del año en curso, pero no del año presente. De los doce meses del año sólo uno está corriendo, los demás ya pasaron o todavía no llegan. Y por la misma razón no cabe hablar del mes presente, pues dentro del mes sólo un día es el que está corriendo.

3. Y así venimos a concluir que aquel tiempo que estimábamos tan largo viene a contraerse a un solo día. Pero si consideramos que el día se compone de la horas diurnas y las nocturnas, veinticuatro en total; y que ninguna de ellas es presente junto con las otras, pues para la primera todas las otras son futuras, para la última todas son pretéritas y para las de en medio unas son pasadas y otras venideras; y si consideramos que las horas mismas se componen de menudas partículas de tiempo que tampoco son presentes simultáneamente, habremos de concluir que presente se podría llamar tan solo una partícula de tiempo tan pequeña que no pudiera ya subdividirse en partes menores. Y aun ella volaría rápidamente hacia el pasado sin detenerse ni permanecer un solo instante. Porque si un solo momento se detiene, en esta mínima demora habría ya partes, y se repetiría el problema.

O sea: que el presente no ocupa ningún espacio. ¿En dónde está pues un tiempo que podamos en verdad tener por largo? Ya quedó establecido que ni el pretérito ni el futuro son largos; aquel lo fue, éste lo será, ninguno lo es. Pero, ¿cuándo será futuro? Porque mientras sea futuro no es nada, y en consecuencia, no puede ser largo. Largo podrá ser cuando haya pasado de futuro a presente; pero si es verdad que una cosa real puede durar mucho, el presente en sí mismo no dura nada.

Capítulo 16

Y sin embargo, Señor, es indudable que sentimos los intervalos del tiempo, los comparamos unos con otros y los hallamos, a unos largos y a otros breves. Medimos también cuánto más largo sea un tiempo que otro; si es doble, o triple o igual. Podemos medir el tiempo que vuela, pero sólo a través de la sucesión de nuestras propias percepciones. Pero el pretérito que ya se fue y el porvenir que aún no llega nadie los puede medir. ¿Cómo va nadie a medir lo que no existe? Podemos medir el tiempo mientras está pasando; pero no cuando ya pasó.

Capítulo 17

Todo esto, Padre mío, no te lo digo como quien afirma, sino como quien investiga; te ruego que dirijas mi pensamiento. Pues, ¿quién me va a negar que hay tres tiempos, pasado, presente y futuro, como nos enseñaron de niños y nosotros mismos hemos enseñado a los niños? Porque es inaceptable la pretensión de que el presente existe pero los otros dos tiempos no. Tampoco es de admitir la idea de que el pasado y el futuro de alguna manera son; pero en forma tal que el presente, cuando se produce, sale de no se qué secretos escondrijos y va luego a perderse en algún antro misterioso cuando de presente se hace pretérito.

Si lo futuro nada es, ¿cómo pudieron verlo y predicarlo los que te predijeron? Porque nadie puede ver lo que no existe. Y los que con veracidad nos refieren historias pasadas no nos dirían lo que sucedió, si no lo vieran en su memoria. Si lo pretérito no conservara ni siquiera este modo de existir nadie podría verlo ni recordarlo. La consecuencia es la de que, no obstante todo lo dicho, existen lo futuro y lo pretérito.

Capítulo 18

1. Y ahora, Señor, esperanza mía, permíteme ahondar más en mi investigación, y concédeme que no se conturbe mi pensamiento. Si es verdad que existen lo futuro y lo pretérito, quiero saber en qué lugar están. Pero si tanto no consigo, sé de cierto cuando menos una cosa: que dondequiera que estén no son allí ni pretérito ni futuro, sino presente. Lo digo porque si en ese lugar el futuro es futuro y el pasado es pretérito, el futuro todavía no es y el pasado ya no es; y si no son, no pueden estar allí. Dondequiera pues que estén, como presentes están; aun cuando en la fiel narración de acontecimientos pasados salen de la memoria *los recuerdos de las cosas*, no las cosas mismas, que ya son idas. Las palabras se conciben conforme a las imágenes que quedan en el alma como vestigio que le dejaron las cosas al pasar.

Mi infancia, pongo por caso, lejana como está, pertenece a un pretérito que ya se fue; pero cuando la rememoro y la relato, la veo en el presente, pues presente la tengo en mi memoria.

2. Pero si la predicción de lo futuro tiene o no tiene lugar por un proceso semejante en que veamos presentes las cosas por medio de imágenes suyas que ya tenemos, lo confieso, Señor, que no lo sé. Pero de lo que no me es posible dudar es de que con frecuencia premeditamos nuestros actos futuros. Cuando lo hacemos la premeditación es presente, pero la

acción misma es futura. Es solamente cuando empezamos a realizar lo premeditado cuando comienza a existir la acción como realidad actual. Pero sea lo que fuere de esta arcana presencia de lo futuro en la mente, que nos permite presentirlo, es indudable que no se puede ver ni sentir, sino lo que existe; y lo que ya es no es ya futuro, sino presente.

Cuando los hombres prevén algo que todavía no acontece, es bien posible que lo vean en sus causas o en señales de ellos que ya están ahí y en cuya presencia concebida por la mente se ve y se predice lo que va a suceder. Esa presencia conceptual de lo futuro en realidad se da.

3. Un ejemplo entre muchos: si veo la aurora puedo anunciar con seguridad la salida del sol. Lo que anuncio es futuro, pero lo que veo es presente. Lo futuro aquí no es el sol, que ya existe, sino su salida, que aún no se verifica; pero no podría predecirla, si no la tuviera presente en mi entendimiento en el momento en que hablo. La aurora que en el cielo veo no es el nacimiento del sol, aunque de cerca lo precede; tampoco lo es la imagen que en mi mente tengo; pero la presencia de ambas es lo que me hace posible la predicción. Los acontecimientos futuros en sí nada son todavía, y en consecuencia no pueden verse; pero pueden predecirse *por su relación* con hechos presentes, que son y que se ven.

Capítulo 19

¿Cuál es la manera como tú , Señor de la creación, enseñas a los hombres lo que en el futuro va a suceder? Lo digo porque tú fuiste el maestro de los profetas. Pero, ¿de qué modo les haces ver ese futuro que aún no existe? O por mejor decir: ¿de qué manera nos das enseñanzas presentes sobre cosas venideras? Lo digo porque no veo cómo pueda lo que no existe ser enseñado; esto supera mi inteligencia y no puedo con ello. Pero con fuerza que me venga de ti lo habré de comprender. Cuando tú, dulce luz de mis ojos, me concedas comprenderlo.

Capítulo 20

Lo que por el momento veo con toda claridad es que no existen ni las cosas futuras ni las pretéritas. Y pienso que no se habla con propiedad cuando se dice que los tiempos son tres, pasado, presente y futuro. Más exacto me parece hablar de un presente de lo pretérito, un presente de lo presente y de un presente de lo futuro; porque estas tres modalidades las encuentro en mi mente pero por otras partes no las veo. Lo que sé es que tengo una memoria presente de lo pasado, una percepción presente de lo actual y una expectación presente de lo venidero. Si de este modo se entiende, acepto y afirmo que los tiempos son tres, pasado, presente y futuro, como se dice en el uso común. No lo reprendo ni lo contradigo, con tal que se entienda lo que se dice y no se preste existencia real ni al pasado ni al futuro. Después de todo, pocas son las cosas que expresamos con propiedad y muchas las que decimos con impropiedad, pero entendiendo lo que queremos decir.

Capítulo 21

1. Líneas arriba afirmé que podemos medir el tiempo, distinguir un tiempo simple de uno doble, o decir que dos

tiempos son iguales; lo mismo que muchas otras cosas que podemos decir fundados en la medición del tiempo. Pero decía también que lo que medimos es el paso mismo del tiempo, los instantes que asimos al vuelo. Y si alguien me preguntara cómo sé esto, le respondería que lo sé porque es un hecho que medimos el tiempo; lo que no es no se puede medir, y ni el pasado ni el futuro son. Y si insistiera en preguntarme cómo es posible medir el presente, pues no ocupa espacio, le contestaría que lo medimos al vuelo de su paso; pues cuando es ya pasado no lo podemos medir.

2. Pero, ¿de dónde, por dónde y hacia dónde pasa mientras lo medimos? ¿De dónde, si no del futuro? ¿Por dónde, si no es por el presente; y hacia dónde, sino hacia el pretérito? Pasa de lo que todavía no es, por donde no hay espacio, y hacía lo que ya no es. ¿Qué es pues lo que medimos sino el tiempo en algún espacio? Porque cuando hablamos de duraciones simples, dobles, triples o iguales estamos hablando de espacios temporales. ¿Pero en cuál de esos espacios medimos el tiempo mientras está pasando? No en el futuro de donde procede, porque lo que todavía no es no se mide. ¿O lo medimos en el presente que pasa? Pero entonces, lo que medimos no es ningún espacio. Tampoco es posible decir que en el pretérito que ya no es, porque lo que no es no se puede medir.

Capítulo 22

1. Mi alma tiene ansias por descifrar este complicado enigma. Dios mío, Padre bondadoso, por Jesucristo te ruego

que no niegues a mi deseo la penetración en el meollo de estos problemas, que son a la vez familiares a inaccesibles. Que tu misericordia me los alumbre, para que yo los entienda.

¿Quién podría aclararme estas dudas? ¿Y a quién podría yo con mayor fruto confesar mi impericia que a ti, a quien no molesta mi ardiente preocupación por acercarme a tus Escrituras? Concédeme pues obtener lo que amo, ya que lo amo de verdad y don tuyo ha sido este amor. Dámelo, Padre, que tan generoso eres para conceder a tus hijos tus dones. Me he empeñado en la empresa de llegar a conocerte, y mi trabajo será ímprobo mientras tú no me abras tu puerta.

2. Te lo suplico por el nombre de Cristo, el santo de los santos: que nadie se interponga en mi camino. En Él he creído y por eso hablo; y mi viva esperanza es la de llegar a gozarme en los deleites de mi Señor. Has hecho que mis días se hagan viejos, y ellos pasan sin que yo sepa cómo.

En la conversación ordinaria, hablamos continuamente del tiempo y de los tiempos. ¿Cuánto tardó ése en hablar y aquél otro en su obrar? Y decimos también que una sílaba es de duración doble que la de otra. Todo eso decimos, lo entendemos al decirlo y nos entienden todos cuando lo dijimos. Son pues temas usados y sabidos, pero su entraña es tan escondida, que cuando la tocamos su conocimiento nos toma como novedad.

Capítulo 23

1. A un hombre docto le oí cierta vez decir que el tiempo no son los años, sino los movimientos mismos del sol, la

luna y las estrellas. Pero yo me dije: ¿Y por qué los tiempos no habrían de ser los movimientos de todas las cosas? Pues si dejaran de brillar las luminarias del cielo, pero siguiera moviéndose la rueda de un alfarero, ¿acaso no podríamos medir sus vueltas, compararlas y encontrar que algunas eran más rápidas que otras y algunas iguales a otras? Y mientras esto dijéramos, ¿no estaríamos nosotros moviéndonos también en el tiempo? ¿Y por qué habría en nuestro lenguaje unas sílabas largas y otras cortas sino porque su duración había sido desigual? Concede, oh Dios, a los hombres el poder comprender en un ejemplo sencillo lo que hay de común entre las cosas más grandes y las cosas más pequeñas.

2. Ahí están pues los astros y, las luminarias del firmamento para que nos sirvan como signos para medir los tiempos. Ahí están. Mas yo nunca diría que la órbita de la rueda de un alfarero sea un día; y no por eso se me va a negar que esa rueda marca un tiempo. Acaso lo podría negar aquel docto varón que he mencionado poco antes. Lo que yo deseo conocer es la esencia y la naturaleza del tiempo con que medimos el movimiento de los cuerpos cuando decimos, por ejemplo, que un determinado movimiento se dio en un tiempo doble del que fue necesario para otro movimiento.

Y es que aquí se me ofrece una pregunta. Solemos hablar del día no solamente en el sentido de que el sol está en el firmamento iluminando la tierra, sino también como de un circuito completo del sol en su órbita, que incluye las horas del día y las horas de la noche. En este sentido, decimos, por ejemplo, que han pasado tantos días; se entiende, con sus noches. Y es aquí donde viene mi pregunta. ¿El día es el movimiento mismo del sol o la duración de este movimiento o ambas cosas a la vez?

Si lo primero, tendríamos que admitir que un día es una hora, si el movimiento del sol se completara en una hora. En la segunda hipótesis: si de un amanecer al que le sigue recorriera el sol su trayecto en una hora, con eso no tendríamos un día. Sería necesario que el sol diera la vuelta a la tierra veinticuatro veces para completar el día. Pero tampoco tendríamos un día en la tercera suposición; porque si el movimiento del sol se detuviera durante un tiempo igual al que pone para brillar sobre la tierra: el numero de horas sería el del día, pero no tendríamos un día completo.

3. Dejaré pues de preguntarme qué es lo que entendemos por día para preguntarme qué es el tiempo. ¿Qué diríamos si el sol recorriera su trayecto en la mitad del tiempo que suele, es decir, en doce horas? Comparando un tiempo con el otro diríamos que el uno era doble del otro; y esto, aun en el caso de que el sol algunas veces en tiempo simple y otras en tiempo doble recorriese su camino de una aurora a la siguiente.

Que nadie pues me diga que el tiempo es el movimiento de los cuerpos celestes. Sucedió una vez que por la plegaria de un hombre el sol se detuvo mientras se ganaba una batalla. El sol se detuvo, pero el tiempo siguió corriendo. Y la batalla se llevó a cabo y fue ganada en el espacio que era para ello suficiente. Veo pues que el tiempo es una especie de distensión. Pero, ¿lo veo realmente o me parece que lo veo? Tú, Señor, que eres la luz y la verdad, me lo manifestarás.

Capítulo 24

1. ¿Me mandas tú, lector amigo, que apruebe si alguien dice que el tiempo es el movimiento de los cuerpos? No me lo mandas. A nadie oigo decir sino que el movimiento de los cuerpos se da en el tiempo. Y también tú dices esto. Pero a nadie oigo decir que el tiempo sea el movimiento mismo de los cuerpos, y tampoco tú lo dices.

Cuando un cuerpo se mueve, mido su tiempo desde que empezó a moverse hasta que ceso el movimiento. Y si no lo vi empezar y solamente lo veo moviéndose y terminando de moverse, no podré medir la duración de ese movimiento; si acaso, podré medirlo desde el momento en que comenzó mi observación. Y si lo veo moverse largo rato, solo podré decir que el movimiento fue largo, pero no cuánto duró; no podemos cuantificar sino comparando, cuando podemos decir que esto es doble de aquello otro, o cosas por el estilo. Cuando nos es posible determinar los lugares del espacio de dónde o por dónde viene un cuerpo en movimiento; o cuando vemos pasar sus partes, como en el movimiento de un torno, entonces podemos también decir cuánto tiempo duró ese cuerpo en llegar de allá para acá.

2. Y supuesto que una cosa es el movimiento del cuerpo y otra aquello con que medimos su duración, ¿quién puede no ver cuál de estas dos cosas es el tiempo? Pues aunque los cuerpos un tiempo se mueven y otros guardan reposo, no solamente medimos el tiempo de su movimiento, sino también el de su inmovilidad; decimos si el tiempo de su movimiento fue el mismo, o lo doble o lo triple del tiempo

de su quietud. Y de igual manera hablamos de otras estimaciones nuestras, precisas o aproximadas, que sacamos de nuestra medición. La consecuencia es clara: el tiempo no es el movimiento de los cuerpos.

Capítulo 25

Te confieso, Señor, que hasta el momento sigo sin comprender lo que es el tiempo; pero sé que estas palabras las estoy diciendo en el tiempo y que llevo ya un rato de hablar sobre él; y que eso mismo que llamo largo es una parte del tiempo. ¿Y cómo puedo saber esto ignorante como estoy de lo que es el tiempo en sí? ¡Pobre de mí, pues ni siquiera sé con precisión qué es lo que no sé! Tú sabes, Señor, que no miento; que mis palabras expresan lo que tengo en el ánimo. Tu alumbrarás mi linterna; tú, mi Dios y Señor, acabarás por rasgar mis tinieblas.

Capítulo 26

1. Estoy reconociendo ante ti, Señor, con verídica confesión, que puedo medir el tiempo. Pero, ¿cómo puedo medir lo que no conozco? Y por otra parte: cuando mido el tiempo en el movimiento de un cuerpo no mido con eso el tiempo mismo. Y sin embargo, no es posible que no lo mida, si mido el movimiento de un cuerpo desde que empieza hasta que llega a su fin.

¿O será que con un espacio breve de tiempo medimos otro más largo a la manera como la longitud del codo nos sirve para medir la longitud de una viga? Así medimos la duración de una sílaba larga diciendo que es doble comparada con la de una breve. Así medimos también la longitud de un poema por el número de sus versos, la longitud del verso por el número de pies que lleva, la longitud del pie por la de las sílabas, y la de las sílabas largas por la longitud de las breves.

Estas mediciones no las hacemos sobre los renglones y las páginas, pues en ellas medimos los espacios, no los tiempos. Pero cuando las voces son pronunciadas y pasan, entonces, sí que podemos decir que el poema es largo, ya que consta de tantos versos; que los versos son largos, pues llevan tantos pies; largos los pies, pues se componen de tantas sílabas; y larga una sílaba cuando dura lo doble que una breve.

2. Pero ni aun así logramos determinar una medida objetiva del tiempo. Sucede, en ocasiones, que un verso breve recitado con lentitud dura más que uno largo dicho con precipitación. Y eso mismo se diga del poema, los versos, los pies.

Por todo esto he venido a pensar que el tiempo no es más que una distensión, pero ignoro de qué; ni me asombraría que la dimensión tenga lugar en el alma del hombre.

Pues, te ruego, Señor, ¿qué es lo que mido cuando digo de manera indeterminada que un tiempo es más largo que otro; o cuando digo con entera precisión que es doble? Lo que estoy midiendo es el tiempo, ya lo sé; pero no el futuro que aún no es ni el pasado que ya no es. ¿Qué es pues lo que mido? ¿El mero paso del tiempo? Esto es lo que arriba dije.

Capítulo 27

1. Insiste, alma mía, y aplica fuertemente tu atención. Nos ayuda Dios, que nos hizo, pues nosotros no nos hicimos. Mira pues hacia dónde alborea la luz de la verdad.

Supón que suena una voz; que suena y sigue sonando, y luego deja de sonar, pasa y se produce el silencio. Esa voz era futura antes de sonar y no podía ser medida porque nada era. Luego tampoco, porque ya no es. Solamente podía medirse mientras sonaba, pues entonces había algo que pudiéramos medir. Pero aun entonces, la voz no era estable, pues estaba continuamente pasando. ¿Acaso esto la hacía más mensurable? Mientras iba pasando, se extendía sobre algún espacio de tiempo; y esto era lo que podíamos medir, pues el presente no ocupa espacio alguno.

Supón ahora que mientras la medición es posible empieza a sonar otra voz. Suena y sigue sonando con tono uniforme y sin interrupción. Midámosla ahora, que se puede, pues cuando haya dejado de sonar, no la podremos medir.

2. Midámosla pues, y digamos cuál es su extensión. Pero como la voz está sonando y no termina aún, no la podemos medir; sólo medimos lo que tiene un comienzo y un fin. Por eso es imposible decir cuán larga es una voz que todavía no toca su fin; no sabemos si es igual o doble comparada con otra. Y cuando haya pasado no será posible medirlas pues nada será ya.

Con todo, es evidente que medimos los tiempos. No los tiempos que aún no son ni los que ya no son ni los que pasan sin detenerse ni los que no tienen principio y fin conocidos.

No medimos pues ni lo pasado ni lo futuro ni lo transeúnte; y sin embargo, medimos los tiempos.

3. *¡Deus, creator omnium!* En este verso, alternan las sílabas breves con las largas. Breves son la primera, la tercera, la quinta y la séptima, y su duración es simple comparada con la de la segunda, la cuarta, la sexta y la octava. Cada una de éstas dura lo doble de cada una de aquéllas. Es así como las pronuncio, y estoy seguro de hacerlo así, pues esto es lo que me manifiesta una clara percepción. Siento que mido la duración de la larga con la duración de la breve, y de ello tengo conciencia clara.

Pero las sílabas suenan una después de la otra. ¿Cómo, entonces, si la primera es breve y la segunda larga podré tener a mano la breve para duplicar su duración y así medir la larga, si ésta no ha empezado cuando aquélla se acabó? Y la larga misma, no la mido mientras se halla presente, pues sólo puedo medirla cuando ya terminó. Y esta terminación y acabamiento la sitúan ya en el pasado. ¿En dónde está pues lo que mido? ¿En dónde la sílaba larga que mido y la breve con que la mido? Ambas sonaron, volaron, se fueron y ya no son. ¿Y yo las mido?

Pero sin la menor vacilación respondo que en cuanto se puede uno fiar de un sentido bien ejercitado y experto, la breve es simple y la larga es doble; cosa que no se puede saber, sino porque ambas pasaron ya y quedaron terminadas. Lo que mido, entonces, no son ellas, sino algo fijo que en la memoria me dejaron. Es en ti, alma mía, en donde mido los tiempos. Así es y no me contradigas ni te contradigas a ti misma con el tropel de tus cavilaciones. En una impresión que te dejan las cosas al pasar, mido los tiempos. Ellas pasaron, pero la impresión queda presente. Y si esta impresión no es el tiempo que mido, habré de admitir, contra toda evidencia, que no mido el tiempo.

4. ¿Y qué decir del hecho de que medimos también los silencios? Decimos que el silencio de uno duró lo mismo que la palabra de otro; y entonces ponemos nuestra atención a medir palabras imaginarias como si en verdad sonaran; y midiendo sus intervalos estimamos cuánto duró aquel silencio. ¿No es verdad que acabada la voz y cerrada ya la boca continuamos oyendo en nuestro interior los versos de un poema y de un discurso y percibimos las diferencias y las proporciones de los tiempos y los intervalos como si estuviéramos pronunciando las palabras con la voz exterior? Cuando alguien se propone emitir una voz de cierta duración y premedita cuán larga va a ser, calcula primero este tiempo en silencio y encomienda este dato a la memoria; luego comienza a emitir la voz y la mantiene hasta que se alcance la longitud premeditada. Y la voz sonó ya y va a sonar. Sonó lo ya cantado, sonará lo que falta por cantar; y esto se hace mientras la intención presente hace pasar lo futuro a lo pretérito, cuando el futuro va disminuyendo a medida que crece el pasado; hasta que totalmente consumido el futuro, todo sea pretérito.

Capítulo 28

1. Mas hay que poner en claro cómo pueda el futuro consumirse, si todavía no es nada. Y el pretérito, ¿cómo puede

acrecentarse, si ya no es nada tampoco él? Tales cosas no pueden explicarse, sino por la unidad del alma humana, en la cual están presentes los tres tiempos. El alma espera, atiende y recuerda; en forma tal que lo que espera pasa por lo que atiende para ir a dar a lo que recuerda.

Nadie discute que el futuro todavía no existe; y sin embargo, está presente en la expectación de lo futuro. Nadie pone en duda tampoco que el pretérito ya no es nada; y sin embargo, está presente en el ánimo de la memoria de lo pretérito. Ni hay quien no vea que el presente no ocupa espacio alguno, ya que es un punto fugitivo. Y con todo, la atención perdura mientras lo que fue presente se hunde en el pasado.

No hay pues nada que pueda llamarse un largo tiempo futuro; lo que hay es una larga expectación de lo futuro. Ni existe tampoco un largo pasado, sino sólo una larga memoria de lo pasado.

2. Supongamos que voy a recitar un cántico que me es bien conocido. Al principio, mi expectación abarca la totalidad del cántico. Cuando ya comencé, lo que en un momento dado está ya dicho pasa al pretérito y se encomienda a la memoria; y entonces la totalidad de mi atención se distiende entre el recuerdo de lo que ya dije y la expectación de lo que me falta decir. Pero en todo momento está presente mi atención, que es la que va mandando lo futuro hacia el pasado. Y conforme avanzo en la recitación va disminuyendo la memoria de lo que está aún por decir, hasta que la recitación llegue a su fin. Entonces la expectación quedara totalmente agotada y toda mi acción pasa integralmente a la memoria.

Y lo que pasa con todo el cántico eso mismo sucede con todas sus partes, con todas sus sílabas; y lo mismo se diga de una composición más amplia de la cual es acaso parte el cántico mismo. Y no otra cosa sucede con la vida del hombre y sus partes, que son sus acciones; y lo mismo pasa a mayor escala, con la historia de los hombres, cuyas partes son las vidas individuales de todos ellos.

Capítulo 29

Pero como tu misericordia es mejor que las vidas de los hombres, tu mano ha recibido toda la extensión de mi vida en mi Señor y mediador, en el Hijo del hombre, que en muchas cosas y de muchísimas maneras es medianero entre tu unidad y nuestra pluralidad; para que por su medio pueda yo aprehender a quien me tiene aprehendido y me recoge la disipación de mis días antiguos.

Me olvidaré, de todo mi pasado, pero no para refugiarme en un futuro que también va a pasar. Con toda la fuerza de mi atención puesta en las realidades presentes; sin disiparme y cargando en ellos toda mi atención, aspiro a arrebatar la palma de la gloria a la que soy llamado; allí oiré las voces que te alaban y contemplaré tus delicias, que ni vienen ni se van.

Mientras tanto, mis años van transcurriendo entre gemidos, y tú, mi Padre y mi consuelo, eres eterno. Yo me he desbaratado en tiempos cuyo orden desconozco, y en tumultuosas vicisitudes se desgarran mis pensamientos en la médula de mi alma; y así será hasta que fluya yo en ti, purificado y fundido por el fuego de tu amor.

Capítulo 30

Me plantaré y me solidificaré en ti, y tu verdad será mi molde. No voy a soportar más las cuestiones de esas gentes que como afligidas por una sed morbosa en la cual encuentran su castigo, beben más de lo que pueden digerir y dicen: "¿Qué hacía Dios antes de crear el mundo? Y, ¿cómo un día le vino a la mente hacer algo que antes no había hecho?"Concédeles, Señor, reflexionar sobre lo que dicen, y acabar de entender que la palabra nunca carece totalmente de sentido donde no existe el tiempo. Pues cuando dicen que "nunca antes" habías hecho algo, ¿qué es lo que, en realidad, quieren decir, sino que nunca hubo tiempo antes de que lo hubiera? Que acaben finalmente por entender que no existió el tiempo antes de que crearas el mundo, y renuncien a persistir en tales aberraciones. Pongan una real atención en lo que tienen delante y comprendan que tú existes antes del tiempo como eterno creador de todos los tiempos; y que ningún tiempo ni criatura alguna es coetánea contigo, aun cuando podamos pensar que existen criaturas que están por encima del tiempo.

Capítulo 31

Si existe un espíritu tan grande y poderoso que pueda conocer con plenitud lo pasado y lo venidero con la seguridad con que yo conozco un canto familiar, tal espíritu es, sin duda, estupendo y formidable. Un espíritu, quiero decir, al que nada se le oculte de cuanto pasó y que conozca con todos sus pormenores lo que va a suceder, al modo como yo sé lo que he cantado desde que comencé a cantar y lo que me falta todavía hasta el fin.

Mas no puedo aceptar el pensamiento de que tú, creador de cuerpos y almas y de todo cuanto existe, conozcas de esta manera lo pasado y lo futuro. Porque quien canta u oye cantar una conocida canción sufre variaciones en sus afectos según la memoria de lo pasado y la expectación de lo venidero, y hay una distensión en sus sentidos. Pero tú, eterno e inmutable creador de las mentes, no sufres en ti ninguna variación. Así como al principio conociste el cielo y la tierra sin que hubiera variación alguna en tu conocimiento, así también hiciste el cielo y la tierra sin variación alguna en tu actividad.

El que entienda esto, te lo confiese. ¡Oh, qué grande eres, Señor! Y siendo tan grande, en el corazón de los humildes encuentras tu morada; levantas a los caídos e impides que caigan los que se apoyan en ti.

LIBRO XII

Libro XII

Capítulo 1

Muchas son, Señor, las cosas que en la pobreza de mi vida preocupan mi corazón sacudido por las palabras de tu Santa Escritura. Por eso es frecuente que al hablar se manifieste la copiosa indigencia de la mente humana, pues más habladora se pone en la encuesta que en el descubrimiento, más larga es en el pedir que en el recibir, y más activa la mano cuando golpea con la aldaba que cuando se alarga para recoger lo que pedía.

Pero contamos con una promesa que no nos puede fallar. "Si Dios está con nosotros, ¿quién será nuestro adversario?" (Rom 8,31). "Pidan y recibirán, busquen y encontrarán, llamen y se les abrirá; pues todo el que pide recibe, el que busca encuentra, y al que llama se le abre" (Mt 7,8). Promesas tuyas son éstas, ¿quién podrá vacilar cuando es la Verdad la que promete?

Capítulo 2

Ante tu inmensa grandeza confiesa humildemente mi lengua que tú eres el creador del cielo que veo y de la tierra que piso. ¿Y de dónde viene toda esta tierra que llevo en mí? Tú lo hiciste todo. Pero, ¿en dónde está, Señor, el cielo del cielo? ¿Ese, del cual nos dice el salmista que "el cielo es para el Señor, pero la tierra la dio a los hijos de los hombres?" (Sal 113,16). ¿En dónde se encuentra ese cielo que no vemos y comparado con el cual es tierra todo lo que vemos? Porque el mundo que vemos y cuyo fondo es nuestra tierra es totalmente corpóreo y no en todas sus partes se encuentra revestido de belleza; y frente al "cielo del cielo" también este cielo de acá no es más que tierra. Y no hay en decirlo ningún absurdo, si, no obstante su magnitud, comparamos nuestro cielo y nuestra tierra con ese misterioso cielo que es para Dios y no para los hijos de los hombres.

Capítulo 3

La tierra era al principio invisible y caótica; había en ella no se qué profundidad de abismo carente de luz y de formas definidas. Por eso mandaste que se escribiera que las tinieblas llenaban el abismo. ¿Qué era esto sino la ausencia de luz? Porque la luz, si la hubiera entonces habido, no podía estar sino por encima de todo e iluminándolo todo. Y si no la había no eran posibles sino las tinieblas, pues las tinieblas no son otra cosa que la ausencia de luz, así como el silencio sólo reina dónde no hay sonidos. Las tinieblas estaban pues sobre la faz del abismo.

Esto, Señor, lo has enseñado tú a un alma que se confiesa a ti. Tú me has hecho ver que antes de dar forma y distinción a aquella informe materia, no tenía ella nada: ni color, ni figura, ni corporeidad, ni espiritualidad. Y sin embargo, no era una nada absoluta sino algo existente pero del todo informe y sin belleza alguna.

Capítulo 4

Pero, ¿cómo expresar lo que eso era, cómo insinuarlo aun a las mentes más tardas, sino usando un vocablo conocido? ¿Y qué se puede encontrar por todas las partes del mundo, que sea más cercano a la informidad que la tierra y el abismo? Colocados en el más ínfimo nivel de la creación, no se comparan en belleza con los seres superiores, que son ricos y lúcidos. ¿Por qué pues no habría yo de admitir que esta materia informe que hiciste sin darle ninguna belleza original para sacar de ella más tarde todas las bellezas del mundo se indicara cómodamente a los hombres llamándola tierra invisible y desordenada?

Capítulo 5

Cuando pensando en ella quiere la mente humana averiguar qué es lo que de ella puede el sentido captar, encuentra que no es una forma inteligible como lo es, digamos, la justicia. La materia es cosa de los cuerpos. Tampoco es algo visible, pues nada había en la tierra invisible y desordenada que pudiera verse. La mente humana, entonces, si esto reconoce, debe tratar de conocer ignorando o de ignorar conociendo.

Capítulo 6

1. Si mi boca, Señor, y mi pluma han de confesarte todo cuanto sobre esto me has hecho ver, debo decir que antes nada entendía cuando de ello me hablaban gentes que tampoco lo entendían. Me representaba al abismo con muchas

y variadas imágenes que no me permitía entenderlo. En mi fantasía, se agitaba un tropel de formas desordenadas y horribles, pero que eran formas. A eso lo llamaba yo *informe* no porque careciera de forma, sino porque le prestaba yo una forma tal, que si se hiciera visible mi sentido la rechazaría como insólita, incongruente y perturbadora del equilibrio humano.

Pero eso que yo me imaginaba no era informe por carecer de forma, sino solamente en comparación con seres superiores y bien formados. El sentido común me empujaba a quitar todo rastro de forma a lo que yo quería concebir como informe; pero no podía conseguirlo, pues el pensamiento de que no puede existir algo totalmente desprovisto de forma me parecía más razonable que el de concebir algo intermedio entre la forma y la nada, ni formado ni inexistente, una informidad cercana a la nada.

2. Desistió entonces mi mente de seguir interrogando a una fantasía tan llena de imágenes de cuerpos formados que ella cambiaba a su placer. Fijé mi atención en los cuerpos mismos, para considerar con mayor hondura esa mutabilidad que tienen y que los hace dejar de ser lo que eran para empezar a ser lo que no eran. Y comencé a sospechar que ese tránsito de una forma a otra tiene que pasar por algo intermedio, que es informe pero tiene, con todo, alguna manera de existencia. Pero yo quería saber y no solamente suspirar por el conocimiento; y si tuviera que confesarte aquí todo cuanto me has ido aclarando sobre este arduo problema, ¿cuál de mis lectores continuaría leyendo hasta el final? Mas no por eso cesará mi corazón de rendirte honor

y cantarte cantos de alabanza por tantas cosas que no me basto a decir.

Porque las cosas tienen en su mutabilidad misma una capacidad para recibir todas las formas que se remudan en las cosas mudables. ¿Y qué es ella? ¿Cuerpo o espíritu, o una modalidad del cuerpo o del espíritu? Si fuera posible decir que es una nada que es algo, o un algo que nada es, por ahí iría mi concepto. Pero, de cualquier modo, algo debía de ser para poder recibir en sí estas formas visibles y complejas.

Capítulo 7

1. Y si algo era, ¿de dónde podía serlo sino de ti, de quien procede todo en la medida en que algo es? Pero las cosas son tanto más lejanas de ti cuanto menos se te asemejan; y eso, con una distancia que no se mide en lugares del espacio. Así pues tú, Señor, que nunca eres hoy de un modo y luego de otro, sino que siempre eres el mismo, ¡el mismo! y Santo, Santo, Santo, Señor Dios omnipotente, allá en el principio que hay dentro de ti, en esa sabiduría tuya que nace de tu propia sustancia, en ella, un día hiciste algo, y lo hiciste de la nada.

2. El cielo y la tierra no los sacaste de ti mismo, pues serían iguales a tu Hijo unigénito y, por consiguiente, iguales a ti; y no podía ser igual a ti algo que no estaba en ti. Fuera de ti no había nada de dónde las hicieras, ¡oh Dios, Trinidad una y trina unidad! De la nada creaste el cielo y la tierra; el cielo grande y la tierra pequeña; porque eres bueno y todopoderoso para hacer cosas buenas, grandes como el cielo o

pequeñas como la tierra. Existías tú y nada había fuera de ti; pero de la nada sacaste la totalidad de tu creación: el cielo cerca de ti y la tierra cercana a la nada. Una parte de creación por encima de la cual solo tú estás, y otra por debajo de la cual ya nada hay.

Capítulo 8

1. El "cielo del cielo" es para ti solo, Señor; pero la tierra que les diste a los hijos de los hombres para que la vieran y la tocaran no era al principio como ahora la vemos, y la tocamos. Porque era todavía invisible e incompuesta; era un abismo sobre el cual no había luz alguna, sino que sobre él, más que dentro de él, pesaban las tinieblas. Porque el abismo de las aguas, que ya en sí son visibles, tiene una especie propia de luz que sienten los peces y los animales que reptan por sus fondos; pero aquel abismo primitivo era algo cercano a la nada pues era totalmente informe; y con todo, había ya en él algo capaz de ser formado. Tú hiciste el mundo a partir de la materia informe, y a ella, que casi nada es, la hiciste de la nada para formar luego las obras magníficas que admiramos los hombres.

2. Admirable sobremanera es este cielo corporal que tú afirmaste entre las aguas y las aguas cuando, al segundo día después de la creación de la luz dijiste: "Hágase", y todo se hizo como lo dijiste. Y a este firmamento lo llamaste cielo. Pero cielo de esta tierra y de este mar, que hiciste dándole forma visible a la informe materia que habías hecho antes de que comenzaran a correr los días. El cielo ya lo habías

hecho antes del primer día, pero el cielo de este cielo; porque en el principio habías hecho el cielo y la tierra, pero la tierra era materia informe, invisible e incompuesta, abismo sobre el cual se asentaban las tinieblas. De esta tierra invisible, no ordenada en informe, de esta cosa tan vecina a la nada ibas a sacar todas las maravillas de que se compone este mundo mudable, que subsiste y no subsiste, en el cual reina la mutabilidad y es posible medir los tiempos que fluyen al cambiar y variar las formas que se reciben en la primitiva e informe materia de que vengo hablando.

Capítulo 9

Por esta razón, el Espíritu que movió a tu siervo Moisés a conmemorar la creación, allá al principio, del cielo y de la tierra, nada dice sobre el tiempo y guarda silencio sobre los días. Es porque "el cielo del cielo" que al principio creaste es una criatura espiritual, intelectual, aunque no es en manera alguna coeterna con tu Trinidad. Algo participa, sin embargo, de tu eternidad, por cuanto la mutabilidad de su condición natural se ve cohibida por su felicísima contemplación de ti; y adherida a ti sin interrupción alguna desde el momento en que fue creada, supera totalmente la volubilidad de las vicisitudes del tiempo.

Pero la informidad de aquella tierra invisible e incompuesta no la relató la Escritura numerando los días. Porque donde no hay forma tampoco hay orden, nada viene y nada se va; y en estas condiciones, son imposibles los días, pues no se da cambio alguno de espacios temporales.

Capítulo 10

¡Oh Verdad, luz de mi corazón! Que no me hablen ya más esas tinieblas mías a la cuales resbalé y en las cuales me oscurecí, pero amándote aun entonces desde la oscuridad. Anduve errando, pero, conservé tu recuerdo. Oí tu voz que a mi espalda me llamaba para que regresara a ti, mas apenas me dejó oírla el tumulto de mis pecados. Y mira cómo ahora vuelvo a ti enardecido y anheloso de beber en tu fuente. Porque mi vida no soy yo mismo. Si viví mal y fui mi propia muerte, ahora revivo en ti. Háblame tú, amonéstame tú. En tus sagrados libros con sus arcanos profundos deposito mi fe.

Capítulo 11

1. Con fuerte voz me dijiste ya, Señor, al oído de mi alma, que solo tú eres eterno y solo tú tienes la inmortalidad, pues en ti no hay ninguna mutación ni cambia de una vez a otra tu voluntad; y que no es inmortal una voluntad que es de un modo y luego de otro. Esto, que ya veo claro en tu presencia, hágaseme más claro cada vez, y en esta persuasión permanezca yo bajo tus alas.

Con la misma fuerza dijiste a mi oído interior que todas las naturalezas y sustancias no son lo que tú eres y, sin embargo, algo son, tú las hiciste; y que de ti no procede solamente lo que no es; ni tampoco el movimiento con que la voluntad de la criatura se desvía de ti, el supremo ser, hacia cosas que menos valen. Esto es el delito, el pecado. Y que a ti no te causa daño el pecado de nadie, ni perturba el orden de tu imperio. Te ruego, Señor, que estas cosas que tan claras veo ahora en tu presencia, me sean aun más claras, y que en esta persuasión permanezca yo sabiamente al amparo de tus alas.

2. Con la misma fuerte voz me dijiste también al oído interior que no es coeterna contigo ni siquiera una criatura cuyo único querer eres tú, y que adherida a ti con castísima perseverancia no manifiesta nunca y en ninguna parte su mutabilidad; que con todo su afecto tiende hacia ti en no interrumpida presencia, y que no tiene ni futuro que esperar ni pasado que recordar, ni tiene variaciones que la distiendan en el tiempo.

¡Alma ésta, dichosa si la hay, que vive anclada en tu propia felicidad, pues tú eternamente la habitas y la iluminas! Ni puedo concebir cosa que mejor merezca llamarse "cielo del cielo para el Señor" que esta habitación tuya que contempla tu felicidad sin el menor deseo de salir hacia otra cosa; mente pura unida en absoluta concordia con los ciudadanos de tu ciudad celeste en aquel cielo que está por encima del nuestro.

Por esto debe el alma entender cuán larga peregrinación tiene ya hecha si ahora tiene sed de ti, si se alimenta de sus propias lágrimas cuando oye que le preguntan cada día: "¿En dónde esta tu Dios?", y si no desea no te pide sino una sola cosa: habitar en tu casa por todos los días de su vida.

3. ¿Y qué vida es la suya sino tú? ¿Y cuáles son tus días sino la eternidad cuyos años no transcurren pues siempre eres el mismo? De esto entienda el alma cuán por encima de todo tiempo es tu eternidad, cuando un alma, morada tuya que nunca peregrinó lejos de ti; y que no es coeterna contigo,

sin embargo, se adhiere a ti con fuerza y continuidad, y por eso nada padece de las vicisitudes de los tiempos. Todo esto lo veo claro en tu presencia; más claro aún pueda yo verlo, y permanecer en esta persuasión al amparo de tus alas.

Hay no se qué de informe en estas mutaciones de las cosas, tanto de las superiores cuanto de las más ínfimas. ¿Y quién, sino un hombre que vaga y se revuelve en la vaciedad de su corazón con toda clase de fantasmas, quién sino él podrá decirme que si perdiera toda forma y nada quedara sino la materia informe por la cual las cosas se transformaban unas en otras con ella sola bastaría para marcar las vicisitudes del tiempo? Ello es del todo imposible; pues sin las variedades en el movimiento no hay tiempo, y ninguna variedad puede haber en donde no hay formas.

Capítulo 12

1. ¡Cuánto me das, Dios mío, cuánto me invitas a llamar a tu puerta y cómo me la abres por estas consideraciones! Dos cosas veo en tu creación que sin ser coeternas contigo son sin embargo superiores al tiempo. La primera de tal modo está formada, que sin desfallecimiento alguno en la contemplación y sin intervalos de mutación, con todo y que es mudable, disfruta de tu eternidad e inmutabilidad. En cuanto a la otra: tenía una informidad tal, que no había en ella una posibilidad de transformación que fuera la base del tiempo. Pero tú no quisiste que siguiera adelante esa informidad cuando en el principio, antes de todo día, hiciste el cielo y la tierra de que vengo hablando.

2. La tierra era pues invisible e incompuesta, y las tinieblas se asentaban sobre la faz del abismo. Con estas palabras de la Escritura se insinúa la informidad, para que gradualmente vayan comprendiendo aquellos que no pueden concebir la privación de toda forma sin la privación de todo ser, y así entiendan que de esa informidad tenía que hacerse luego el cielo y la tierra visible y ordenada, el agua hermosa y cuanto luego se produjo en la composición del mundo y que se conmemora marcando los tiempos. Esto fue posible porque hubo vicisitudes temporales en los ordenados cambios del movimiento y de las formas.

Capítulo 13

Es esto lo que yo entiendo Señor, cuando oigo a tu Santa Escritura decir: "En el principio creó Dios el cielo y la tierra." Y la tierra era invisible e incompuesta, y las tinieblas se asentaban sobre el abismo, sin hacer mención alguna del día en que lo hiciste. Y por la expresión "cielo del cielo" entiendo un cielo intelectual en donde la inteligencia lo entiende todo simultáneamente y no sólo por partes; no a través de un enigma y espejo, sino con una manifestación cara a cara; y en que se conoce no ora esto ora aquello, sino todo junto sin vicisitudes de tiempo. Pienso también que en esas palabras se trata de la informidad de aquella tierra primera en la cual no había tiempo porque no había formas que pudieran cambiar. Por esas palabras entiendo lo que primero fue formado y lo que era totalmente informe: es decir el "cielo del cielo" y esta tierra en estado de informidad y caos; y veo por qué tu Escritura dice sin la menor mención de tiempos, que en el principio hizo Dios el cielo y la tierra, añadiendo luego qué tierra era esa. Y al describir en la narración del segundo día la creación del firmamento llamándolo cielo da a entender de aquel cielo del cual habló antes sin mencionar el tiempo.

Capítulo 14

¡Qué admirable es la profundidad de tus Escrituras, Señor! En la superficie es blanda y atractiva para los pequeños; pero, ¡cuánta es su profundidad! Asomándome a ella me sobrecoge un sacro temor hecho de reverencia y de amor. Aborrezco grandemente a quienes la aborrecen. Ojalá les des muerte con una espada de dos filos, para que no sean ya sus enemigos, sino que muertos para sí mismos vivan para ti. Pero otros hay, que no son detractores sino entusiastas del libro del Génesis y que me dicen: "El Espíritu de Dios que movió a su siervo Moisés para que escribiera no quiso dar a entender lo que tú pretendes, sino lo que nosotros decimos". A esos, Señor, ante tu presencia como árbitro, les respondo:

Capítulo 15

1. ¿Van acaso a decirme que es falso lo que con fuerte voz en mi oído interior me ha sido dicho sobre la eternidad del creador, cuya sustancia no admite variación de tiempos y cuya voluntad es íntima a su sustancia misma? Dios es de tal manera que no quiere ahora de un modo y luego de

otro; no una vez y otra vez, sino que quiere con simultánea voluntad todo lo que quiere, siempre y todo junto, no ahora esto y luego aquello, ni quiere ahora lo que antes no quería, ni deja de querer lo que ha querido. Una voluntad que tales cambios tuviera sería mudable y no eterna como sabemos que es nuestro Dios.

Y también se me ha dicho al oído interior que la expectación de lo futuro se convierte en intuición cuando las cosas son ya presentes, y luego en recuerdo, cuando ya pasaron; y que una actividad mental que de tal manera cambia no puede ser eterna como lo es Dios nuestro Señor. Al meditar estas cosas poniéndolas en la debida relación concluyo que mi Dios y Señor, eterno como es, no creó su obra por una voluntad que fuera nueva en él; y que su ciencia no tiene en sí nada transitorio.

2. ¿Qué pueden decir a esto mis contradictores? ¿Que es falso lo que acabo de decir? No, ciertamente. ¿Y entonces? No me negaran que toda naturaleza ya formada o toda materia capaz de formación no tiene su ser sino de aquel que es el sumo bien porque supremamente *es*. "Tampoco esto lo negamos", me contestan. ¿Pero entonces qué?, insisto yo. ¿Negarán acaso que existe una criatura superior que con casto amor vive adherida al Dios verdadero, el que en verdad es eterno; por manera tal que, aun no siendo coeterno con él se encuentra por encima de las vicisitudes del tiempo; que de él nunca se aparta, sino que plena y definitivamente descansa en una veracísima contemplación del sumo bien?

Porque tú, Señor, a quien te ama como se lo mandas, te le manifiestas y le bastas. Pero eso no se desvía ni de ti ni de sí mismo. Ese hombre es una verdadera morada de Dios, no terrenal ni consistente en una mole corpórea, sino habitación espiritual que participa de tu eternidad porque está para siempre libre de mancha; tú la estableciste para los siglos de los siglos y tu voluntad no cambia. Mas no por eso es coeterna contigo, pues tuvo principio, tú la creaste. Antes de esa criatura espiritual, no existió tiempo, pues antes de todo tiempo, fue creada la sabiduría. No ciertamente esa sabiduría que es coeterna contigo y en la cual al principio creaste el cielo y la tierra; sino una sabiduría creada, es decir, una naturaleza intelectual que es luz por la contemplación de tu luz. Por esto, aunque es cosa creada, se llama también ella sabiduría.

3. Pero la distancia que media entre la luz que ilumina y la luz reflejada en el cuerpo que la recibe, esa misma hay entre la sabiduría creadora y la sabiduría creada; y como la que hay entre la justicia que justifica y la justicia producida por la justificación. De nosotros se dice que somos tu justicia: en palabras de uno de tus siervos, para que seamos justicia de Dios en él (2 Cor 5,21). Fue pues creada una cierta sabiduría de mentes intelectuales y racionales que existen en tu santa ciudad, madre nuestra, que es libre, superior y eterna en los cielos. Pero, ¿en qué cielos sino en ese "cielo del cielo" que alaba al Señor?

Y si antes de esa creación intelectual no encontramos el tiempo ya que ella fue creada antes del tiempo, antes todavía de ella está la eternidad del creador que le dio el ser no en el tiempo, que aún no lo había, sino dándole principio en su condición de criatura. Y así la criatura originada por ti es algo eternamente distinto de ti y no lo mismo que tú. Y si no podemos hallar tiempo ni antes de ella ni en ella misma es porque tiene la capacidad de mirar siempre tu rostro sin desviarse jamás de esta mirada; de lo cual resulta que no hay mutación en su vida aun cuando la mutabilidad le queda: y podría enfriarse y oscurecerse si dejara de adherirse a ti con ese amor inmenso que la hace brillar y arder de ti como el sol de mediodía.

4. ¡Oh morada hermosa y llena de luz! Amo tu belleza, que es lugar de la habitación del Señor que te hizo y te posee. Por ti suspiro en mi peregrinación; y al que te hizo le ruego que me posea también a mí en ti, ya que él también me hizo a mí. Me extravié como oveja perdida pero confío en llegar a ti en los hombros de mi pastor, el que te edificó. ¿Qué me dicen ahora ustedes los que me contradecían? Pues también ustedes creen que los libros de Moisés, siervo de Dios, son oráculos del Espíritu Santo. ¿No es ésta la casa de Dios? No, ciertamente, coeterna con él, pero sí de alguna manera eterna en los cielos, en donde vagamente buscarán y nunca hallarán las vicisitudes del tiempo. Porque ella, cuyo bien está en adherirse siempre a Dios, supera toda distensión en el tiempo volátil.

"Sí lo es", me responden. Y entre todo -prosigo yo- lo que clamé en mi corazón mientras oía la voz de su alabanza mi oído interior, ¿qué de todo eso pretenden que es falso? ¿Acaso lo que dije sobre la materia informe, en la cual por la carencia de formas no había orden ninguno? Pero donde no había orden no podían tampoco darse las vicisitudes del tiempo; y sin embargo, aquello tan cercano a la nada, por cuanto no era la nada misma, procedía de aquel de quien procede todo lo que algo es, en la forma que fuere.

"Esto, me dicen, tampoco lo negamos".

Capítulo 16

Quiero, Dios mío, hablar un poco en tu presencia con aquellos que admiten la verdad de cuanto me has hecho entender en el interior de mi mente. En cambio, los que todo esto niegan pueden ladrar hasta quedarse sordos. Me esforzaré, sin embargo, por persuadirlos a mantenerse quietos y abrir paso en su corazón a tu palabra. Y si no quieren y persisten en rechazarme, cuando menos tú, Señor, no te quedes callado para mí. Háblame interiormente tu veracidad; tú eres el único que puede hablar así. Y a ellos yo los dejaré allá afuera resoplando en el polvo y llenándose de tierra los ojos. Entraré en mi cubículo para cantarte canciones de amor lanzando indecibles gemidos por ésta mi peregrinación y recordando a Jesús con el corazón en lo alto y henchido; Jerusalén, mi madre, en la cual tú reinas y la iluminas como padre, tutor y marido, con castas y fuertes delicias, en sólida alegría, colmándola de bienes increíbles todos a la vez, pues eres tú el sumo y verdadero bien.

Y no me apartaré hasta que recojas todo lo que soy de esta dispersión y deformidad para introducirme en la paz de Jerusalén, mi madre carísima en dónde están las primicias de mi espíritu; y así me conformes y confirmes para la eternidad, ¡oh Dios, misericordia mía!

Y a los que no pretenden que son falsas estas verdades sino que las tienen en honra y a una conmigo ponen en la cumbre de la autoridad normativa las Escrituras de tu santo Moisés; y que, sin embargo, en algo no concuerdan conmigo, tengo que decirles lo que va a continuación. Se tú, Señor, el árbitro entre mis confesiones y sus contradicciones.

Capítulo 17

1. Porque según ellos, aunque todo esto es verdadero, no era esto lo que tenía Moisés en la mente cuando, movido por el Espíritu Santo, escribió que en el principio Dios hizo *el cielo y la tierra*. Dicen que la palabra *cielo* no significa allí una creación intelectual que vive en la contemplación de Dios; y que la palabra *tierra* no significa tampoco la materia informe. Estiman ellos que el autor sagrado no quiso expresar sino la opinión que ellos sostienen, de que la palabra *cielo y tierra* no son sino la expresión abreviada y general de la totalidad de las cosas, que luego quería el Espíritu Santo explicar articuladamente y cosa por cosa en la descripción de los días. Porque tan rudos y carnales eran aquellos hombres del pueblo a quienes se dirigía Moisés, que no podía proponerles como obras de Dios sino cosas visibles y sólo esto podía pretender con expresiones como las de tierra invisible e incompuesta o de las tinieblas asentadas sobre el abismo.

Me conceden, sin embargo, que no hay incongruencia en llamar informe a una materia que iba luego a ser formada.

2. Otro pretenderá que la informidad o confusión de la materia fue insinuada primero con los nombres de *cielo y tierra*, porque de ella iba a salir más tarde, bien formado y perfecto, el mundo visible con todas las naturalezas que en

él se manifiestan; conjunto éste que se suele designar con la expresión de *el cielo y la tierra.*

¿Y qué decir si sale un tercero con la pretensión de que estos dos vocablos significan la totalidad del mundo con sus partes visibles e invisibles, como Dios lo creo en la sabiduría, es decir, en el principio? Sin embargo: dado que las cosas del mundo no son lo que Dios es y no fueron hechas de la sustancia misma de Dios, sino de la nada, queda inevitablemente en ellas una cierta mutabilidad. Tanto la ciudad permanente de Dios cuanto el alma y el cuerpo del hombre admiten alguna mutación; como también la materia informe pero formable de dónde sacó Dios el cielo y la tierra, es decir, el conjunto de criaturas visibles e invisibles: todo eso se designa con los nombres de *tierra invisible* y de *tinieblas sobre el abismo.* Una distinción hay, sin embargo, que hacer: por tierra invisible e incompuesta ha de entenderse la materia corporal antes de ser cualificada por las formas; y las tinieblas sobre el abismo deben entenderse como la materia espiritual antes de que su demasiada fluidez fuera contenida y alumbrada por la sabiduría.

3. Otra cosa hay que alguno podría decir si lo quisiera: que la afirmación de que al principio hizo Dios el cielo y la tierra no ha de entenderse de las naturalezas visibles e invisibles ya formadas y perfectas, sino más bien de una incoación todavía informe de las cosas, de una materia creable designada con esos nombres porque en ella se contenía ya de manera confusa y sin formas ni cualidades distintas todo lo que ahora, bien ordenado ya, se llama el cielo y la tierra, la creación espiritual y la creación corporal.

Capítulo 18

Oído y considerado todo lo dicho, no quiero contienda sobre meras palabras, que de nada sirven como no sea para perturbar a los oyentes. Pero la ley, cuando bien se usa es buena para la edificación, ya que su finalidad es la caridad en buena conciencia, corazón puro y fe no fingida. Y bien sabe nuestro divino maestro cuáles son los dos mandamientos en que él condensó la Ley y los Profetas. Y si yo admito esto y lo confieso, ¡oh Dios mío, luz de mis ojos en la oscuridad!, ¿qué puede importarme que se interpreten estas palabras de un modo o de otro, si son de todas suertes verdaderas? ¿Qué daño se me sigue de que otro piense distinto de mí acerca de lo que quiso decir el autor sagrado? Pues todos los que leemos la Escritura tratamos de indagar y comprender lo que pretendió el autor que leemos; y como lo tenemos por absolutamente verídico, no podemos atrevernos a pensar que haya dicho algo que nosotros sabemos o estimamos falso. Así, si alguno se esfuerza por pensar, cuando lee las Escrituras Santas, lo que pensó su autor, ¿qué hay de malo en que alguno sienta lo que tú, luz verdadera de las inteligencias, manifiestas como real, aun cuando no haya sido eso lo que sintió el autor del libro, que aun pensando cosas distintas, pensó cosas verdaderas?

Capítulo 19

Lo cierto, Señor, es que tú hiciste el cielo y la tierra; y que tu sabiduría es el principio en el cual lo creaste todo. Es igual verdad que este mundo visible consta de dos grandes partes, que, para decir, en pocas palabras la complejidad de lo creado, llamamos el cielo y la tierra. Es cierto también que todo lo que es mudable nos insinúa en el pensamiento una cierta informidad que puede recibir una forma y luego cambiarla por otra. Verdad es también que no hay vicisitudes de tiempo para un ser que de tal manera está unido a una forma inconmutable, que aun siendo él mudable en sí de hecho no se muda. Como es cierto también que no hay vicisitudes de tiempo para una informidad demasiado cercana a la nada; y que aquellos de donde algo se hace puede por figura del lenguaje llevar el nombre de lo que sale de ello. Si así es, bien pudo llamarse cielo y tierra aquella informidad de donde todo salió. Es verdad también que de todos los seres formados ninguno es tan cercano a lo informe como la tierra y el abismo. Y es verdad que no sólo todo lo creado y formado sino también lo creable y formable fue hecho por ti, origen de todos los seres. Así como es indudable que primero fue informe y luego formado.

Capítulo 20

1. De todas estas verdades de las cuales no dudan aquellos a quienes concediste verlas con su ojo interior y que creen con toda firmeza que tu siervo Moisés habló movido por el Espíritu de verdad, alguien escoge una aisladamente y dice, por ejemplo, que la palabra "en el principio hizo Dios el cielo y la tierra" significa que en su propio Verbo, coeterno con el Padre, hizo Dios la creación espiritual e inteligible y la creación corporal y sensible. Pero viene otro y la interpreta

diciendo que en su Verbo coeterno hizo Dios toda la fábrica de este mundo corpóreo con todas las cosas manifiestas y de nosotros conocidas que contiene.

2. Y un tercero dice que al principio, en su Palabra coeterna, hizo Dios la materia informe de la creación corporal y de la espiritual. Y otro más, asienta que en el principio hizo Dios, en su Palabra coeterna, la materia informe de la creación corpórea en la cual se contenían confusos el cielo y la tierra que ahora vemos distintos y formados. Y otra interpretación más es la de que al principio, esto es, en el acto mismo primero de su operación creadora hizo Dios una materia informe que confusamente contenía el cielo y la tierra, que de ella fueron luego formados con todos los seres que contienen.

Capítulo 21

1. La misma variedad encontramos en la interpretación de las palabras que siguen en el relato del Génesis. De todas las cosas verdaderas que ahí se dicen cada quien toma la suya según su entender. Leyendo que la tierra era invisible e incompuesta y las tinieblas se asentaban sobre el abismo, uno entiende que la materia aquella no corporal que al principio hizo Dios era la materia informe, desordenada y sin luz, de las futuras formas corporales. Otro prefiere decir que la totalidad de las cosas que nombramos el *cielo y la tierra* era al principio informe y tenebrosa materia de la cual sacó luego Dios el cielo corpóreo y la tierra corpórea, con todo lo que en ellos hay para nosotros sensible y conocido. Un tercero

interpreta que lo que más tarde se llamó *el cielo y la tierra* era al principio materia informe y tenebrosa de donde luego sacó Dios el cielo inteligible que en otro lugar de la Escritura es llamado *cielo del cielo*, y la tierra; palabra ésta que significa la totalidad de la creación corpórea, de la cual forma parte el cielo material; esto es, algo de donde iba a formarse toda la creación, la visible y la invisible.

2. Otra opinión más es la de que con los nombres del cielo y tierra no pretende la Escritura significar aquella tierra invisible e incompuesta con las tinieblas sobre el abismo; sino que ya existía la informidad misma, que la Escritura llamó con esos nombres de tierra invisible e incompuesto y de tenebroso abismo, de la cual había dicho antes que Dios hizo el cielo y la tierra, esto es, la creación espiritual y la corporal.

Todavía otros hay que piensan que había ya una cierta materia informe de la cual Dios, según dice la Escritura, formó el cielo y la tierra, es decir, toda la mole corpórea del mundo, distribuyéndola en dos grandes partes, la superior y la inferior, con todas las criaturas que en ellas se contienen.

Capítulo 22

1. Contra estas dos últimas aserciones podría acaso alguno objetar que si no se quiere admitir que la expresión *el cielo y la tierra* signifiquen la informidad de la materia primitiva preciso será aceptar que había algo anterior, no creado por Dios, y de lo cual sacara él el cielo y la tierra; cosa de la cual no habla la Escritura. Y entonces es obvio que al hablar de

que Dios hizo el cielo y la tierra o la sola tierra, la Escritura se refiere a la creación de la materia; por manera que las siguientes palabras, es decir, que la tierra era invisible y caótica, deben entenderse de la materia que creó Dios cuando hizo el cielo y la tierra.

2. Los partidarios de las dos últimas sentencias o de alguna de ellas responderán al oírme: "Nosotros no negamos en absoluto que aquella materia informe haya sido creada por Dios, autor de todo lo bueno. Pero encarecemos que una cosa ya creada y bien formada encierra un bien mayor que otra creable y capaz de ser formada; ésta encierra un bien menor, pero todavía es un bien".

En cuanto al hecho de que la Escritura no haga mención de que Dios haya creado esa informidad ha de considerarse que tampoco mencionó muchas otras cosas existentes, como los querubines, los serafines y las otras jerarquías angélicas que el Apóstol distingue, como las Dominaciones, las Potestades, las Virtudes y los Principados; seres todos ellos, que existen y fueron creados por Dios.

3. Y si en la frase Dios hizo *el cielo y la tierra* todo queda comprendido, ¿qué diremos de las aguas sobre las cuales era llevado el Espíritu de Dios? Pues si con nombrar la tierra ya está dicho todo, ¿cómo tener esta tierra por materia informe cuando en ella vemos tan hermosamente correr las aguas? Además: si de tal manera se entiende, ¿por qué se nos dice que de esa informidad fue hecho el firmamento llamado cielo y no se nos dice que hayan sido hechas las aguas? Pues no son ya ni informes ni invisibles cuando tan hermosamente las vemos correr.

O si comenzaron a tener su forma líquida cuando Dios dijo: "Reúnanse las aguas que están bajo el firmamento," y esta congregación de las aguas fue su formación, ¿qué podremos decir sobre las aguas que están por encima del firmamento? Porque éstas, si eran informes no habrían merecido tan alto lugar, ni nos dice la Escritura con qué mandato de Dios fueron formadas.

4. El libro del Génesis guarda silencio sobre algunas cosas hechas por Dios que no pueden ponerse en duda ni por la recta fe ni por la sana razón, por eso mismo nadie que esté en su juicio se atreverá a decir que las aguas fueron coeternas con Dios por la razón de que el Génesis nos habla de ellas pero no dice en qué momento fueron formadas. ¿Qué motivo puede haber que nos impida decir que aquella materia que la Escritura llama tierra invisible y caótica y tenebroso abismo es, como la verdad misma nos lo enseña, algo que Dios creó de la nada, por lo cual no le es coeterno, aunque la narración bíblica no nos diga cuándo ni cómo fue hecho?

Capítulo 23

Oídas y bien consideradas estas opiniones, según mi capacidad, cuyas limitaciones confieso ante ti que las conoces, encuentro que son dos los géneros de disentimiento que se pueden producir cuando algo nos anuncian mediante signos mensajeros veraces. Uno se da cuando lo que se discute es la verdad misma del mensaje; y otro, cuando la disensión versa sobre la intención del mensajero al transmitirlo. Una cosa es investigar y discutir sobre la creación del mundo, y otra disentir sobre lo que tu siervo Moisés quiso que entendieran los lectores u oyentes de su narración.

En cuanto al primer género de divergencia, aléjense de mí los que propalan falsedades con pretensión de ciencia; y en cuanto al segundo, apártense de mí los que pretenden que Moisés dijo cosas falsas. Y deléiteme yo Señor, en unirme a ti con los que se apacientan de tu verdad en las anchuras de la caridad: acerquémonos así juntos a las palabras de tu libro buscando en él tu voluntad a través de la voluntad de tu siervo a quien concediste anunciarlas.

Capítulo 24

1. Mas, siendo tantas las interpretaciones que se dan sobre palabras entendidas de diferentes modos entre los que se aplican al estudio de la Escritura, ¿quién de nosotros se atreverá a decir que Moisés pensó en una interpretación determinada y quiso que así lo entendieran los lectores; y esto con la misma certidumbre que tenemos sobre la veracidad de lo que dijo Moisés, fuera cual fuera su pensamiento personal? En cuanto a mí, siervo tuyo que te ofrece el sacrificio de sus confesiones en este libro, te ruego, Señor, que por tu misericordia me concedas realizar mi voto.

2. Mira pues, Señor, con qué firmeza digo que en tu Verbo inmutable hiciste todas las cosas, las visibles y las invisibles. Pero, ¿acaso puedo decir con la misma seguridad que solamente en esto pensaba Moisés cuando escribió que en el principio hizo Dios el cielo y la tierra? Porque si con

absoluta seguridad entiendo esto en la verdad de tu palabra escrita no tengo la misma certeza de que él, en su pensamiento, haya sentido lo mismo que yo cuando escribió tales palabras. Porque al escribir en el pensamiento pudo pensar en el acto creador mismo; y al mencionar el cielo y la tierra en este lugar pudo tener en la mente no una creación ya perfecta y formada, espiritual o corporal, sino solamente incoada y todavía informe. Pudo ser esto lo que él quería que entendieran los lectores.

3. Bien veo que cualquiera de estas opiniones se puede sostener, pero no veo claro cuál de ellas es la que responde a lo que quiso Moisés cuando escribió esas palabras. Y aunque él haya tenido en su mente algo de lo que he conmemorado u otra cosa que no he dicho, no puedo dudar de que lo que vio en su mente era verdadero. Y que nadie me siga molestando con la insistencia de que Moisés no pensó lo que yo digo, sino lo que dice él. Porque si me preguntara cómo puedo yo saber el pensamiento de Moisés cuando hablo de lo que escribió, debería yo tener paciencia y responder lo que arriba he dicho, acaso con más amplitud, si mi contrincante se pusiera pesado.

Capítulo 25

1. Pero cuando me dice: "Moisés no dijo lo que piensas tú, sino que soy el que verdaderamente lo interpreta; y sin embargo, concede que ambas opiniones, la suya y la mía pueden ser aceptables, entonces, ¡oh Dios mío, vida de los pobres, en cuyo seno no hay contradicción!, haz llover tu

mansedumbre sobre mi corazón para que pueda llevar con paciencia la necedad de estos tales, que no me dicen lo que me dicen por haberlo adivinado o visto en la mente de tu siervo, sino porque son orgullosos que no conocen el pensamiento de Moisés, sino solamente el suyo; y no lo sostienen por verdadero, sino por suyo. Si así no fuera aceptarían de igual grado otra sentencia como posible, como lo hago yo, que acepto lo que dicen cuando lo dicen con verdad, no por ser palabra de ellos, sino por ser verdadera; pues por el hecho de ser verdadera ya no es de ellos, sino de todos. Y si la aman por ser verdadera, aman algo que es de ellos y que es mío también, pues la verdad es tesoro común.

2. Pero cuando insisten en que Moisés no pensó lo que yo digo sino lo que dicen ellos, esto no lo admito y me disgusta; pues aun cuando así fuera, es la de ellos una temeridad que no se funda en el conocimiento sino en la arrogancia; no nace de la visión, sino de la hinchazón vanidosa. Por eso, Señor, son temibles tus juicios; porque tu verdad no es ni mía ni de aquel o de aquel otro, pues a todos por igual nos llamas a poseerla, y severamente nos amonestas para que no la tengamos como bien privado si no queremos vernos privados de ella. Pues cuando alguien se toma como propio lo que tú tienes destinado para el disfrute de todos, es excluido del bien común y reducido a su bien particular; de la verdad pasa a la mentira; y el que habla la mentira no habla sino de sí mismo.

3. Atiende pues, Dios mío, juez óptimo que eres la verdad misma; atiende a lo que digo a este contradictor en presencia tuya y de mis hermanos que saben usar de la ley en los confines de la caridad; atiende, si te place, a lo que con voz

fraterna y pacífica voy a decirle: si tú y yo vemos que es verdad tanto lo que dices cuanto lo que digo, ¿en dónde lo vemos? Ni tú en mí ni yo en ti, sino ambos en ella misma, verdad inconmutable que está sobre nuestras mentes. Y si no disputamos sobre la luz misma que el Señor nos da, ¿por qué hemos de disputar sobre la mente del prójimo? Pues no podemos verla con la claridad con que vemos la inconmutable verdad; ya que si el mismo Moisés nos dijera: "Esto es lo que pensé", no lo veríamos en su mente, sino que se lo creeríamos por su palabra.

4. Que nadie pues se hinche contra otro a propósito de la Escritura. Amemos al Señor nuestro Dios con todo el corazón, con toda el alma y con toda la mente, y al prójimo como a nosotros mismos. Si no creemos que Moisés, llevado por estos dos preceptos de la caridad, pensó realmente lo que escribió en su libro, hacemos mentiroso a Dios mismo pensando que su siervo pensó una cosa y escribió otra. Mira pues cuán necia sea la temeridad de afirmar que entre tanta cantidad de verdaderas sentencias que de sus palabras pueden sacarse, fue una y esa sola la que Moisés tuvo en su mente. Tal temeridad lleva a perniciosas contiendas que ofenden la caridad con que escribió aquel cuyos escritos queremos explicar.

Capítulo 26

1. Y sin embargo, ¡oh Dios, excelsitud de mi humildad y reposo de mis trabajos! Tú, que oyes mis confesiones y perdonas mis pecados; puesto que me mandas amar a mi prójimo como a mí mismo, no puedo creer de Moisés, tu

siervo fidelísimo, sino que le diste todos los dones que yo para mí desearía recibir de ti, si hubiera yo nacido en su tiempo y tú hubieras dispuesto que por el servicio de mi lengua y de mi corazón fueran dispensadas a los hombres esas Escrituras que a vueltas de siglos tan provechosas iban a ser para todos los pueblos, y con tanta autoridad iban a superar por todo lo ancho del mundo las orgullosas palabras de falsas doctrinas.

2. Porque todos venimos de la misma masa y nada es el hombre, si lo de él no te acuerdas, hubiera yo querido, de haber sido Moisés y tú me hubieras mandado escribir el libro del Génesis, que me concedieras una elocuencia tan grande y un estilo tan eficaz que ni aun aquellos que no pueden concebir la manera como creaste las cosas pudieran negarse a mis palabras diciendo que excedían su capacidad; y que los que pueden concebir la creación encontraran que no faltaba en la exposición de tu siervo ninguna de las verdades que ellos con su meditación pudieran alcanzar; y que si alguno, iluminado por ti hallara otra idea, encontrara que tampoco ésta faltaba en mi relación.

Capítulo 27

1. Así como la fuente en su propio lugar es mas copiosa y presta sus aguas a muchos arroyos que corren por más amplios espacios con menos caudal que la fuente, así es la narración que hizo el dispensador de tu palabra, que ha dado materia a tantos predicadores que de ella habían de hablar dando con no muchas palabras raudales de verdad de dónde

cada quien toma lo que puede para difundirlo luego con más prolijas explicaciones.

2. Pues hay algunos que conciben a Dios como si fuera hombre; o como si fuera una mole dotada de inmenso poder, que por nuevo y repentino movimiento de su voluntad hubiera creado, fuera de sí mismo y allá en la distancia, el cielo y la tierra corporales, uno arriba y la otra abajo, en los cuales todo se contiene. Y cuando oyen que Dios dijo "Hágase" y fue hecho, se imaginan palabras que comenzaron y terminaron, palabras transeúntes y temporales, acabadas las cuales se hizo lo que Dios había dicho que se hiciera; y si alguna otra cosa análoga les viene a la mente, es por la familiaridad que tienen con las cosas sensibles. Y mientras las sencillas y humildes palabras de la Escritura acunan como en el seno de un madre la debilidad de estos hombres que son como pequeños animales, les dan saludable fundamento para la fe; para que sepan y tengan por cierto que Dios creó todas las naturalezas que con maravillosa variedad pueblan el mundo y afectan sus sentidos. Y si alguno menospreciando la sencillez de las palabras se sale con presuntuosa impotencia fuera del maternal seno que lo nutrió, ¡ay de él!, pues caerá miserablemente.

Señor, ten misericordia y no dejes que los transeúntes pisen un polluelo implume; manda a tu ángel para que lo vuelva a poner en su nido, y haz que allí viva mientras no pueda volar.

Capítulo 28

1. Otros hay que no ven en la Escritura un nido, sino una tupida selva en la que hay frutos escondidos; vuelan

alegremente en torno a ellos, gorjean al buscarlos y los picotean. Pues cuando oyen o leen las palabras de la Escritura comprenden que todos los tiempos pasados y futuros son superados por lo estable y eterna permanencia, y que no existe criatura alguna temporal que no le deba el ser. Ven que tu voluntad, idéntica con tu propio ser, hizo las cosas sin que en ella hubiera mutación alguna por el nacimiento de una nueva voluntad de crear que antes no hubiera tenido; que creaste las cosas no sacando de ti mismo una semejanza que fuera la forma de todas ellas, sino sacando de la nada una desemejanza que pudiera luego ser formada a semejanza tuya y por la cual cada cosa tendiera hacia ti ordenadamente según su capacidad y su especie; y así fueron hechas las cosas, sumamente buenas, sea que permanezcan cerca de ti, o sea que gradualmente se distancien por los espacios y los tiempos. Todas ellas son materia de hermosas narraciones.

Todo esto lo ven ellos y se gozan en tu verdad en cuanto son de ello capaces.

2. Otro se detiene en la consideración de las palabras "En el principio," y en ese principio ven la sabiduría que nos habla. Y otro más, atendiendo a las mismas palabras entiende por principio el exordio mismo de las cosas creadas, y de esta manera lo entiende, como si la expresión en el principio significara que eso fue lo primero que hiciste, aun cuando están de acuerdo en que con tu sabiduría creaste *el cielo y la tierra.* Un cuarto intérprete cree que la expresión el cielo y la tierra significa la materia creable del cielo y la tierra. Y no falta quien estime que tú creaste las naturalezas ya formadas, de modo que las espirituales se llaman *el cielo* y las

materiales se llaman *la tierra.* Y los que por los nombres de *cielo y tierra* entienden una materia informe de la cual serían formadas todas las cosas, no entienden eso todos en el mismo sentido; pues el uno ve en esa materia el origen común de las criaturas inteligentes y sensibles, al paso que el otro la ve como el origen de la inmensa masa corpórea que en sus enormes ámbitos contiene a todas las criaturas ya dispuestas y ordenadas. Pero ni siquiera los que piensan esto último lo piensan todos de la misma manera, pues unos se refieren a la creación visible e invisible, y otros solamente a la visible, en la cual contemplamos el cielo luminoso y vemos la tierra oscura, con todos los seres que ambos contienen.

Capítulo 29

1. Pero cuando la expresión "En el principio" hizo se interpreta como "primeramente hizo", no hay manera de entender el cielo y la tierra sino como la materia de toda la creación, la inteligible y la corporal. Pues si afirma que al principio creó Dios la materia ya formada, se le puede preguntar con toda razón qué fue lo que hizo en seguida, completa ya la totalidad del universo. Quien tal diga no encontrará qué responder, y mal de su grado oirá que se le dice: ¿Cómo pudo esa creación ser primero si luego no vino nada más? Pero si admite que primero existió la materia informe y que luego fue formada, no hay en esto dificultad alguna, con tal de que se discierna bien lo que es primero por ser eterno, lo que es primero en la sucesión del tiempo, lo que viene primero en la intención de la voluntad, y lo que es origen de algo y por eso lo antecede. Dios, por su eternidad,

es antes que todas las cosas; en el tiempo, la flor viene antes que el fruto, pero en la elección, el fruto es antes que la flor; y en cuanto a la prioridad de origen, el sonido es antes que el canto. De estas cuatro prioridades que he dicho, la primera y la última sólo se entienden con mucha dificultad, al paso que las intermedias son fáciles de entender. Rara y muy ardua visión es, Señor, la de esa eternidad tuya por la cual siendo tú inmutable creas las cosas mudables y por ello eres anterior a ellas.

2. ¿Y quién será tan agudo de ingenio que sin trabajo pueda saber de qué manera es el sonido anterior al canto? Como el canto es un sonido formado, puede ser también algo no formado ya que nada puede formarse si nada es. De este modo, es anterior la materia a aquello que de ella se hace. No anterior en el sentido de que haga algo, ya que más bien en ella se hace algo; tampoco anterior con un intervalo de tiempo, ya que no emitimos primero un sonido informe para formarlo después con el canto al modo como se forma de la madera un arca o de la plata un vaso. Esta clase de materias si preceden en el tiempo a lo que con ellas se hace; pero con el canto no es así, pues cuando cantamos lo que se oye es el sonido. No suena primero sin forma y luego como canto formado.

3. Pues lo que primero suena pasa en seguida y nada de ello puedes encontrar para retomarlo y componerlo con arte; por eso el canto se resuelve en sonido, que es su materia. Porque el sonido es formado para que sea canto. Y por eso, como ya dije, el sonido, materia del canto, es anterior a la forma que lo hace canto; pero no anterior como debido

a una potencia de producción, pues el sonido no es artífice del canto, sino simplemente una fuerza corporal sometida a la voluntad del cantante, y éste es el que canta. Pero esa anterioridad del sonido respecto al canto no se da en el tiempo, ya que ambos se producen a la vez. Tampoco es anterior con anterioridad de elección, pues no vale más el sonido puro que el canto, ya que el canto no es solamente un sonido, sino un sonido hermoso. Pero sí es anterior con anterioridad de origen; pues el canto no es formado para que sea sonido, y el sonido sí lo es para que sea canto.

A la luz de este ejemplo entienda quien lo pueda que primero fue hecha la materia de las cosas, y se llamó *el cielo y la tierra*, porque de ella fueron formados el cielo y la tierra. Mas no fue hecha primero en el tiempo, ya que el tiempo comenzó a correr después de la aparición de las formas; y aquella materia, que era informe, empezó a existir con el tiempo. Sin embargo, nada se puede decir de ella, si no se le presta una especie de prioridad temporal, siendo lo más ínfimo que pensarse pueda. Porque indudablemente son mejores las cosas formadas que las cosas informes y las preceden en la eternidad del creador, que todo lo hizo a partir de nada.

Capítulo 30

En esta diversidad de sentencias que son todas ellas admisibles, sea la verdad misma la que ponga la concordia. Y que Dios tenga misericordia de nosotros para que podamos hacer de la ley un uso legítimo según el precepto final de la caridad. Y por eso, si alguno me preguntara qué pienso sobre la mente de tu siervo Moisés, no serían confesiones éstas que estoy escribiendo si no te lo confesara. Y confieso paladinamente que no lo sé; pero estimo que son conformes a la verdad, excepto las carnales, todas esas sentencias que he conmemorado aquí. Pero, ¿quiénes son los párvulos de buena esperanza a los que no llenan de temor las palabras de tu libro, tan altas en su humildad y tan copiosas en su brevedad? Sin embargo: todos los que vemos y discernimos la verdad en las palabras de tu libro nos hemos de amar unos a otros y hemos de amarte a ti, que eres nuestro Dios y la fuente de toda verdad, si es que estamos sedientos de la verdad y no de meras vanidades. Y a tu siervo, a quien llenaste de tu Espíritu y por cuyo ministerio nos diste la Escritura, debemos honrarlo estando seguros de que mientras escribía en ese libro las revelaciones que tú le hiciste, tenía su atención puesta de particular manera en lo más excelente, tanto por la luz de la verdad cuanto por los frutos de la utilidad.

Capítulo 31

Entonces: si alguno dice que Moisés dijo lo que él piensa y otro pretende que no es así, sino que dijo lo que él mismo opina, estimo que con mayor espíritu de religión podría yo preguntarles: ¿Y por qué no ambas cosas a la vez, si ambas son verdaderas? Y si un tercero y un cuarto y un quinto ven en las mismas palabras del libro cosas distintas, por qué no habría de haberlas visto todas aquel por cuyo ministerio puso el Dios único verdades que iban luego a captar los lectores en la diversidad de las interpretaciones?

De mí sé decir que si estuviera en la cúspide de la autoridad y tuviera que escribir un libro preferiría escribirlo en forma tal que cada uno de mis lectores, según su capacidad, encontrara en sí resonancia a mis palabras; esto, más bien que dar a mis palabras un sentido único, neto y claro, que excluyera toda otra interpretación cuya posible falsedad no me ofendiera. Por este motivo, Señor mío, no quiero ser tan precipitado que no admita que esto se lo concediste a tu siervo. Él, sin duda alguna, sintió y pensó cuando escribiste todo cuanto de verdadero podemos nosotros ahora encontrar en su escrito; y lo que nosotros no pudimos o todavía no podemos, sin embargo, ahí está y se puede hallar.

Capítulo 32

1. Por último, Señor, que eres Dios y no carne y sangre: si algo pudo escapar a la vista del hombre, ¿acaso pudo ocultarse a tu Espíritu que llena a la tierra de la justicia lo que en esas letras había y que tú ibas a revelar más tarde a los-oyentes posteriores aun cuando tu siervo haya pensado solamente una entre varias sentencias verdaderas? Si así fue, ciertamente es la suya la más excelente. Pero es preciso que tú, Señor, nos la muestres, o alguna otra que más te plazca; de manera que haciéndonos ver lo que tu siervo pensó u otra cosa que él no pensó pero que está contenida en sus palabras, seas tú quien lejos de todo error nos apacientes.

2. ¡Cuántas cosas, Señor, han salido de tan breves palabras, y cuánto llevo escrito sobre ellas! ¿Y qué acopio de fuerzas y cuánto tiempo me podrían bastar para comentar

con la misma amplitud todas tus Escrituras? Permíteme pues confesarte a ti con brevedad, escogiendo un sentido único, el que tú me inspires como verdadero, cierto y bueno, aun cuando en un mismo pasaje varios sentidos puedan ocurrir. Y haya en mi confesión tal fidelidad, que acierte yo a decir lo que dijo tu siervo, que es lo que pretendo; y si no lo consigo, que, al menos, diga yo lo que en las palabras de Moisés quiere decirme tu verdad, que también a él le dijo lo que quiso.

Libro XIII

Libro XIII

Capítulo 1

Quiero invocarte, Señor, misericordia mía, que me creaste y no te olvidabas de mí cuando yo andaba olvidado de ti. Ven a mi alma, tú la preparas para recibirte con el deseo que de ello le inspiras; ahora que te invoco no me abandones, pues antes de que te invocara me previniste con variadas e insistentes voces para que de la lejanía en que andaba me convirtiera a ti y a mi vez llamara a quien me llamaba.

Tú borraste los malos merecimientos con que me aparté de ti y no quisiste castigarme con la mano que me creó, pues antes de que yo fuera tú eres, y no era yo quien pudiera merecer que me dieses el ser.

Y, sin embargo, aquí estoy porque tu bondad me previno en todo lo que soy y en aquello de lo cual me hiciste. Y no me hiciste porque tuvieras necesidad de mí o yo en algo te pudiera ayudar. Si debo servirte no es para evitar que tú te fatigues en tu operación ni para que no parezca menor tu poder, si no te ofrezco mis obsequios. Ni el culto que te doy se parece al cultivo de la tierra, de modo que tú quedaras como inculto, si yo no lo cultivara. Pero debo servirte y darte culto para que todos los bienes me vengan de ti, a quien debo el ser y la capacidad de bien.

Capítulo 2

1. De la plenitud de tu bondad es de donde viene la subsistencia de tus criaturas. Tú quisiste que existiera un bien que sin serte en manera alguna necesario ni ser igual a ti, sin embargo, existiera por ti. Pues, ¿cuáles fueron los merecimientos del cielo y de la tierra que hiciste en el principio? Y digan también cuáles fueron sus méritos la creación espiritual y la creación corporal que con tu sabiduría creaste para que de ella dependieran las cosas, aun las incoadas y todavía informes, según su género espiritual o corporal, con todo y su tendencia a la inmoderación y el exceso y a una distante desemejanza contigo.

Porque lo informe espiritual vale más que lo corporal formado, y éste es mejor que si nada fuera. Todo habría quedado informe en tu palabra, si esta palabra no la hubieras revocado con tu unidad, recibiendo ellas de ti, sumo bien, para ser, sus formas, que las hacen ser tan buenas. ¿Qué cosas merecieron de ti tan siquiera el ser informes, pues ni eso serían si no fuera por ti?

2. ¿Cuáles fueron los méritos de la materia corporal para que la hicieras por lo menos invisible e incompuesta? Pues ni esto sería si tú no la hubieras hecho, ni habría podido merecer que la hicieras. ¿Qué méritos tuvo la criatura espiritual incoada para que al menos pudiera vagar flotando tenebrosamente, parecida a un abismo muy desemejante a ti, si tu Verbo no la hubiese revocado a quien la hizo; para que iluminada por él se convirtiera en luz, ciertamente no igual, pero sí semejante a tu imagen?

Así como para un cuerpo no es lo mismo ser, que ser hermoso; pues de otra manera no podría nunca ser feo. Así también para un espíritu creado no es lo mismo vivir que vivir con sabiduría, ya que de otro su sabiduría sería inconmutable. Pero es bueno para él vivir adherido siempre a ti, para no perder por la aversión lo que había ganado por la conversión, y para no resbalar hacia una vida tenebrosa semejante al abismo. Así también nosotros, que por el alma somos una criatura espiritual, mientras nuestra luz vivió apartada de ti fuimos un tiempo tinieblas; y ahora vivimos pasando trabajos con los residuos de nuestra antigua oscuridad hasta que seamos justicia tuya en el único Hijo tuyo, como los montes de Dios, porque antes, por tu juicio, fuimos como un inmenso abismo.

Capítulo 3

Ahora: la palabra que al principio de la creación dijiste, "¡Hágase la luz!", la entiendo yo sin incongruencia de la creación espiritual en la que había ya alguna manera de vida iluminada por ti. Pero así como no mereció ser una vida capaz de iluminación, así también, iluminada ya, lo fue sin mérito suyo. Pues su uniformidad no te habría complacido, si no se hubiera convertido en luz no solamente existiendo, sino también contemplando la luz que la iluminaba y adhiriéndose a ella, con lo cual te debió no solamente la vida, sino también la felicidad de la vida. Y de esta manera, don gratuito tuyo es para ella no solamente la vida, sino también la vida feliz, convertida en dichoso cambio hacia aquel que no cambia porque nada puede adquirir y nada puede perder. Y ese eres tú, únicamente tú, el único que simplemente *es;* pues para ti es lo mismo vivir que ser feliz, ya que tú eres tu propia felicidad.

Capítulo 4

¿Qué hubiera podido faltar para la felicidad que eres tù mismo, si las criaturas no existieran o existieran en permanente informidad? Porque no las creaste por indigencia, sino por la plenitud de tu bondad, que quiso formarlas sin que añadieran nada a tu alegría. A ti, que eres perfecto, no te agrada su imperfección; pero tú las perfeccionas para que puedan serte agradables; tú, sin embargo, al perfeccionarlas no recibes de ellas perfección alguna.

Tu Espíritu bueno flotaba por encima de las aguas, pero no era llevado por ellas como si en ellas descansara. Porque aquellos en que reposa tu santo Espíritu, él los hace reposar en sí mismo. Lo que flotaba y se movía era tu inmutable e incorruptible voluntad, que se basta a sí misma. Y se movía sobre la vida que tú habías creado y para la cual no es lo mismo vivir que vivir feliz, ya que vive aun cuando se vea hundida en las tinieblas. Lo que a ella le hace falta es convertirse a ti que la formaste, y vivir más y más cerca de la fuente de la vida para ver la luz en su luz, y por ella ser alumbrada, perfeccionada y beatificada.

Capítulo 5

Y aquí se me empieza a aparecer como en un atisbo la Trinidad que eres, Dios mío; porque tú, Padre, en el principio que es la sabiduría nacida de ti, igual a ti y coeterna contigo; es decir, en tu Hijo, hiciste el cielo y la tierra. Mucho es ya lo que llevo dicho del cielo y de la tierra invisible e incompuesta y del abismo tenebroso, que no sería sino un fluir vagabundo de informidad espiritual, de no convertirse hacia aquel de quien procede toda vida y por su iluminación se hiciera *hermosa vida* y fuera *cielo del cielo* para Dios, que luego lo puso entre las aguas y las aguas.

Ya entendía yo al Padre bajo la palabra de *Dios*, el que esto hacía; y al Hijo lo entendía bajo la palabra *Principio*, en el cual lo hizo; creyendo ya como cristiano que mi dios es una Trinidad, buscaba en las palabras santas, y he aquí que "el Espíritu de Dios se movía sobre las aguas". Aquí está tu Trinidad, Dios mío, Padre, Hijo y Espíritu Santo, creador de la totalidad de cuanto existe.

Capítulo 6

Pero, ¿cuál fue, ¡oh luz verdadera!, tu motivo? Pongo ante ti mi corazón; y para que no me enseñe vanidades, sacude tú sus tinieblas. Por la caridad que es nuestra madre te suplico que me digas cuál fue la causa de que después de la mención del cielo y la tierra invisible y caótica y de las tinieblas sobre el abismo mencione tu Escritura el nombre de tu Espíritu. ¿Era acaso conveniente insinuarlo diciendo que era llevado por encima y esto no podía entenderse sin mencionar primero aquello por encima de lo cual era llevado? Pues no flotaba ni era llevado por encima del Padre y del Hijo; era entonces necesario decir por encima de qué flotaba y se movía; y sólo después podía mencionarse al que no era posible presentar sino diciendo que "era llevado por encima". Pero, ¿por qué, Señor, no convenía presentarlo de otra manera?

Capítulo 7

Y ahora, el que pueda hacerlo que siga con su entendimiento a tu Apóstol cuando dice que "el amor ha sido difundido en nuestros corazones por el Espíritu Santo que nos ha sido dado" (Rom 5,5) y es el maestro espiritual que nos enseña la vía supereminente de la caridad y dobla ante ti la rodilla por nosotros para que conozcamos la súper excelente ciencia del amor de Cristo. Este es el motivo de que al principio el Espíritu se movía eminente y era llevado sobre las aguas.

¿A quién le diré y cómo le hablaré del peso de la concupiscencia que nos arrebata al abismo con violencia y de la potencia relevante de la caridad que nos viene de ese Espíritu que era llevado por encima de las aguas? ¿A quién pues lo diré y cómo se lo diré? Porque no hay lugares en que nos hundamos y luego salgamos a flote, cosas ambas del todo diferentes. Son los afectos, son los amores, es la inmundicia de nuestro espíritu lo que nos arrastra hacia abajo con los ciudadanos de la tierra; y es la santidad de tu Espíritu la que nos levanta con la seguridad del amor para que tengamos siempre los corazones en alto hacia ti, donde tu Espíritu es llevado sobre las aguas; y así lleguemos finalmente a un reposo supereminente, cuando nuestras almas hayan pasado estas aguas que no tienen sustancia.

Capítulo 8

1. Cayó el ángel, cayó el alma del hombre, y con su caída indicaron la abismal hondura en que habrían ido a dar las criaturas todas, si tú no hubieras dicho al principio "Hágase la luz", y la luz fue hecha. Con esto fue posible que se adhiriera a ti en obediencia toda la creación inteligente que forma tu ciudad celeste, y que descansara en tu Espíritu que sin mutación alguna se mueve sobre todo lo que es mudable. De otro modo, el cielo del cielo mismo sería abismo tenebroso en sí, pero ahora es luz en el Señor. Porque con la miserable inquietud de los espíritus caídos que al desnudarse de tu luz manifiestan cuántas son sus tinieblas, pones lo suficientemente en claro cuánta es la grandeza de la criatura inteligente, para cuya felicidad no es bastante, nada que sea inferior a ti, y ni siquiera ella misma. Tú, Señor, iluminarás nuestra noche; tú nos vestirás de tu luz, y nuestras tinieblas serán más claras que el mediodía.

2. Date a mí, Señor, devuélvete a mí, porque te amo. Y si mi amor es poco, haz que te ame más. No puedo medir mi amor para saber cuánto le falta para que sea suficiente y mi vida corra hacia tu abrazo y no se aparte de ti, sino que se hunda en tu rostro. Sólo una cosa sé, y es que sin ti soy desgraciado, en mí y fuera de mí no tengo sino malestar; pues toda abundancia de lo que no es mi Dios no es abundancia sino miseria.

Capítulo 9

1. ¿Pero acaso el Padre y el Hijo no eran también llevados sobre las aguas? Si se entiende al modo como son llevados

los cuerpos, no, ni tampoco el Espíritu Santo. Mas si se considera la inconmutable eminencia de la divinidad sobre todo lo que es mudable, entonces sí: el Padre, el Verbo y el Espíritu Santo eran llevados sobre las aguas.

¿Pero por qué entonces esto se dijo solamente del Espíritu? ¿Por qué sólo se habló de un lugar que no podía ser lugar de relación con el único que se nos presenta como don tuyo? En tu casa, descansaremos, en ella gozaremos de ti, que eres nuestro reposo y nuestro lugar.

2. Hacia allá nos encumbra el amor, y tu bueno y santo Espíritu levanta nuestra humildad desde las puertas de la muerte. Nuestra paz está en la buena voluntad. El cuerpo por su propio peso tiende a ocupar su lugar; mas el peso no sólo tiende hacia abajo, sino además a su propio lugar. La piedra tiende a caer, el fuego tiende a subir; y cada cosa, siguiendo su propio peso, tiende a su lugar. El aceite puesto debajo del agua se pone al final por encima de ella; y el agua derramada sobre el aceite, se hunde y queda bajo el aceite. Una vez más, las cosas tienden a su lugar propio movidas por su peso. Mientras se encuentran en desorden están inquietas: pero cuando son ya ordenadas, están en paz. Mi peso es mi amor, y el me lleva a donde quiera que voy. Por donación tuya, Señor, nos encendemos y tendemos hacia lo alto; nos enardecemos y nos ponemos en camino. Escalamos cumbres dentro de nuestro corazón y cantamos la canción de las subidas encendidos por tu santo fuego. Vamos encandecidos, porque vamos subiendo a Jerusalén y su paz. Me he llenado de alegría porque me dijeron iremos a la casa del Señor (Sal 121,1). Allí nos ha colocado tu voluntad, y allí permaneceremos por toda la eternidad.

Capítulo 10

Dichosa aquella criatura, que nunca conoció otro estado; pues siendo ella de por sí muy otra cosa, por la gracia de aquel don tuyo que flotaba sobre toda cosa mudable fue levantada en el momento mismo de su creación y sin ningún intervalo de tiempo, en obediencia a tu llamado cuando dijiste "Hágase la luz", y la luz fue hecha.

En nosotros hay distinción entre el tiempo en que fuimos tinieblas y el tiempo en que fuimos iluminados; pero de aquella criatura sólo dice la Escritura lo que habría sido de no haberla tú iluminado. Y si ella se dice que fue materia floja y tenebrosa, es sólo para que se entienda cuál fue la causa de que las cosas hayan pasado de otra manera, y lo primero creado haya sido la luz convertida hacia la luz indeficiente.

El que pueda entender esto que lo entienda; y el que no, que te lo pida. No tiene por qué molestarme a mí pidiéndome más explicaciones, como si yo fuera la luz que ilumina a todo hombre que viene a este mundo.

Capítulo 11

1. ¿Quién podrá entender a la Trinidad omnipotente? ¿Y quién no habla de ella, si es realmente ella de lo que habla? Pues raro es el que de ella habla sabiendo lo que dice. Hay sobre ella contiendas y disputas; pero nadie que no tenga paz tiene acceso a esta visión. Tres cosas querría yo que en sí mismo pensaran los hombres; tres cosas muy diferentes de la Trinidad de Dios; pero sólo las digo para que ellos se ejerciten, se pongan a prueba y comprendan lo lejos que están.

Esas tres cosas que digo son el ser, el conocer y el querer. Porque yo soy, conozco y quiero. Tengo conocimiento y tengo voluntad; sé que existo y que quiero, y quiero existir y saber. El que pueda entenderlo, que entienda hasta qué punto es inseparable y una la vida en estas tres cosas: una vida, una mente, una esencia, con una distinción que no es separación, pero que ciertamente es distinción. Entiéndalo quien pueda; póngase en presencia de sí mismo, atienda a lo que él mismo es, vea y respóndame.

2. Y si hace sobre sí mismo algún descubrimiento no por eso crea que ya encontró al ser inmutable que existe sin cambio, conoce sin cambio y quiere sin cambio. ¿Quién podrá entender con facilidad si a estas tres cosas se debe el que haya Trinidad en Dios; o si las tres tienen asiento en cada una de las divinas personas; o si lo uno y lo otro se dan al mismo tiempo en simplicidad y en multiplicidad, ya que la Trinidad es infinitamente fin para sí misma en una inmensa magnitud de unidad? ¿Cómo pensar fácilmente estas cosas y como expresarlas sin riesgo de temeridad?

Capítulo 12

1. Avanza, fe mía, aun más en la confesión. Di al Señor tu Dios: en tu nombre, Padre, Hijo y Espíritu Santo, fuimos bautizados; y en tu nombre, Padre, Hijo y Espíritu Santo, bautizamos nosotros. Porque también en nosotros, por Cristo su Hijo, Dios hizo el cielo y la tierra, los miembros espirituales y los carnales de su santa Iglesia. Y nuestra tierra era, antes de recibir la iluminación de la doctrina, invisible

e incompuesta y nos cubría la tiniebla de la ignorancia. Es que tú habías con eso castigado la iniquidad humana, y tus juicios son hondos como el abismo.

2. Pero como el Espíritu Santo era llevado sobre las aguas, no quiso abandonarnos tu misericordia. Entonces dijiste "¡Hágase la luz!" Hagan penitencia, pues se acerca ya el Reino de los Cielos. Hagan penitencia, hágase la luz. Y como nuestras almas se hallaban hondamente conturbadas nos acordamos de ti, Señor, desde la tierra del Jordán y desde el monte que es igual a ti pero se hizo pequeño por nosotros. Nos repugnaron entonces nuestras tinieblas y nos convertimos a ti, y se hizo la luz. Fuimos pues un tiempo tinieblas, mas ahora somos luz en el Señor.

Capítulo 13

1. Pero somos luz solamente en la fe, no por la posesión del objeto de nuestra esperanza. Por la esperanza somos salvos, mas la esperanza es siempre de las cosas que no se ven. Pero si un abismo llama a otro, ahora lo llama con la voz de tus cataratas. Aun aquel mismo que dijo: "No les he podido hablar como a seres espirituales, sino como a seres carnales" (1 Cor 3,1) no estima haber llegado a la meta todavía y olvidando lo pasado se tiende hacia lo venidero; gime con pesadumbre y su alma está sedienta del Dios vivo como los ciervos buscan las fuentes de las aguas. Y dice: ¿cuándo llegaré? Y deseoso de revestirse de su habitación celestial se dirige aún a su abismo interior diciendo: "No tomen como modelo a este mundo. Por el contrario, transfórmense inte-

riormente renovando su mentalidad" (Rom 12,2). Y luego añade: "No sean como niños para juzgar; séanlo para la malicia pero juzguen como personas maduras" (1 Cor 14,20).

2. También añade esto otro: "¡Oh insensatos gálatas! ¿Quién los ha fascinado? (Gál 3,1). Esto, empero, no lo dijo con su propia voz, sino con la tuya, movido por el Espíritu que tú enviaste desde el cielo por los merecimientos de aquel que penetró en las alturas para desatar sobre nosotros las cataratas de tus dones y así una caudalosa avenida de bienes llenase de alegría a tu santa ciudad.

Por ella suspira el amigo del esposo, que tiene ya en su poder las primicias del Espíritu, pero gime todavía en sí mismo con la expectación de la redención de su cuerpo. Es miembro de la esposa y por ella suspira; y por ella ejercita su celo pues es también el amigo del esposo. Y su celo es por ella, no por sí, pues llama a su abismo no con su propia voz, sino con la voz de tus cataratas. Lo llama y lo teme, sabiendo que así como la serpiente engañó a Eva con su astucia, así también él puede ser apartado de la castidad de nuestro esposo.

¡Cuán hermosa será su luz cuando lo veamos tal y como es en sí! Cuando hayan pasado ya todas estas lágrimas que son mi pan de día y de noche, en este tiempo en que se me dice: "¿En dónde está tu Dios?".

Capítulo 14

1. Y yo, a mi vez, te digo: "Dios mío, ¿en dónde estás?". Dime: ¿en dónde? Respiro un poco en ti cuando dejo que mi

alma se vuelque en un canto de exultación y de confesión y de festiva celebración. Pero mi alma sigue triste, pues luego de esto resbala al abismo de siempre; o por mejor decir, siente que el abismo sigue en ella. Y mi fe, la que tú encendiste de noche ante mis pies, le dice: "¿Por qué estás triste, alma mía, y por qué me conturbas? (Sal 41,6.12). Espera en el Señor, cuya palabra es luz que guía mis pasos. Espera y persevera hasta que pase la noche, madre de los malvados; hasta que pase la ira del Señor, del cual somos hijos, pero hijos que un tiempo fueron tinieblas. Todavía ahora cargamos los residuos de aquella oscuridad en un cuerpo que murió por el pecado; y así será hasta que se levante el día y se retiren las tinieblas.

2. Espera en el Señor. Madrugué, Señor, para ponerme en tu presencia y contemplarte, y siempre me confesaré a ti. Madrugaré para ver la salud de mi rostro, que es el Señor, y él vivificará nuestros cuerpos mortales por el Espíritu que nos habita y que es llevado misericordiosamente en nosotros sobre un abismo interior siempre fluido y tenebroso. De él recibimos durante nuestra peregrinación la prenda y garantía de que vamos a ser luz, pues por la esperanza hemos sido salvados; hijos de la luz, hijos del día, y no de la noche ni de las tinieblas que un tiempo fuimos. Entre ellos y nosotros y en la inseguridad de nuestro humano conocimiento solamente puedes hacer la distinción tú, que pones a prueba nuestros corazones y llamas día a la luz y noche a las tinieblas. ¿Quién puede discernirnos sino tú? ¿Y qué cosa tenemos que no hayamos recibido de ti nosotros que fuimos formados como vasos de honor de la misma masa de la que han sido otros como vasos de ignominia?

Capítulo 15

1. Tú, Señor, extendiste sobre nuestras cabezas como un firmamento la autoridad de tus Escrituras. Porque el cielo que vemos será enrollado como un libro, aunque ahora está sobre nosotros como una piel extendida. Pero más sublime es la autoridad de tus Escrituras ahora que ya padecieron esta muerte de acá aquellos mortales por cuyo misterio nos las dispensaste. Y tú bien sabes cómo vestiste de pieles a los hombres después del pecado que los hizo mortales. Y así fue como a manera de una piel, extendiste sobre nosotros el firmamento de tu libro, concordia de tus palabras que por el ministerio de hombres mortales nos concediste. Porque por el hecho de su muerte quedó soberanamente consolidada la autoridad de los libros que ellos escribieron.

Pues por el hecho mismo de su muerte quedó la autoridad de tus palabras por ellos consignadas soberanamente confirmada sobre todo cuanto hay abajo; autoridad mucho más sólida que cuando ellos vivían; porque entonces todavía no habías extendido sobre nosotros el cielo como una piel ni habías hecho llegar a los confines de la tierra la fama de su muerte.

2. Ahora, Señor, consideramos los cielos, obra de tu mano, serena la nube que ha velado nuestros ojos. En ellos, das tú testimonio de ti y das sabiduría a los pequeñuelos. Canten con perfección tus alabanzas los niños y los lactantes; pues no ha llegado a nuestro conocimiento la existencia de otros libros que con tanta eficacia destruyan la soberbia del enemigo que defendiendo sus pecados se resiste a la re-

conciliación contigo. No conozco, Señor, no conozco otras palabras tan castas que tanto me persuaden a la confesión y tan bien dobleguen mi cerviz a tu yugo invitándome a servirte con desinterés. ¡Qué yo las entienda! Concédeme, Padre bondadoso, pues estoy sometido a ti, estas gracias que tú consolidas mediante la sumisión de tus siervos.

3. Otras aguas hay, sin embargo, puestas sobre este firmamento; aguas que, según creo, son inmortales y exentas de toda humana corrupción. ¡Que te alaben y canten a tu nombre las eximias legiones de tus ángeles, que no necesitan recibir su firmeza de las Escrituras para conocer mediante su lectura a tu Verbo! Porque ellos te ven siempre cara a cara, y en tu rostro leen sin tiempos ni sílabas lo que quiere tu eterna voluntad. Leen, eligen y aman; siempre están leyendo y nunca pasa lo que leen; porque eligiendo y amando leen en la inmutabilidad misma de tu querer. No se cierra su códice, no se enrolla su libro; porque su libro eres tú mismo, para toda la eternidad.

Tú los formaste por encima de este firmamento al que diste solidez para beneficio de la debilidad de pueblos inferiores que en él podían recibir y conocer tu misericordia, puesto que las Escrituras hablan en el tiempo de ti, que hiciste todos los tiempos. Porque en el cielo está, Señor, tu misericordia, y tu verdad se encumbra sobre las nubes. Las nubes pasan, pero el cielo queda. Pasan los predicadores de tu palabra de una vida a otra vida, pero tu Escritura se proyecta sobre todos los pueblos hasta el fin de los tiempos.

4. Los cielos y la tierra pasarán, pero tus palabras no pasarán. El firmamento será doblado, y la hierba sobre la cual

se extendía pasará con todo su esplendor; pero tu palabra permanecerá eternamente. Lo que ahora vemos no como es, sino en nublado enigma y como reflejado en un espejo, nos aparecerá entonces en su verdad; por ahora, aun cuando somos amados de tu Hijo, aún no aparece lo que vamos a ser. Él nos miró desde su humanidad como a través de una reja; nos inflamó en su amor colmándonos de cariño y ahora corremos en pos de su buen olor, mas cuando llegue la hora de la manifestación seremos semejantes a él, porque lo vamos a ver tal como es. ¡Concédenos, Señor, ver nuestro destino, que todavía no llega, tal como es!

Capítulo 16

Tú eres, Señor, el ser absoluto. Tú eres el único cuya existencia es inconmutable y cuya ciencia y voluntad son también inmutables. Con tu propia esencia conoces y quieres; con tu ciencia existes y quieres y con tu voluntad existes, inmutablemente. Y no parece justo ante tus ojos que el ser supremo, que se conoce a sí mismo como luz, inmutable, sea de este mismo modo conocido por la criatura mudable que él ilumina. Entonces, mi alma es en tu presencia como una tierra sin agua que ni puede iluminarse por sí ni tampoco saciarse de sí. Tú eres la fuente de la vida, y en tu luz veremos la luz.

Capítulo 17

1. ¿Quién congregó en un solo lugar las aguas amargas de la humanidad? Porque buscan, como único fin, la felicidad

temporal de la tierra y por eso hacen todo lo que hacen aun cuando se vean afligidas por incontables cuidados. ¿Quién sino tú, Señor, cuando mandaste que las aguas se reunieran en una sola masa y que apareciera la tierra árida sedienta de ti? El mar es tuyo porque tú lo hiciste; y tuya la tierra, porque tú la formaste.

Pero no es la amargura de las voluntades lo que llamamos mar, sino la congregación de las aguas. Porque tú cohíbes también las malas concupiscencias de las almas y les marcas a las aguas límites que no pueden pasar; se quiebra en sí mismo el furor del oleaje, y dominas el mar con un imperio que se extiende sobre todas las cosas.

2. Pero a las almas que te están presentes y están sedientas de ti y que tú separaste con otro fin de toda sociedad con el mar, tú mismo las riegas con las dulces aguas de una oculta fuente; para que la tierra dé su fruto y bajo el imperio de su Señor germinen en nuestras almas las obras de la misericordia según su especie, amando al prójimo y atendiéndolo en sus necesidades temporales.

Ella tiene en sí su propia simiente, según la semejanza; en efecto, nosotros de nuestra propia flaqueza sacamos simpatía para socorrer a los indigentes con los servicios que nosotros mismos querríamos tener, si estuviéramos en la necesidad. Y no solamente en cosas fáciles como la hierba de semilla, sino también en cosas difíciles que requieren gran fortaleza, como la de un árbol fructífero, para librar a quien padece injusticia a manos de los poderosos ofreciéndoles la sombra protectora de la robusta encina del justo juicio.

Capítulo 18

1. Te ruego, Señor, que así como das la alegría y la fuerza, así hagas brotar de la tierra la verdad, y que la justicia mire desde el cielo y aparezcan las luminarias en el firmamento. Rompamos al pan para darlo al hambriento y hagamos entrar bajo nuestro techo al que no tiene en donde quedarse. Vistamos al desnudo y no despreciemos a los de nuestro propio linaje. Y si frutos como éstos se dan en nuestra tierra, míralos, Señor, y di que son buenos; brille a su tiempo nuestra luz por tal manera, que ganando con esta inferior cosecha de buenas obras las superiores delicias de la contemplación de tu Verbo, aparezcamos sobre el mundo como luminares en el firmamento de tu Escritura.

En ella, nos enseñas para que aprendamos a distinguir entre lo inteligible y lo sensible como entre el día y la noche; y así entre las almas de los hombres distingamos las que se consagran a lo inteligible de aquellas otras que sólo por la semilla tienen interés. Ya no serás tú solo quien en lo escondido de tus designios como antes de que hubiera firmamento, juzgue sobre la luz y las tinieblas; sino que también tus hijos espirituales, puestos cada uno en su propio lugar del firmamento según la gracia que por todo el orbe se manifiesta, brillarán sobre la tierra, dividirán el día de la noche, y señalarán la sucesión de los tiempos; pues todo lo viejo ya se fue y ahora se renuevan todas las cosas.

2. "Ahora está más cerca nuestra salvación que cuando comenzamos a creer" (Rom 13,11); la noche se ha retirado y ya viene el día; y tú coronas el año con tu bendición; mandas

operarios a tu mies, en la que otros sembraron; y mandas sembraduras nuevas cuya cosecha tendrá lugar al fin. Es así como das la vida a quien desea recibirla y bendices los años del justo. Mas tú eres siempre el mismo; y en tus años, que no vienen a menos, preparas un amanecer para nuestros años transitorios.

3. Porque según tu eterno designio derramas en su oportunidad los bienes celestes sobre la tierra. Pues mientras a uno, como luminaria mayor al principio del día le concede tu divino Espíritu palabras de sabiduría para beneficio de quienes se deleitan en una clara exposición de la verdad, a otro, como luminaria menor, le son concedidas palabras de ciencia según el mismo Espíritu. A otro se le da la fe, a otro más el don de profecía, a otro el don de lenguas.

Todos estos dones son como estrellas; y todo esto lo opera el mismo y único Espíritu; repartiendo sus dones a cada uno según su voluntad y haciéndolos aparecer como estrellas para la utilidad común.

4. Mas la palabra de ciencia, en la cual se contienen todos los misterios que varían en sus tiempos, como la luna; y la noticia de los otros dones que arriba conmemoré comparándolos con las estrellas, ¡cuánto distan y difieren del resplandor de la sabiduría! Tanto, cuanto el crepúsculo vespertino dista de la aurora del siguiente día.

Tales dones son necesarios para aquellos a quienes tu siervo prudentísimo no pudo hablar como a espirituales sino como a carnales; el mismo que habla de la sabiduría entre los perfectos. Pero el hombre animal, que todavía es pequeño en Cristo y mamador de leche, pues aún no es fuerte para comer alimentos sólidos, mientras no robustezca sus ojos para mirar al sol, no por eso está abandonado en la noche, aunque debe contentarse con la luna y las estrellas.

De estas cosas disputas con nosotros, Señor, en el firmamento de tu libro; para que todo lo discernamos en una admirable contemplación, aunque todavía a través de signos, tiempos, días y años.

Capítulo 19

1. Pero antes, lávense, purifíquense, barran la malicia de sus almas y de la mirada de mis ojos, para que aparezca la tierra seca. Aprendan a hacer el bien, hacer justicia al huérfano y proteger a la viuda, para que así la tierra produzca hierba alimenticia y árboles frutales. Vengan entonces, dice el Señor, y disputemos; para que haya luminarias en el cielo y brillen sobre la tierra.

Un día le preguntó aquel hombre rico al maestro bueno qué tenía que hacer para conseguir la vida eterna. Y el maestro bueno, que según el pensamiento de aquel rico era un hombre y nada más; pero que, en realidad, era bueno por ser Dios, le dijo que si quiere llegar a la vida eterna guarde los mandamientos. Aleje de sí la amargura de la malicia y la perversidad; no mate, no robe, no diga falso testimonio; para que aparezca la tierra seca y germine el honor del padre y de la madre y el amor del prójimo. Y aquel hombre dijo: "Todo esto lo he hecho ya".

2. Pero, ¿de dónde tantas espinas cuando la tierra es fértil? Anda, arranca los selváticos matorrales de la avaricia,

vende lo que tienes y dalo a los pobres, con lo cual te llenarás de frutos y poseerás un tesoro en el cielo. Y luego sigue al Señor, si es que quieres ser perfecto y tener sociedad con aquellos a quienes les habla de la sabiduría el que bien la conoce, él, que sabe lo que ha de dar al día y la noche, hará que también lo sepas tú, y así habrá luminares en tu cielo. Pero esto no sucederá, si no tienes puesto en ello todo tu corazón. Tampoco sucederá si no tienes en el cielo, como lo dijo el maestro bueno, tu tesoro. No seas tú como aquel hombre en quien la tierra se entristeció y las espinas sofocaron la divina palabra.

3. Pero ustedes, estirpe elejida, que son débiles según el mundo y lo han dejado todo por seguir al Señor, vayan en pos de él para confundir a los fuertes. Corran felices pies, en seguimiento suyo y brillen en el firmamento para que los cielos canten la gloria de Dios haciendo la diferencia entre la luz de los perfectos que no es todavía como la de los ángeles, y las tinieblas de los que aún son párvulos pero no desechados. Brillen sobre la tierra para que un día candente de sol, le diga al que le sigue palabras de sabiduría; y la noche llena de luna, le anuncie a la otra noche palabras de ciencia. La luna y las estrellas brillan de noche y la noche no las oscurece, porque ellas las iluminan según su capacidad.

Y un día, como si Dios hubiera dicho de nuevo "Haya luminarias en el firmamento", vino repentinamente del cielo un ruido como de viento arrebatado y se vieron lenguas de fuego repartirse y posarse sobre la cabeza de cada uno de aquellos hombres; y con esto se encendieron en el firmamento luminarias llenas de palabras de vida. Discurran pues por todas partes ustedes, fuegos santos, llamas hermosas. Porque ustedes son la luz del mundo, no puesta bajo el celemín. Por ustedes es glorificado aquel a quien se consagraron, y él a su vez los ha glorificado. Discurran pues por todas partes y dense a conocer a todos los pueblos.

Capítulo 20

1. Conciba también el mar obras de ustedes, y que las aguas produzcan reptiles llenos de vida. Porque separando lo precioso de lo vil son ustedes como la boca de Dios que dijera: "Produzcan las aguas no los vivientes que la tierra produce, sino reptiles vivos y aves que vuelen sobre la tierra". Estos seres humildes y vivientes que a rastras como los reptiles y mediante el trabajo para imbuir de ti a los pueblos por medio del bautismo.

Y mientras tanto se han producido portentos admirables como cetáceos gigantescos; y se han oído las voces de tus mensajeros como volando sobre la tierra bajo el firmamento y la autoridad de tu libro bajo la cual vuelan por dondequiera que van. Y no hay lengua ni idioma en el cual no se escuche la voz de su predicación. Por toda la tierra se oyó su voz, y hasta los últimos confines su predicación; porque tú, Señor, te has multiplicado todo con tus bendiciones.

2. Pero, ¿acaso miento yo, o confundo y revuelvo las cosas distinguiendo entre los lúcidos conocimientos de lo que hay en el firmamento del cielo y las obras corporales en el ondulado mar bajo el firmamento del cielo? Pues cuando el conocimiento de las cosas es sólido y bien terminado sin

acrecentamiento de generaciones sucesivas, como es el caso de la sabiduría y la ciencia, nos aparecen múltiples y variadas las operaciones corporales de esas cosas; y creciendo de una a otras se multiplican bajo tu bendición, ¡oh Dios!, que consuelas el fastidio de los sentidos mortales hasta el punto de que en el conocimiento del alma una sola cosa pueda expresarse y figurarse de diferentes maneras. Esto fue lo que produjeron las aguas; las necesidades de los pueblos ajenos a tu eterna verdad lo produjeron, pero en tu Evangelio. Las aguas mismas echaron todo esto de sí, pues su amarga languidez fue la causa de que al conjuro de tu palabra todo esto se produjera.

3. Y todas las cosas son bellas, pues tú las hiciste; e indeciblemente más bello eres tú, que las hiciste. Si de ti no se hubiera apartado Adán el día de su caída tampoco procediera de él por engendramiento todo este salitre de las aguas marinas, este género humano profundo en su curiosidad, tempestuoso en su arrogancia y en todo fluido e inestable. Entonces no habría sido preciso que en la muchedumbre de las aguas operaran los dispensadores de tus misterios de manera corporal y sensible místicas obras y palabras. Es así como se me representan estos reptiles y volátiles por los cuales imbuidos e iniciados los hombres en la sumisión a los sacramentos corporales, pudieran alcanzar en su alma un más alto grado de vida, pasando de la mera iniciación a la consumación.

Capítulo 21

1. Y por este motivo en tu palabra no es la profundidad del mar sino la tierra separada ya del amargor de las aguas

la que produce no reptiles y volátiles dotados de vida, sino el alma viva que no necesita ya del bautismo indispensable a los paganos como lo necesitaba cuando todavía la cubrían las aguas. No se entra en el reino de los cielos de otro modo que como tú lo estableciste; y un alma que ya entró no busca ya más ni grandezas ni maravillas que le fundamenten la fe. No está ya en la situación de quien no cree si no ve signos y prodigios, pues en el quedó ya la tierra fiel distinta y separada de las aguas salubres del mar de la infidelidad, y el don de lenguas no es signo para los fieles, sino para los infieles. Tampoco de este género de volátiles que bajo tu palabra produjeron las aguas necesita ya la tierra que sobre ellas fundaste. Manda pues sobre esta tierra tu palabra mediante el ministerio de tus predicadores. Nosotros narramos sus obras, pero eres tú quien opera en ellos para que produzcan la vida en las almas.

2. La tierra es la causa de que en ella se produzcan almas vivas, así como el mar fue causa de que aparecieran en él reptiles y volátiles bajo el firmamento del cielo. De éstos la tierra no necesita ya, aun cuando se alimente de un pez sacado de las profundidades para la mesa que tú preparaste para los creyentes. De lo profundo fue sacado para que alimente la tierra seca. También las aves son progenie del mar, pero se multiplican sobre la tierra. La causa primera de las palabras de la evangelización fue la infidelidad de los hombres, pero también los fieles son exhortados y de múltiples maneras son bendecidos día con día. Pero el alma viva tuvo su origen en la tierra; porque solamente a los fieles aprovecha abstenerse de los amores de este siglo, para que el alma que vivía

muerta en mortales delicias viva ahora para ti, Señor, delicia vital de los corazones puros.

3. Sigan pues tus ministros operando sobre la tierra, pero no como sobre el agua de la infidelidad, hablando y anunciando con milagros, misterios y palabras místicas, y a ellas atienda la ignorancia, madre de la admiración, con temor de los signos ocultos. Porque no hay otro punto de acceso a la fe para los hijos de Adán que se olvidaron de ti y se fueron al abismo por esconderse de tu rostro. Pero tus siervos obren como sobre la tierra árida y separada ya de los torbellinos del abismo; y sean modelo para tus fieles que viéndolos vivir entre ellos se sientan excitados a una santa emulación. De esta manera no solamente oirán por oír, sino para obrar lo que oyen. Busquen al Señor y vivirá su alma; así producirá la tierra seres vivientes. No se acomoden a este mundo, sino defiéndanse de él; evitándolo vivirá el alma que deseándolo muere.

4. Absténganse de la terrible ferocidad de la soberbia, de la inerte languidez de la lujuria y del falso nombre de ciencia para que en ustedes se amansen las bestias, se sometan las ovejas y sean inofensivas las serpientes. Porque estos animales son alegoría de los movimientos del ánimo tales como el hinchamiento de la arrogancia, la delectación de la lujuria y el veneno de la curiosidad. Estos son los afectos de un alma muerta, pero cuya muerte no es tanta que le impida todo movimiento. Retirándose de la fuente de la vida, se va muriendo; así la recibe este siglo pasajero y la acomoda a sí.

Pero tu eterno Verbo, Señor, es fuente de vida eterna; no es pasajero, y por eso en él se cohíbe nuestro alejamiento de ti cuando oímos que se nos dice: No se acomoden a este siglo, para que produzca la tierra ánimas vivas, que vivan en tu Verbo anunciado por tus evangelistas; almas continentes que imiten a los imitadores de tu Cristo. Esto es lo que significan las palabras según su género, porque la imitación procede de la amistad para con el amigo. "Sean -nos dice- como yo, porque yo soy como ustedes". Así habrá en el ánima viva animales buenos con la mansedumbre de la acción. Porque tú nos diste un mandamiento cuando dijiste: "Perfecciona en la mansedumbre tus obras, y por todos serás amado" (Ecli 3,17).

5. Y habrá también en ti buenas ovejas que no reventarán de gordas si comieren ni pasarán necesidad si no comieren; y serpientes buenas, no dañosas por su veneno, sino cautelosas en su prudencia; que tanto explotarán a la naturaleza humana cuanto sea suficiente para que de la contemplación de lo creado se manifieste la eternidad. Estos buenos animales son servidores de la razón; y son buenos porque se los mantiene apartados de todo andar por malos caminos.

Capítulo 22

1. Porque, Señor Dios y creador nuestro, cuando nuestros afectos se vean cohibidos del amor de este siglo de los cuales moríamos viviendo mal; y cuando nuestra alma comience en realidad a vivir viviendo bien, se cumplirá lo que por medio de tu Apóstol dijiste: "No quieran acomodarse a este mundo". Y la consecuencia necesaria de ello será lo que tú mismo dijiste en seguida: "Refórmense en la renovación según su género", como si tratáramos de imitar al prójimo que

nos precedió y vivir al amparo de la autoridad de un hombre mejor que nosotros. No será así, sino que al renovarnos responderemos a tu palabra, cuando dijiste: "Hagamos al hombre a nuestra imagen y semejanza"; para que nosotros exploremos cuál sea tu voluntad.

2. En orden a esto aquel siervo tuyo que tantos hijos engendró por el Evangelio, para no tenerlos siempre en condición de párvulos a quienes él como nodriza alimentara siempre con leche, les dijo: "Transfórmense interiormente renovando su mentalidad, a fin de que puedan discernir cuál es la voluntad de Dios: lo que es bueno, lo que le agrada, lo perfecto" (Rom 12,2).

Por eso tú no dijiste: "¡Hágase el hombre!", sino "Hagamos al hombre". Ni tampoco dijiste *según su especie*, sino *a imagen y semejanza nuestra*. Porque el hombre que con la mente renovada entiende tu verdad no necesita que otro hombre le muestre cuál es su especie para imitarla; sino que mostrándoselo tú prueba él por sí mismo cuál sea tu voluntad, tu beneplácito bueno y perfecto; y así lo haces finalmente capaz de ver la Trinidad en la unidad y la unidad en la Trinidad. Y así, lo que dijiste en plural, "Hagamos al hombre", se entiende en singular, ya que la Escritura continúa diciendo: "E hizo Dios al hombre"; y de igual manera la expresión plural "a nuestra imagen y semejanza" se entiende en singular como "a la imagen y semejanza" de Dios. Así es como el hombre se renueva por el reconocimiento de Dios según la imagen que de él conserva siendo su criatura. Y de este modo, convertido en hombre espiritual, juzga de todas las cosas que deben ser juzgadas, pero él mismo no es juzgado por nadie.

Capítulo 23

1. La frase de que "el hombre espiritual juzga de todas las cosas" significa que tiene poder para formarse juicios sobre los peces del mar, las aves del cielo, toda clase de ganados y de reptiles que se arrastran sobre la tierra; y esto lo puede hacer, debido a su inteligencia, capaz como es de percibir lo que se refiere al Espíritu de Dios. Y cuantas veces no fue así el hombre se encontraba en una situación de honor, pero no lo entendió; se rebajó al nivel de los mulos privados de razón y se hizo semejante a ellos.

Y por esto, Señor, dado que somos obra de tus manos y creados para la bondad de las obras, hay en tu Iglesia, según la gracia que tú le diste, algunos hombres dotados de autoridad espiritual para mandar, y otros que espiritualmente les están sometidos y les deben obedecer. Porque al hombre lo creaste como varón y mujer, pero en forma tal, que al nivel de tu gracia no pone el sexo corporal diferencia alguna, así como no la hay entre judíos y griegos, señores y esclavos.

2. Los espirituales, entonces, ya sea que manden, ya que obedezcan, espiritualmente juzgan: pero su juicio no recae sobre los pensamientos espirituales que son luminarias del firmamento, ya que no podemos juzgar tan sublime autoridad. De tu libro mismo no juzgamos, aun cuando algo hallamos en él que no es resplandeciente; pues a tu libro sometemos nuestro pensamiento, seguros como estamos de que aun lo más cerrado y remontado sobre nuestra comprensión está allí dicho con rectitud y veracidad. Esta es la razón de que el hombre, aun el que ya está renovado por el

reconocimiento de Dios según la imagen suya que el creador puso en él, debe ser cumplidor pero no juez de la ley. Tampoco se atreve el espiritual a juzgar sobre los hombres sus hermanos quiénes sean espirituales y quiénes carnales; porque sólo de ti son conocidos y de ellos no vemos nosotros exteriormente frutos que nos permitieran arriesgar sobre ellos un juicio. Tú sí los conoces, sabes quién es quién y los discerniste llamándolos con oculto llamamiento desde antes que hicieras el firmamento. Y tampoco puede un hombre, por espiritual que sea, juzgar de las turbiedades de los pueblos de este mundo.

¿Y cómo podría juzgar sobre los que andan por allá afuera ignorante como está sobre cuál de ellos va a llegar a las dulzuras de tu gracia y cuál otro se va a quedar en los amargores de la impiedad? Pues el hombre, a quien hiciste a tu imagen y semejanza no recibió de ti poder para juzgar de las luminarias del cielo ni de lo que el cielo mismo le oculta, ni sobre el día y la noche que tú nombraste antes de la creación del cielo, ni sobre la congregación de las aguas que es el mar; pero sí recibió la potestad de juzgar sobre los peces del mar, las aves del cielo, la tierra toda, las bestias que sobre ella pacen y los reptiles que sobre ella se arrastran. Al juzgar aprueba lo que encuentra bueno y reprueba lo que le parece malo.

Y esto lo hace ora en la solemnidad de los sacramentos en que son iniciados los que tu misericordia anda buscando entre las muchas aguas, ora en aquellas en que se manifiesta aquel pez que sacado de las profundidades sirve de alimento a la tierra piadosa; y también en los signos y voces de una predicación sujeta a la autoridad de tu libro, que volando en el cielo como aves exponen la verdad disertando, discutiendo, interpretando e invocándote a ti con significativas voces que brotan de sus labios y suenan en el aire para que el pueblo responda: ¡Amén!

3. La causa de que todas estas voces tengan que enunciarse de manera corporal es lo abismal que es el signo y la ceguera de la carne, pues siendo incapaz de percibir en sí mismo el pensamiento hace necesario que se le grite en los oídos. Por lo tanto los volátiles, aun cuando se multipliquen sobre la tierra, tienen su origen en las aguas; y el hombre espiritual juzga de todo eso aprobando lo recto y reprobando lo incorrecto que encuentra en las obras y en las costumbres de los fieles. Juzga de las limosnas que dan como tierra fructífera, y también de los afectos del alma que ya es viva y que los tiene ya amansados por la castidad, los ayunos y los piadosos pensamientos que la alcanzan a través de los sentidos.

El espiritual tiene pues facultad para juzgar, por cuanto la tiene para corregir.

Capítulo 24

1. Pero, ¿qué es todo esto, y cuál es el misterio que encierra? Porque tú, Señor, bendijiste al hombre para que creciera y se multiplicara y llenara la tierra. ¿Nada nos dices sobre lo que insinúas para que lo entendamos? ¿Por qué no bendijiste de manera igual la luz, que llamaste día, ni al firmamento con sus luminarias, ni a las estrellas, ni a la tierra ni al mar? Yo diría, ¡oh Dios que nos creaste!, yo diría que tu intención fue la

de dar al hombre esa bendición como propia suya si no viera que también bendijiste los peces y los cetáceos para hacerlos crecer, multiplicarse y llenar las aguas del mar; y las aves, para que se multiplicaran sobre la tierra. También diría si lo que veo no viera: que una tal bendición pertenece a todos los seres que se propagan por generación, como es el caso de las plantas, los árboles frutales y las bestias de la tierra; y sin embargo, no les mandaste crecer y multiplicarse ni a las hierbas, ni a los árboles, ni a las bestias, con todo y que al parejo del hombre, los peces y las aves, todos ellos se propagan por generación guardando la identidad de su especie.

2. ¿Qué voy pues a decir, oh verdad mía y luz de mis ojos? ¿Que ésa fue una palabra vacía dicha de balde? ¡De manera alguna, Padre de piedad! Eso no lo dirá nunca este servidor de tu Verbo. Y si yo no consigo entender lo que esa palabra significa, entiéndanlo mejor que yo otros a quienes hayan concedido mayor inteligencia que a mí. Y que mi confesión sea agradable a tus ojos, ya que confieso creer con toda firmeza que tales palabras no las dije en vano. Pero tampoco voy a callar los pensamientos que me sugiere la lectura de lo que dijiste.

3. Siendo verdad todo lo que tú dices, no veo qué impedimento haya para que yo entienda como lo hago algunas palabras de tu libro en un sentido figurado. Sé que por el cuerpo se significan de muchas maneras cosas que la mente entiende sólo de una, así como lo que el cuerpo de una manera sola, la mente lo puede entender de varias. Así, por ejemplo, una cosa tan simple como el amor de Dios y al prójimo, ¡con cuánta multiplicidad de sacramentos, y en cuántas

lenguas, y dentro de cada lengua, con cuántas expresiones diversas tiene que enunciarse en la expresión corporal! Es así como crecen y se multiplican los engendros de las aguas. Pero atiende ahora tú, que lees estas páginas; y considera cómo la Escritura y la voz dicen de un solo modo que Dios creó el cielo y la tierra; y, ¿acaso esto no puede entenderse de varios modos sin engaño ni error ya que son posibles varias interpretaciones verdaderas todas ellas con diferente género de inteligencia?

4. Entonces: si hablamos no en sentido alegórico, sino propio de la naturaleza de los seres, la palabra crezcan y multiplíquensen conviene a todos los seres que se reproducen por semilla. Pero en un sentido figurado que es, a mi entender, conforme a la intención de la Escritura, la bendición de que se habla allí se atribuye, no sin motivo, solamente a los hombres y a los animales acuáticos.

Pero las multitudes las encontramos tanto en la creación espiritual cuanto en la material, en el cielo y en la tierra. Las hallamos también en las almas humanas, las justas y las injustas, como puestas en el día o en las tinieblas. Multitudes son también las de los santos autores por cuyo ministerio recibimos la luz como en un firmamento consolidado entre las aguas y las aguas; así como multitudes son las de aquellos pueblos cuya convivencia es amarga como las aguas del mar. Hay también multitudes de almas fervorosas que como árboles frutales o plantas cargadas de semilla producen como fruto las obras de la misericordia según la condición de la vida presente; y hallamos la multitud en los dones espirituales que resplandecen en el cielo como luminarias para la edificación común; y también la hallamos en los afectos del alma viva formados en la temperancia.

En todo esto, encontramos la multitud, la abundancia y la fecundidad.

5. Pero el hecho de que algo crezca y se multiplique de una manera tal, que una sola cosa se entienda y exprese de variadas maneras; y que una sola enunciación admita variedad de sentidos es cosa que no se da sino en los signos materiales y en las concepciones intelectuales. Nuestro sentir profundamente carnal hace indispensables todos estos signos materiales para que entendamos las generaciones que fueron alumbradas en las aguas y entendamos que las concepciones de la mente son también como generaciones humanas debidas a la fecundidad de la razón.

Por eso pienso, Señor, que las palabras *crezcan y multiplíquense* se han de aplicar a ambos géneros. En esa bendición veo yo la facultad que nos diste de enunciar de maneras varias lo que entendemos de una sola manera, y la de entender de diversos modos lo que entendemos en una sola pero oscura enunciación. Es así como se hinchan las aguas del mar, que no se mueven sino por la variedad de las interpretaciones; y así también se llena la tierra con los engendramientos de la mente humana. Su aridez se manifiesta en el ardor de saber, y es la razón lo que domina en ella.

Capítulo 25

1. Quiero también decirte, Señor; te lo diré sin empacho, lo que me enseña la continuación de tu Escritura. Y lo que

voy a decir será verdad, pues tú me inspirarás lo que sobre esas palabras quieres que diga. La verdad no puedo decirla si me inspira otro que no seas tú; tú eres la verdad, y todo hombre es mentiroso; por eso quien habla mentira la saca de su propio fondo; y yo, para decir la verdad, debo sacarla del tuyo.

Tú nos has dado para nuestro sustento toda hierba sembrada por lo ancho de la tierra y también todo árbol que lleva en sí la semilla de sus frutos. Y no sólo a nosotros, sino también a las aves del cielo, y bestias y reptiles de la tierra. Sin embargo, a los cetáceos y a los peces no les diste este tipo de sustento.

2. Dije ya pues que estos frutos de la tierra, alegóricamente entendidos, son las obras de la misericordia que la tierra fructífera da de sí según las necesidades de esta vida. Una tierra así fue, por ejemplo, el piadoso Onesíforo, quien por tu misericordia dio en su casa frecuente acogida y refrigerio a tu Apóstol Pablo y no se avergonzó de sus cadenas. Lo mismo hicieron y con los mismos frutos se enriquecieron aquellos otros hermanos que procedentes de Macedonia le proporcionaron lo que le hacía falta. De otros, en cambio, se queja con dolor el Apóstol como de árboles que no le dieron el fruto debido, cuando describió: "En mi primera defensa nadie me asistió, todos me abandonaron; que no se les tome en cuenta". Es que servicios como esos se deben prestar a aquellos que nos administran doctrina racional para la inteligencia de los misterios, y se les deben como a hombres que son. Pero también se les deben como a *"almas vivas"*, modelos que debemos imitar. También les

son debidos como a *volátiles*, cuya bendición los hace multiplicarse sobre la tierra, ya que por toda ella se ha extendido su predicación.

Capítulo 26

1. De estos manjares se alimentan los que encuentran en ellos su alegría, no aquellos cuyo dios es el vientre. Y aun en quienes prestan tales servicios el fruto espiritual no está en lo que dan, sino en la intención con que lo dan. Bien veo de dónde sacaba su alegría aquel hombre que servía a Dios y no a su vientre; y lo veo y grandemente lo felicito. Había pues recibido lo que los fieles de Filipos le enviaran por medio de Epafrodito, y veo en dónde estaba realmente el motivo de su alegría. Gozábase Pablo en lo que era su alimento cuando les dice: "Grande ha sido mi gozo en el Señor por ver que ha reflorecido en ustedes un afecto que ciertamente me tuvisteis al principio, pero que se había entibiado por el tedio" (Flp 4,10). En éstos de que habla, por un prolongado hastío que los había dejado casi áridos, los frutos de las buenas obras se habían secado. Y ahora Pablo se goza de que haya en ellos reflorecido su recuerdo no por la ayuda que le dan, sino por ver reverdecido lo que estaba marchito. Por eso continúa diciendo: "No lo digo porque algo me falte, pues sé contentarme con lo que tengo. He aprendido a tener menos y a tener en abundancia; sé lo que son el hambre y la hartura, la abundancia y la penuria. Todo lo puedo en aquel que me conforta" (Flp 4,12-13). ¿De dónde venía pues, Pablo eximio, tu alegría?

2. ¿De qué te alegrabas sino de lo que era tu alimento, renovado como estabas en el reconocimiento de Dios según la imagen suya que dejó en ti? Por eso eres un *alma viva*, con mucha continencia, y tu lengua es alada en la anunciación de los misterios. A vivientes como tú les es debido este manjar. ¿Qué otro alimento tienes fuera de la alegría?

Pero oigamos lo que sigue: "Sin embargo, han hecho bien socorriéndome en mi tribulación". De esto se alegra porque de ello se apacienta. No se alegra de verse aliviado en su apuro, sino de que ellos hayan procedido con bondad. "En medio de mi angustia me diste holgura", lo dice el que aprendió a pasar penurias lo mismo que abundancias, pues tú lo confortas. Y continúa diciendo: "Ustedes saben, filipenses, que a los comienzos de la evangelización, cuando partí de Macedonia, ninguna Iglesia tuvo conmigo relaciones de dar y recibir, sino solamente ustedes; pues una vez y luego otra más me enviaron a Tesalónica auxilio para mis necesidades".

3. Se goza pues de ver que han vuelto a sus primeras buenas obras y de que su campo reverdecido es fértil otra vez. Su gozo no es pues debido al auxilio que recibió cuando lo necesitaba. ¿Pero cómo sabemos esto nosotros? Lo sabemos porque él continúa diciendo: "Lo que busco no es el don sino el fruto". El don es la cosa que le da el que lo socorre, como la moneda, el alimento, la bebida, el vestido, el albergue; pero el fruto se encuentra en la buena voluntad del que da los dones. El maestro bueno no se limita a decir "el que reciba a un profeta", sino que añade: "por ser profeta"; ni dice nada más "el que reciba a un justo", sino que añade:

"por ser justo". De esta manera, aquél recibirá paga de profeta y éste, paga de justo. Ni se limitó tampoco a decir: "El que diere a uno de mis pequeños un vaso de agua fresca", sino que añadió: "No perderá su galardón". En todo esto, el don consiste en recibir al profeta, al justo y al discípulo; pero el fruto está en hacer todo eso por honrar al profeta, al justo y al discípulo. Cuando Elías era alimentado por un cuervo, el pan que éste le llevaba era un don; pero cuando lo alimentaba aquella viuda sabedora de que estaba sirviendo a un hombre de Dios, en ello había un fruto. Y el que era de este modo alimentado no era solamente el Elías interior, sino también el Elías exterior, el que podía morir si le faltara el alimento.

Capítulo 27

Por eso, Señor, voy a decir en tu presencia una cosa que es verdad. Cuando algunos de esos hombres ignorantes e infieles para ganar e iniciar a los cuales son necesarios los sacramentos de la iniciación y los aparatosos milagros que he comparado con los peces y los cetáceos; cuando éstos, digo, reciben a tus hijos para alimentarlos corporalmente o en cualquier forma ayudarlos con los servicios de esta vida; y lo hacen, pero en la ignorancia de los motivos que hay para hacerlo, ni éstos alimentan a aquéllos ni aquéllos a éstos; porque ni los que prestan el servicio lo hacen con la recta y santa voluntad con que deberían, ni quienes lo reciben pueden realmente alegrarse del don recibido, por cuanto ven el don pero no el fruto. Ya se dijo que el hombre se apacienta de aquello que lo alegra. Por este motivo ni los cetáceos ni los peces se alimentan con los manjares que la tierra germina solamente cuando ya quedó purgada y separada de la amargura de las aguas marinas.

Capítulo 28

Miraste pues, Señor, todo lo que habías hecho, y encontraste que todo era bueno; y así lo vemos también nosotros, extraordinariamente bueno. Conforme ibas diciendo que se hicieran todas tus obras cada una según su especie; ellas se hacían y tú veías que eran buenas. Las he contado, y son siete las veces que dijiste que lo hecho era bueno. Y la octava es que al ver tu creación en su conjunto viste no sólo que era buena, sino muy buena. Porque cada una de tus obras era buena; pero el conjunto de todas ellas es extremadamente bueno.

Esto se ve también en los cuerpos hermosos compuestos de diversidad de miembros armoniosamente combinados; los miembros son hermosos en sí, pero más hermoso aún es el conjunto que ellos forman en armonía.

Capítulo 29

Puse pues mi atención para ver si eran siete u ocho las veces que viste tus obras y te agradaron. Y como no encontré en tu visión tiempos diversos en que hayas visto tu obra, te dije: ¡Señor! ¿No es por ventura cierta y veraz tu Escritura, pues su amor eres tú, verdad y veracidad? ¿Cómo es posible, entonces, que tú me digas que en ti no hay tiempos, y tu Escritura me diga que siete veces, como las he contado, miraste tu obra y dijiste que era buena?

A esto tú, que eres mi Dios, respondes con voz fuerte al oído interior de tu siervo, clamando para romper mi sordera: ¡Hijo de hombre! Lo que dice mi Escritura lo digo yo mismo; pero ella lo dice de manera temporal, al paso que a mi Palabra no tiene acceso el tiempo, pues es eterna como yo. Lo que ustedes ven por mi Espíritu es lo que veo yo, así como lo que ustedes dicen movidos de mi Espíritu, lo digo yo. Ustedes lo ven todo de manera temporal, pero yo no lo veo así; ustedes dicen las cosas en el tiempo, yo las digo en la eternidad.

Capítulo 30

Oí tu voz, Señor, y mi paladar saboreó la dulzura de una gota de tu verdad. Y entendí que a muchos no les agrada la bondad de tus obras. Afirman que muchas cosas hiciste llevado por la necesidad, como la fábrica del cielo y la ordenación de los astros. Y dicen que a éstos no los hiciste tú, sino que existían ya venidos de otro origen, y tú solamente los juntaste, ordenaste y compaginaste cuando, vencedor de tus enemigos, quisiste edificar la muralla del mundo para que dominados por ella no pudieran ya jamás rebelarse contra ti. Mas fuera de esto afirman que ninguna otra cosa hiciste ni ordenaste, como los seres de carne y los animales muy pequeños y todo cuanto arraiga en la tierra; sino que todo esto procede de un ser de otra naturaleza que la tuya, no formado por ti y contrario a ti, que todo esto lo hizo y lo formó en los lugares inferiores del mundo.

Esto dicen en su insania porque no ven tus obras a la luz de tu Espíritu ni te reconocen en ellas.

Capítulo 31

1. Mas cuando los hombres ven tus obras a la luz de tu Espíritu tú mismo ves en ellos. Ellos ven que tus obras son buenas, y tú en ellos mismos ves lo que son; y cuando se complacen en tus obras a causa de ti, tú mismo te complaces en ellos; así como todo cuanto les agrada en tu Espíritu, a ti te agrada en ellos.

¿Quién puede saber lo que se agita en el corazón del hombre sino el espíritu del hombre que hay en él? De manera igual nadie conoce lo que es de Dios sino el Espíritu de Dios. Nosotros, dice el Apóstol, no hemos recibido el espíritu del mundo, pero sí al Espíritu de Dios, para que conozcamos las cosas que Dios nos ha comunicado. Y nuevamente me veo amonestado a decir que nadie conoce lo que es de Dios sino el Espíritu de Dios.

2. ¿Cómo pues podemos saber nosotros también lo que Dios nos ha comunicado? Y se me responde que cuando sabemos las cosas que nos las alumbra el Espíritu, aun entonces sólo él las conoce. Pues así como se nos dijo "no serán ustedes quienes hablen, sino que el Espíritu Santo hablará por ustedes" (Mt 10,20), así también, a quienes algo saben en el Espíritu se les dice que no son ellos quienes lo saben, sino el Espíritu de Dios. De igual manera, a los que algo ven en el Espíritu de Dios se les dice "no son ustedes quienes ven"; pues cuando alguien ve en el Espíritu de Dios

que algo es bueno, no es el mismo quien lo ve, sino Dios en él.

3. Una cosa es pensar que lo bueno es malo, como sucede con lo que acabo de mencionar, y otra es ver que lo bueno es bueno. A muchos les agrada tu creación porque es buena, pero no les gustas tú en ella, por lo cual lo que quieren es gozar de ella y no de ti. Pero muy otra cosa es el que un hombre vea que algo es bueno y Dios vea en él la misma bondad, por manera que él sea amado en la criatura que hizo; pues no podría ser amado sino en el Espíritu Santo que nos dio. Porque "el amor de Dios se ha derramado en nuestros corazones por el Espíritu Santo que nos fue dado" (Rom 5,5). Por él vemos que es bueno lo que de alguna manera lo es, porque procede de aquel que no es de este modo o del otro, sino que simple y absolutamente *es*.

Capítulo 32

1. ¡Gracias te sean dadas, Señor, por el cielo y la tierra que vemos! Porque vemos la parte material de tu creación en su parte superior y en su parte inferior, o sea, la creación espiritual y la corporal; y vemos el ornato de ambas partes de las que consta la masa total del mundo o la absoluta totalidad de la creación. Vemos que la luz fue hecha y dividida de las tinieblas. Vemos el firmamento del cielo, tanto el que está puesto entre las aguas superiores y espirituales y las inferiores y materiales como cuerpo primario del mundo, cuanto el espacio aéreo llamado también *cielo*, en el cual vuelan las aves moviéndose entre las aguas que pesadamente fluyen acá aba-

jo y las aguas vaporizadas que se elevan por encima de ellas y que mandan el rocío sobre la tierra en las noches serenas.

2. Vemos en las planicies del mar la grandiosa congregación de las aguas; vemos la tierra árida, o desnuda o formada para que fuera visible y compuesta y materia básica de las plantas. Vemos en lo alto resplandecer las luminarias: el sol, suficiente para el día, y la luna y las estrellas, que son el consuelo de la noche. Y todos ellos nos sirven para medir y señalar el tiempo. Consideremos también el líquido elemento que es el agua, fecundo en abundancia de peces, aves y otros animales; y cómo el aire que soporta el vuelo de los pájaros debe su densidad a la evaporación de las aguas.

3. Vemos asimismo cómo se adorna la faz de la tierra con los animales terrestres y cómo por encima de todos los animales privados de razón domina el hombre a quien hiciste a tu imagen y semejanza, y que frente a ellos es superior precisamente por esa inteligencia que lo hace semejante a ti.

Y así como en el alma del hombre hay una parte que domina por el consejo del pensamiento y otra que se le subordina para la ejecución de las obras, así también al hombre le diste el complemento corporal de la mujer; ésta le es semejante en la naturaleza racional; pero se le subordina en cuanto al sexo corporal de manera muy similar a la manera como el apetito de la operación se subordina a la razón intelectual para concebir de ella los modos prácticos de la actividad.

Hemos ido viendo uno por uno todos estos bienes, y los encontramos buenos en extremo.

Capítulo 33

Que todas tus obras te alaben, Señor, para que nosotros te amemos; y que te amemos nosotros para que tus obras te alaben; esas obras que tienen en el tiempo un principio y un fin, una aurora y un atardecer, crecimiento y mengua, hermosura a imperfección; y todo esto, en parte de manera manifiesta y en parte de modo oculto. Fueron hechas por ti, pero no de ti sino de la nada. No de una materia preexistente no tuya, sino de una materia concreada, esto es, creada por ti informe y simultáneamente formada sin intersticio temporal alguno. Diferentes como son la materia del cielo y de la tierra y la hermosura del cielo y la de la tierra, tú creaste la materia de la nada absoluta y a esta materia, en un solo acto, le diste la forma de la hermosura; sin intervalo de tiempo la forma acompañó a la materia.

Capítulo 34

1. He considerado también por qué figuración hayas tú querido que estas cosas se hicieran en este orden o fueran en este orden escritas; y vi que cada una de ellas es buena, y que el conjunto de todas ellas es sumamente bueno en tu Verbo, tu único Hijo; el cielo y la tierra, la cabeza y el cuerpo de tu Iglesia, en esa predestinación tuya que precedió a los tiempos, sin aurora ni ocaso.

Y cuando empezaste a realizar en el tiempo lo que antes del tiempo habías predeterminado para manifestar lo oculto y componer en nosotros lo que teníamos descompuesto por el pecado que nos dominaba y nos sorbía en un abismo tenebroso lejos de ti; abismo sobre el cual era llevado tu Espíritu para remediarnos en el tiempo oportuno; entonces, justificaste a los impíos y separaste a los justos de los inicuos; consolidaste la autoridad de tu libro entre los hombres superiores directamente enseñados por ti y los inferiores, subordinados a ellos; y te congregaste en un solo cuerpo la sociedad de los infieles para que se manifestaran los afanosos anhelos de los fieles y se prodigaran los frutos de la misericordia distribuyendo entre los pobres las riquezas temporales para conseguir las celestes.

2. Luego encendiste en el firmamento esas luminarias que son tus santos, poseedores de palabras de vida eterna y resplandecientes con la sublime autoridad de sus dones espirituales. Y en seguida, para imbuir en la fe a los pueblos infieles, de la materia produjiste sacramentos y milagros visibles, voces y palabras conformes a la firmeza de tu libro y por las cuales también tus fieles fueron bendecidos. Después formaste en tus fieles el *alma viva*, con sus afectos ordenados por el vigor de la continencia; y de ahí modelaste según tu imagen y semejanza una mente sometida tan sólo a ti y no necesitada de ninguna humana autoridad para imitar su ejemplo, y pusiste la actividad racional sometida a la superioridad de la inteligencia al modo como dispusiste que a todos esos ministros tuyos que son necesarios para el perfeccionamiento de tus fieles en esta vida éstos les prestaran fructuosos servicios para el futuro en sus necesidades temporales.

Todo esto lo vemos, y encontramos que todo es muy bueno; y tú mismo ves esto en nosotros a quienes nos diste tu Espíritu para que en él pudiéramos verlas y amarte en ellas.

Capítulo 35

Señor y Dios nuestro, ¡danos la paz! Ya que nos lo has dado todo, danos ahora la paz del reposo, la paz del sábado, la paz del atardecer. Porque este orden bellísimo resultante de tantas cosas buenas, una vez cumplido su tiempo habrá de pasar. En él tuvo el sol su aurora y tendrá también su crepúsculo. Un día completo con su mañana y su tarde.

Capítulo 36

Pero el séptimo día de tu creación tuvo mañana y no tuvo tarde ni ocaso, pues tú lo santificaste para una eterna permanencia. Y al decirnos tu libro que tú aun cuando estuviste quieto en los días de tu inmensa actividad, descansaste el séptimo día, con eso nos advierte que también nosotros, después de haber realizado obras que son buenas porque tú nos las diste, llegado el sábado de nuestra vida eterna habremos de descansar en ti.

Capítulo 37

Pues ese día descansarás tú en nosotros así como ahora estás activo en nosotros; y nuestro descanso será tuyo así como ahora es tuya nuestra actividad. Pues tú, Señor, siempre estás activo y siempre estás en reposo. Nada tiene que ver el tiempo ni con tu conocimiento ni con tu operación ni con tu descanso; y sin embargo eres tú quien hace el tiempo, nos concedes visiones en el tiempo, y luego el eterno reposo cuando se acabe el tiempo.

Capítulo 38

Las cosas que tú hiciste nosotros las vemos porque son; pero si son es porque tú las viste. Por fuera de ellas vemos nosotros que son; y dentro vemos que son buenas; pero tú las viste *ya hechas* cuando las pensaste como *hacederas*. Nosotros nos movemos a hacer algún bien luego de que nuestro corazón concibe ese bien por obra del Espíritu Santo; pues antes de eso, apartados de ti, solamente nos movíamos al mal. Y mientras tanto tú, Dios, suma unidad y sumo bien, nunca dejabas de hacernos beneficios. Es cierto que nosotros hacemos con tu gracia algunas cosas que son buenas; pero no son eternas, y cuando ellas pasen, nosotros (y ésta es nuestra esperanza) vamos a descansar en tu santidad infinita. En cambio, tú, como no necesitabas de ningún bien fuera de ti, siempre estás quieto, pues tu quietud eres tú mismo.

Entender esto no es cosa que hombre alguno pueda conceder a otro hombre, ni un ángel a un hombre ni un ángel a otro ángel. A ti sólo se te ha de pedir, en ti se ha de buscar, a tu puerta se ha de llamar; de este modo y solo así, recibiremos lo pedido, lo encontraremos, y se nos abrirá tu puerta. Amén.

Índice

Colección
Clásicos de Espiritualidad

Florecillas

Francisco de Asís

Estas huellas escritas son un fiel reflejo de San Francisco de Asís y de su vigoroso legado espiritual, al punto de haberse erigido como un clásico que trasciende la literatura religiosa.

La presente edición luce la particularidad de reunir todas las florecillas.

Historia de un alma

Teresita de Lisieux

La conocida autobiografía de la patrona de las misiones en la que podremos recorrer de su mano el camino de santidad que nos propone con sus palabras y con su ejemplo. Presentada en un lenguaje actualizado y acompañada por una introducción con la biografía del autor, la ubicación de la obra en el contexto histórico en la que fue escrita y una síntesis de su mensaje.

Ejercicios espirituales

San Ignacio de Loyola

San Ignacio de Loyola, fundador de la Compañía de Jesús, nos ha dejado estos fecundos Ejercicios Espirituales. No se trata de una obra para leer, sino para poner en práctica. Es un método de oración sistemático y progresivo para suscitar una experiencia religiosa que mueva a la acción.

La presente edición está precedida por una biografía del santo y un panorama de su contexto religioso y cultural, como así también por algunas claves de comprensión de la espiritualidad ignaciana.

Este libro se terminó de imprimir en el mes de julio de 2007
en los Talleres Gráficos Color Efe, Paso 192, Avellaneda,
Buenos Aires, Argentina.